SPANISH 1

ACTIVITIES MANUAL

Second Edition

TEACHER'S EDITION

NOTE: The fact that materials produced by other publishers may be referred to in this volume does not constitute an endorsement of the content or theological position of materials produced by such publishers. Any references and ancillary materials are listed as an aid to the student or the teacher and in an attempt to maintain the accepted academic standards of the publishing industry.

SPANISH 1 Activities Manual Teacher's Edition
Second Edition

Coordinating Authors
Beulah E. Hager, M.A.
Claudia J. Loftis, M.A.
Virginia R. Layman
Ma. Esther Luna Hernández
L. Michelle Rosier

Project Manager
Richard Ayers

Project Editors
Adrianne M. Utt
Elizabeth McAchren

Designers
Elly Kalagayan
Wendy Searles

Composition
Carol Anne Ingalls

Photograph Credits
Front Cover: PhotoDisc/Getty Images
Title Page: Corbis (top); PhotoDisc/Getty Images (bottom all)

Produced in cooperation with the Bob Jones University Department of Modern Languages of the College of Arts and Science, the School of Education, Bob Jones Academy, and BJ LINC.

Greenville, South Carolina 29614
First Edition ©1993

Printed in the United States of America

ISBN 978-1-59166-170-2

15 14 13 12 11

Contents

Acknowledgments

We wish to express appreciation and gratitude to all those who participated in the recording of our script program: Adriana Álvarez, David Bell, Belinda Benard, Heidi Blossom, Esteban Bonikowsky, Julie Case, Kenneth Casillas, Hernán Castillo, Mr. and Mrs. Russell Cordero, Mr. and Mrs. Eliseo Cuenca, Jonatán Cuenca, Susana Cuenca, Isaí Delarca, Manuel Figueroa, Lisa Flower, Miguel Flower, Ivonne Benard Gardner, Déborah Garwood, Rut Torres Harris, Lourdes Huhta, Claudia Loftis, Wanda Maldonado, Víctor Martínez, Alejandro Milla, Melody Moore, Antonio Moyano, Argyle Paddock, Hidaí Ponce, Rosa Quiñones, Israel Román, Maribel Ruiz, Christopher Valdés, Priscilla Vélez, Andrew Wolf, Marcy Wolsieffer; Larry Carrier, technical advisor; and very special thanks to Corban Tabler, our recording engineer.

To the Student

CD Exercises

While the written word is important in the modern world, languages are meant to be spoken. Therefore, the first half of this text utilizes the SPANISH 1 Listening CDs as a valuable tool in helping you to develop the listening and speaking skills needed to be a good Spanish speaker. They will help you to learn the sounds of Spanish and to practice the grammar forms and constructions you are learning in the textbook and using daily in class.

In order to make your time count the most as you use the program, do not passively listen to the CDs. Practice aloud in the pauses provided for you. If you are able to work with the CDs at home on your own, set aside several times a week to practice the exercises that go along with the classroom lessons. Work with each portion of the CD until you understand the exercises and can do them easily and, as much as possible, without errors. You will probably need to repeat some of the sections several times.

Most of the people whose voices you will hear on the CDs are native speakers. Their accents differ from each other somewhat because the speakers are from different parts of the Spanish-speaking world, but their pronunciation is authentic; so you can be certain that the models you hear are realistic.

As you listen to the CDs, you will be asked to follow along in your Activities Manual or textbook. Some of the exercises combine listening, speaking, and writing; others combine reading and listening; still others are entirely listening exercises with very little in print for you to see. These exercises help develop your listening skills.

You will need the following supplies for each CD session:

1. Your Activities Manual
2. Your textbook
3. A pencil or pen

Written Exercises

The writing activities in the second half of the Activities Manual enable you to practice writing grammar forms and constructions.

Whether the exercises are given as classwork or homework, do your best to answer correctly and check your work to learn how well you did. If your answers are not exactly perfect the first time, just remember that communication is your first goal, and keep trying.

Si, pues, coméis o bebéis, o hacéis otra cosa, hacedlo todo para la gloria de Dios.
—Primero de Corintios 10:31

Los Países de Habla Española

ORAL CD

Capítulo Uno

Introducción

I. Saludos

Follow along on page 2 of your textbook.

II. Presentaciones

It is the first day of classes, and Margarita and Felipe get acquainted with each other. Listen to the dialogue.

Margarita: ¡Hola! Soy Margarita. ¿Cómo te llamas?

Felipe: Me llamo Felipe.

Margarita: Mucho gusto, Felipe.

Felipe: ¿Cómo se llama la profesora?

Margarita: Se llama la señorita Rojas.

III. Adjetivos

You already know more words in Spanish than you realize. You will be able to recognize most, if not all, of the following words. Listen and repeat.

normal, justo, posible, imposible, práctico, impráctico, probable, inteligente, terrible, maravilloso, espléndido, interesante, brillante, importante, necesario, innecesario, estudioso, académico, común, famoso, impulsivo, cruel, sincero, generoso, nervioso, religioso, diplomático, político, económico

IV. Los números

A. ***Listen to the following numbers.***

0	cero	6	seis
1	uno	7	siete
2	dos	8	ocho
3	tres	9	nueve
4	cuatro	10	diez
5	cinco		

B. ***Repeat the numbers after you hear them on the tape.***

C. ***Say the number that follows the number you hear.***

D. ***Listen as the speaker says her telephone number in Spanish.***

V. Profesiones

You will be able to recognize most, if not all, of the following professions or occupations. Listen and repeat.

profesor, estudiante, oficinista, secretaria, doctor, dentista, pastor, ministro, músico, violinista, guitarrista, organista, pianista, arquitecto, ingeniero, electricista, contratista, carpintero, plomero, aviador, piloto, general, capitán, sargento, detective, policía

VI. La familia

Follow along on page 7 of your textbook.

A. ***Listen and repeat.***

B. ***Now, let's meet your family. Say aloud the names of the people asked for in the following questions.***

1. ¿Cómo se llama tu madre?
   Se llama . . .
2. ¿Cómo se llama tu padre?
   Se llama . . .
3. ¿Cómo se llama tu abuelo?
   Se llama . . .
4. ¿Cómo se llama tu abuela?
   Se llama . . .
5. ¿Cómo se llama tu hermana?
   Se llama . . .
6. ¿Cómo se llama tu hermano?
   Se llama . . .

VII. La clase

Let's see whether you know the names of the following objects. Write the number of the word you hear next to the appropiate picture. The model is marked for you.

Modelo: *You hear:* una silla
You mark the picture as shown.

modelo

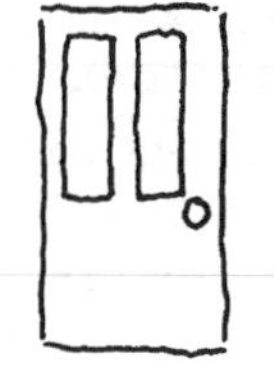

5

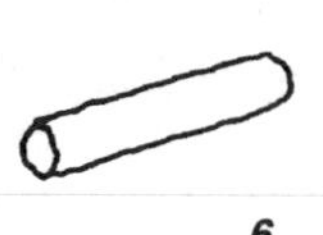

6

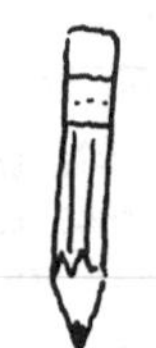

9

10

4

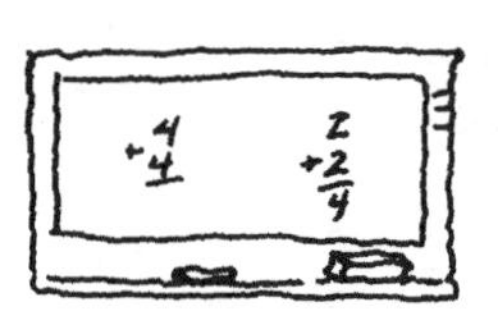

7

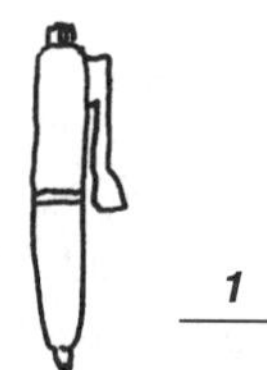

1

3

2

8

VIII. Los días de la semana

Listen as the speaker names the days of the week. The first day of the week is Monday. Repeat after the speaker.

lunes
martes
miércoles
jueves
viernes
sábado
domingo

IX. El alfabeto

A. ***Say each letter after the speaker.***

a	j	r
b	k	rr
c	l	s
ch	ll	t
d	m	u
e	n	v
f	ñ	w
g	o	x
h	p	y
i	q	z

B. ***There are only five basic vowel sounds in Spanish. Say each vowel after the speaker.***

a e i o u

C. ***Spell your name.***

X. Dictado

In this section of the lesson, you will hear a sentence three times. The first time you hear the sentence, listen only. The second time through, write the sentence in the space provided. The third time, check your work.

1. *Buenos días, Sr. Rojas.*
2. *¿Cómo te llamas?*
3. *Me llamo Ana Gómez.*
4. *¿Cómo estás, Ana?*
5. *Estoy bien, gracias.*

Capítulo Dos

Lección 1

I. Versículo

Salmo 23:1 Jehová es mi pastor; nada me faltará.

II. Diálogo

Follow along on page 13 of your textbook.

III. Vocabulario

Follow along on page 14 of your textbook. Escuche y repita.

IV. Preguntas y respuestas

A. ***You will hear a question. Answer affirmatively. Then you will hear the confirmation.***

Modelo: *You hear:* ¿Es una Biblia?
You answer: Sí, es una Biblia.
You hear the confirmation: Sí, es una Biblia.

B. ***Decide whether the sentence you hear is a question or a statement. Mark the appropriate space.***

	Question	Statement
1	✓	
2		✓
3		✓
4	✓	
5	✓	
6		✓

V. El negativo

You will hear a question. Answer negatively by first saying no ***and then making the verb negative.***

Modelo: *You hear:* ¿Es una iglesia bautista?
You say: No, no es una iglesia bautista.
You hear the confirmation: No, no es una iglesia bautista.

VI. El sustantivo y el artículo definido

Substitute the italicized words in each sentence with the word you hear after the speaker reads the sentence.

Modelo: *You hear:* Es *la maestra* de la escuela dominical. (maestro)
You say: Es el maestro de la escuela dominical.

1. Es *el tío* de Felipe.
2. Es *la prima* de Marcos.

3. Es *el himnario* de la iglesia.
4. Es *el Nuevo Testamento* de María.
5. Es *la tiza* de la maestra.
6. Es *el padre* de José.
7. Es *la puerta* de la clase.

VII. Pronunciación

Follow along on page 19 of your textbook.

VIII. Dictado

Escuche y escriba.

1. ***¿Es una iglesia?***
2. ***Sí, es una iglesia.***
3. ***Él es pastor de la iglesia.***
4. ***Es una Biblia grande.***
5. ***¿Cómo está el estudiante?***

Lección 2

I. Versículo

I Juan 5:12 El que tiene al Hijo, tiene la vida; el que no tiene al Hijo de Dios no tiene la vida.

II. Diálogo

Follow along on page 21 of your textbook.

III. Vocabulario

Refer to the illustration below to complete this section. Say* verdadero *if the statement you hear is true or say* falso *if the statement is false.

Modelo: *You hear:* La casa tiene dos baños.
You say: falso

IV. El verbo *tener* (singular)

A. ***Repeat the singular forms of the verb* tener *along with the singular subject pronouns.***

yo tengo

tú tienes

Ud., él, ella tiene

B. ***Give the correct form of the verb* tener.**

Modelo: *You hear:* María
You say: María tiene.

V. Adjetivos posesivos (singular)

A. ***The following phrases contain the singular forms of the possessive adjectives. Repeat each phrase after the speaker.***

Es mi casa.

Es tu apartamento.

Es su garaje.

B. ***You will hear a question. Answer the question affirmatively, using the appropriate possessive adjective.***

Modelo: *You hear:* ¿Es tu libro?
You say: Sí, es mi libro.
You hear the confirmation: Sí, es mi libro.

VI. Repaso de los artículos

You will hear a sentence. In the space provided, write d ***if you hear a definite article used in the sentence; write*** i ***if you hear an indefinite article used.***

Modelo: *You hear:* Ella es la mamá de Elena.
You write: d
You hear the confirmation: d (definite article)

1. *d*
2. *i*
3. *d*
4. *d*
5. *i*
6. *i*
7. *d*
8. *i*
9. *d*
10. *i*

VII. Pronunciación

Follow along on page 26 of your textbook.

VIII. Dictado

Escuche y escriba.

1. *Mi casa tiene una sala.*
2. *Mi cuarto tiene una ventana.*
3. *Tienes dos baños en tu casa.*
4. *Mi mamá no tiene un carro.*
5. *Tienes un perro y un gato.*

IX. Let's sing!

Follow along on page 24 of your textbook.

Lección 3

I. Versículo

Juan 14:2 En la casa de mi Padre muchas moradas hay.

II. Diálogo

Follow along on page 27 of your textbook.

III. Vocabulario

Follow along on page 28 of your textbook. Escuche y repita.

IV. Preguntas con respuestas afirmativas/negativas

A. *Change the following statements to questions. Follow the model.*

Modelo: *You see:* El colegio tiene una biblioteca.
You say: ¿Tiene el colegio una biblioteca?
You hear the confirmation: ¿Tiene el colegio una biblioteca?

1. La clase de biología es difícil.
2. El profesor de inglés es interesante.
3. Tienes una clase de historia.
4. Juan es un estudiante bueno.
5. La escuela tiene una cafetería.

B. *Change the statements in exercise* A *to questions by using the tag question that you hear.*

Modelo: *You see:* El colegio tiene una biblioteca.
You hear: ¿verdad?
You say: El colegio tiene una biblioteca, ¿verdad?

V. La preposición *de* para indicar posesión

Refer to the pictures below to answer the following questions about possession.

Modelo: *You hear:* ¿De quién es la guitarra?
You say: La guitarra es de Pedro.

VI. La preposición *de* para indicar relación y categoría

Form a complete statement by using the preposition* de *and the noun that you hear.

Modelo: *You see:* libro
You hear: historia
You say: Es el libro de historia.
You hear the confirmation: Es el libro de historia.

1. clase
2. clase
3. profesor
4. aula
5. gimnasio
6. escuela

VII. Pronunciación

Follow along on page 33 of your textbook.

VIII. Dictado

Escuche y escriba.

1. *El señor Martínez es profesor de matemáticas.*
2. *Tengo la clase de historia en el aula número diez.*
3. *¿Cuál es tu horario?*
4. *La señorita López está en la biblioteca.*
5. *Es el gimnasio del colegio.*

Capítulo Tres

Lección 4

I. Versículo

Génesis 3:9 Mas Jehová Dios llamó al hombre, y le dijo: ¿Dónde estás tú?

II. Diálogo

Follow along on page 35 of your textbook.

III. El verbo *estar* (singular)

A. ***Repeat the singular forms of* estar.**

yo estoy

tú estás

Ud., él, ella está

B. ***A student from a Spanish country will ask you a question. Answer the question by referring to the cue provided.***

Modelo: *You hear:* ¿Dónde ***estoy***?
You see: Buenos Aires, Argentina.
You say: Estás en Buenos Aires, Argentina.
You hear the confirmation: Estás en Buenos Aires, Argentina.

1. Santiago, Chile
2. La Paz, Bolivia
3. Caracas, Venezuela
4. Perú
5. Estoy en . . .

IV. La frase interrogativa *¿Dónde está?*

You will hear a question followed by two statements. Circle the letter of the statement that correctly describes the picture. The model is marked for you.

Modelo: *You hear:* ¿Dónde está el gato?
a. Está encima de la silla.
b. Está debajo de la silla.
You circle b *and say:* Está debajo de la silla.

a (b)

V. Vocabulario

Follow along on page 38 of your textbook. Escuche y repita.

VI. Adjetivos con *estar*

You will hear an incorrect statement about the condition of the person or thing in the picture. Correct the statement so that it matches the picture.

Modelo: *You hear:* Marcos está sano.
You say: No, Marcos está enfermo.
You hear the confirmation: No, Marcos está enfermo.

VII. Pronunciación

A. ***Follow along on page 41 of your textbook.***

B. ***Listen to the following English words:***

loose	two
Sue	loop

Now listen to the Spanish words:

luz	tu
su	lupa

Do you hear the contrast?

loose	luz
Sue	su
two	tu
loop	lupa

VIII. Dictado

Escuche y escriba.

1. *El cuaderno está encima del escritorio.*
2. *La profesora está en la cafetería.*
3. *Mi tarea está debajo del libro.*
4. *Susana está triste hoy.*
5. *La amiga de María está de mal humor.*

Lección 5

I. Versículo

Salmo 27:1 Jehová es mi luz y mi salvación; ¿de quién temeré?

II. Lectura

Follow along on page 43 of your textbook.

III. Vocabulario

Contradict the statements made by the speaker by replacing the adjective you hear with one indicating an opposite trait.

Modelo: *You hear:* Adolfo es bueno.
You say: No, no es bueno. Es malo.
You hear the confirmation: No, no es bueno. Es malo.

IV. El verbo *ser* (singular)

A. ***Repeat the singular forms of the verb*** **ser.**

yo soy

tú eres

Ud., él, ella es

B. ***Use the cues provided to make a complete sentence using the verb*** **ser.**

Modelo: *You see:* yo / pequeño
You say: Yo soy pequeño.
You hear the confirmation: Yo soy pequeño.

1. yo / rico
2. él / generoso
3. ella / simpática
4. tú / bonita
5. Tomás / aburrido
6. Raquel / inteligente
7. yo / viejo
8. tú / guapo
9. Ud. / bueno
10. el profesor / interesante

V. Posición del adjetivo descriptivo

Restate the sentence that you hear so that it begins with the verb form **es.**

Modelo: *You hear:* El carro es bonito.
You say: Es un carro bonito.
You hear the confirmation: Es un carro bonito.

VI. El uso de *ser* para expresar profesión, nacionalidad y religión

Reword the statement that you hear, according to the new subject given.

Modelo: *You hear:* Pablo es español.
You see: Paulina
You say: Paulina es española.
You hear the confirmation: Paulina es española.

1. Manuel
2. Katrina
3. Juan
4. Silvia
5. Francisca
6. Charlie
7. Josefina
8. Victoria

VII. Pronunciación

La vocal *a* (unión)

A. ***When words ending in a are followed by words also beginning with a, Spanish speakers generally pronounce only one a.***

Practique las palabras: capa azul, puerta abierta, avenida ancha

Practique la frase: Una amiga de la abuela de María vive en la avenida La amistad.

B. ***Listen to the following sentences. After the first reading, mark where the words are linked together. Pronounce the sentences after the second reading. The first item serves as a model.***

Modelo: Tengo una‿abuela en la‿Argentina.

1. Se usa la‿aguja para‿arreglar la‿alforja.
2. La‿almendra‿amarga la‿ama‿Alicia.
3. La‿angélica amiga de Dorita la‿anima.

VIII. Comprensión

Listen to the reading and then complete the verification section.

IX. Verificación

Underline the word that correctly completes the sentence.

1. Carmen es (hermana, amiga) de Pablo.
2. Pablo es (simpático, antipático).
3. Carmen es (aburrida, inteligente).
4. Pablo es de (La República Dominicana, México).
5. Carmen está (contenta, de mal humor).

Lección 6

I. Versículo

Hebreos 13:8 Jesucristo es el mismo ayer, y hoy, y por los siglos.

II. Diálogo

Follow along on page 52 of your textbook.

III. Vocabulario

Follow along on page 53 of your textbook. Escuche y repita.

IV. El uso de la preposición *de* con *ser*

A. *You will hear a question. Choose the answer that best fits the question and then make a complete statement.*

Modelo: *You hear:* ¿De qué es la camisa?
You see: a. algodón b. el señor Blanco
You choose a *and say:* Es de algodón.
You hear the confirmation: Es de algodón.

Comience:

1. a. México
   (b.) poliéster
2. (a.) Paco
   b. Puerto Rico
3. (a.) España
   b. Pedro
4. a. José
   (b.) oro
5. (a.) cuero
   b. el Sr. Fuentes
6. a. algodón
   (b.) Perú
7. (a.) plástico
   b. Mirna
8. a. Argentina
   (b.) plata

B. *Choose the question that best represents the answer given.*

Modelo: *You hear:* El reloj es de oro.
You see: a. ¿De quién es el reloj?
b. ¿De qué es el reloj?
You choose b *and say:* ¿De qué es el reloj?

1. (a.) ¿Cómo es el profesor?
   b. ¿De dónde es el profesor?
2. a. ¿De qué es la corbata?
   (b.) ¿De quién es la corbata?
3. a. ¿Quién es Jorge Washington?
   (b.) ¿De dónde es Jorge Washington?
4. (a.) ¿Cómo es el señor?
   b. ¿Dónde está el señor?
5. a. ¿Quién es el misionero?
   (b.) ¿Dónde está el misionero?
6. (a.) ¿Cómo es la mesa?
   b. ¿De qué es la mesa?

V. Resumen de *ser y estar*

A. *Complete the following sentences by inserting the correct form of the verb* ser *or* estar.

Modelo: *You see:* La muchacha ______ bonita.
You write: La muchacha __*es*__ bonita.
You hear the confirmation: La muchacha es bonita.

1. El libro ____es____ grande.
2. El lápiz ____está____ en mi bolsillo.

3. El director de la escuela ___**está**___ en su oficina.
4. La escuela ___**está**___ al lado de la iglesia.
5. La profesora de inglés ___**es**___ mi madre.
6. El himnario ___**es**___ del director de música.
7. Roberto ___**está**___ detrás de su amiga Felipa.
8. La casa de Maritza ___**es**___ grande.

B. ***Listen to each sentence and determine whether it contains a form of*** **estar** ***or*** **ser*****. Fill in the space with the verb you hear.***

Modelo: La mesa ___*está*___ sucia.

1. Él ___**es**___ moreno.
2. Mi tío ___**es**___ tacaño.
3. El profesor ___**está**___ de buen humor hoy.
4. Yo ___**estoy**___ nervioso esta mañana.
5. Tú ___**eres**___ muy delgado.
6. Yo ___**soy**___ bastante inteligente.
7. ¿Tú ___**estás**___ cansado?
8. El muchacho ___**es**___ muy simpático.
9. La señorita ___**está**___ nerviosa.
10. Tú ___**eres**___ muy inteligente.

VI. El pronombre relativo *que*

You will hear a sentence. Use the cue given to enlarge the sentence. Follow the model.

Modelo: *You hear:* El gato es de mi hermana.
You see: El gato está debajo de la silla.
You say: El gato que está debajo de la silla es de mi hermana.
You hear the confirmation: El gato que está debajo de la silla es de mi hermana.

1. El muchacho es muy alto.
2. El hombre tiene la Biblia.
3. El carro está detrás de la casa.
4. La señorita está en el carro.
5. El muchacho es un poco loco.
6. La señora está al lado de mi mamá.

VII. Pronunciación

A. ***Follow along on page 56 of your textbook.***

B. ***Repeat each phrase in the pause provided.***

VIII. Dictado

Escuche y escriba.

1. ***La señorita Matos es muy delgada.***
2. ***La clase de español es interesante.***
3. ***El maestro es divertido.***
4. ***Siempre está de buen humor.***
5. ***Es de México. Es mexicano.***

Capítulo Cuatro

Lección 7

I. Versículo

Proverbios 15:3 Los ojos de Jehová están en todo lugar, mirando a los malos y a los buenos.

II. Diálogo

Follow along on page 59 of your textbook.

III. Los pronombres personales

A. ***The chart below contains the complete listing of the subject pronouns. Repeat each pronoun after you hear it on the tape.***

yo	nosotros, nosotras
tú	vosotros, vosotras
usted	ustedes
él, ella	ellos, ellas

B. ***Supply the pronoun that refers to each noun you hear.***

Modelo: *You hear:* María y Carmen
You say: ellas
You hear the confirmation: ellas

C. ***Repeat each statement you hear, replacing the names in italics with the correct pronouns.***

Modelo: *You see and hear: Marta y José* están en el museo.
You say: Ellos están en el museo.
You hear the confirmation: Ellos están en el museo.

1. *Raúl y Daniel* están en la estación de autobús.
2. *Melisa y Doris* están detrás del carro.
3. *Felipe y yo* estamos en la calle.
4. *Ud., Juan y Carmen* están en Puerto Rico.
5. *Uds. y yo* estamos delante de la clase.
6. *Ignacio* está al lado de Isabel.
7. *Mis amigos* están en la iglesia.
8. *Yolanda* está en el parque.
9. *Miguel, Diana y Uds.* están en el teatro.
10. *Josefa, Carmen y Anita* están en la tienda.

IV. El verbo *estar*

A. ***Say the conjugation of the verb* estar *after the speaker.***

yo estoy	nosotros estamos
tú estás	vosotros estáis
Ud. está	Uds. están
él está	ellos están

B. ***Sara has sent a page of her photo album. It shows all the places her youth group visited when they went to San Juan. Refer to the illustrations to tell where the people in the photos are. Be sure to use the correct form of estar.***

Modelo: *You hear:* Jaime y Raúl
You say: Jaime y Raúl están en el restaurante.
You hear the confirmation: Jaime y Raúl están en el restaurante.

modelo

3.

1.

4.

2.

5.

V. El plural de los adjetivos

A. ***Replace the subjects in italics with the names you hear. Make sure the adjectives in the sentences agree with the new subjects.***

Modelo: *You see: Diana y Carmen* están contentas.
You hear: Juan y Carlos
You say: Juan y Carlos están contentos.
You hear the confirmation: Juan y Carlos están contentos.

1. *Rosa y Ana* están enfermas.
2. *Juan* está cansado.
3. *Silvia* está nerviosa.
4. *María y Marta* están de buen humor.
5. *Sonia* está triste.

B. *Answer each question using the correct form of the adjective provided.*

Modelo: *You see:* contento
You hear: ¿Cómo están Diana y Carola?
You say: Están contentas.
You hear the confirmation: Están contentas.

1. cansado
2. entusiasmado
3. alegre
4. nervioso
5. triste
6. ocupado
7. furioso
8. feliz
9. de buen humor
10. enfermo

VI. Repaso del verbo *estar*

***For each statement that you hear, supply an appropriate question using the question words ¿dónde? or ¿cómo? plus the proper form of* estar.**

Modelo: *You hear:* Yo estoy en la escuela.
You ask: ¿Dónde estás?
You hear the confirmation: ¿Dónde estás? *or*
You hear: Marcos está aburrido.
You ask: ¿Cómo está Marcos?
You hear the confirmation: ¿Cómo está Marcos?

VII. Pronunciación

Follow along on page 65 of your textbook.

VIII. Dictado

Escuche y escriba.

1. *Papá está en el hospital.*
2. *María y Ana están en el parque.*
3. *La estación de autobús está detrás del museo.*
4. *Ellos están en una tienda en el centro.*
5. *La iglesia está al lado del museo.*

Lección 8

I. Versículo

Romanos 5:1 Justificados, pues, por la fe, tenemos paz para con Dios por medio de nuestro Señor Jesucristo.

II. Diálogo

Feliz cumpleaños

Débora and Rebeca bring a cake to their grandfather for his birthday.

Débora y Rebeca: ¡Feliz cumpleaños!

Abuelo: Gracias, niñas. Estoy muy contento. El pastel es bonito.

Rebeca: ¿Cuántos años tienes, abuelo?

Abuelo: Muchos años.

Rebeca: Pero, ¿cuántos?

Abuelo: Tengo sesenta años.

Rebeca: ¿Verdad? ¡Sesenta! Eres viejo, abuelo.

Débora: ¡Rebeca, más respeto!

Abuelo: Y tú, ¿cuántos años tienes, jovencita?

Rebeca: Tengo ocho años.

Débora: Y yo tengo casi quince años.

Abuelo: ¡Quince años! Ahora sí me siento viejo. Vamos, señoritas, es hora de comer el pastel.

III. Vocabulario

A. *Say the numbers after the speaker.*

11	once	30	treinta
12	doce	40	cuarenta
13	trece	50	cincuenta
14	catorce	60	sesenta
15	quince	70	setenta
16	dieciséis	80	ochenta
17	diecisiete	90	noventa
18	dieciocho	100	cien
19	diecinueve	1.000	mil
20	veinte	1.000.000	millón

B. *Say the number that follows the number you hear.*

C. *Cover your manual and count by 2s from* cero *to* veinte. *When you finish, you will hear the confirmation.*

D. *Solve the following subtraction problems.*

Modelo: *You hear:* Veinte menos diez son . . .
You say: Veinte menos diez son diez.

IV. El verbo *tener*

A. ***Repeat the conjugation of the verb* tener *after the speaker.***

yo tengo	nosotros tenemos
tú tienes	vosotros tenéis
Ud. tiene	Uds. tienen
él tiene	ellos tienen

B. ***The speaker will give you the subject for each of the following sentences. Read the complete sentence supplying the correct form of the verb* tener.**

Modelo: *You hear:* Pablo y Marcos
You say: <u>Pablo y Marcos tienen</u> carros grandes.
You hear the confirmation: Pablo y Marcos tienen carros grandes.

1. bolsas nuevas.
2. una clase de español a las tres.
3. una familia grande.
4. tareas todos los días.
5. guitarras españolas.

V. *Tener* para indicar edad

Answer the questions according to the picture cues.

Modelo: *You hear:* ¿Cuántos años tiene María?
You say: María tiene veinte años.

modelo

1.

2.

3.

4.

5.

VI. Los números del 20 al 29

A. *Say the numbers after the speaker.*

20	veinte	25	veinticinco
21	veintiuno	26	veintiséis
22	veintidós	27	veintisiete
23	veintitrés	28	veintiocho
24	veinticuatro	29	veintinueve

B. *Say the number that precedes the number you hear.*

VII. Los artículos definidos

Make the nouns you hear plural.

Modelo: *You hear:* la oficina
You say: las oficinas *or*
You hear: el hospital
You say: los hospitales

VIII. Los números del 30 al 99

A. *Repeat the numbers after me.*

30	treinta	70	setenta
31	treinta y uno	71	setenta y uno
32	treinta y dos	80	ochenta
40	cuarenta	81	ochenta y uno
41	cuarenta y uno	90	noventa
50	cincuenta	91	noventa y uno
51	cincuenta y uno	92	noventa y dos
60	sesenta	93	noventa y tres
61	sesenta y uno	99	noventa y nueve

B. *The baseball team is taking the field. The announcer is calling out their names and numbers. As each one is announced, write down his number in the space provided.*

Modelo: *You hear:* Pedro González, número treinta y tres.
You write the numeral 33.

1. 48
2. 26
3. 19
4. 37
5. 11
6. 21
7. 25
8. 32
9. 43

IX. Pronunciación

A. *Follow along on page 70 of your textbook.*

B. ***Repeat the following words after the speaker.***

1. jus-ti-fi-ca-dos
2. te-ne-mos
3. ha-blo
4. Je-su-cris-to
5. Sal-va-dor

X. Dictado

Escuche y escriba.

1. *¿Tus hermanos tienen amigos en México?*
2. *Ellos tienen sus carros limpios.*
3. *¿Cuántos años tiene tu abuelo?*
4. *Yo tengo quince años.*
5. *Papá tiene cuarenta y dos años.*

Lección 9

I. Versículo

I Juan 1:9 Si confesamos nuestros pecados, él es fiel y justo para perdonar nuestros pecados, y limpiarnos de toda maldad.

II. Lectura

Follow along on page 72 of your textbook.

III. El verbo *ser*

A. ***Say the conjugation of the verb* ser *after the speaker.***

yo soy	nosotros somos
tú eres	vosotros sois
Ud. es	Uds. son
él es	ellos son

B. ***For each statement you hear, supply the appropriate question. Use the question words* ¿de dónde? *or* ¿quién? *or* ¿quiénes?**

Modelo: *You hear:* Alberto es de Puerto Rico.
You ask: ¿De dónde es Alberto? *or*
You hear: Alicia y Rut son mis hermanas.
You ask: ¿Quiénes son Alicia y Rut?

1. Bárbara
2. David y Carlos
3. los señores Ruíz
4. nosotros
5. el Sr. Marín
6. los padres de Gregorio (Uds.)
7. Horacio y Anastasio
8. Ricardo
9. María y Marta
10. Berta

C. ***Describe the item or person you hear, according to the cue provided. Be sure to use the correct form of the verb and adjective in each case.***

Modelo: *You hear:* los sombreros
You see: grande
You say: Los sombreros son grandes.
You hear the confirmation: Los sombreros son grandes.

1. nuevo
2. pequeño
3. cristiano
4. bondadoso
5. bonito
6. inteligente
7. feliz
8. guapo

IV. La hora y los minutos

A. ***Draw hands on the clock to portray the time you hear.***

1.

2. 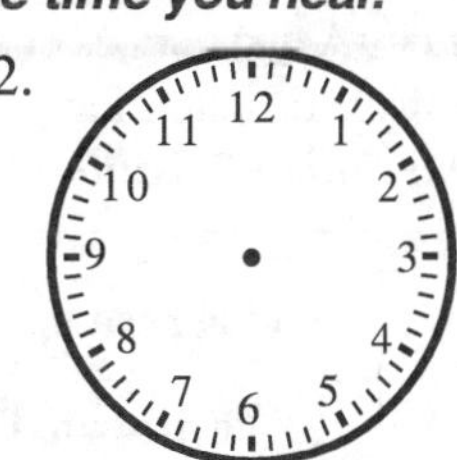

3. 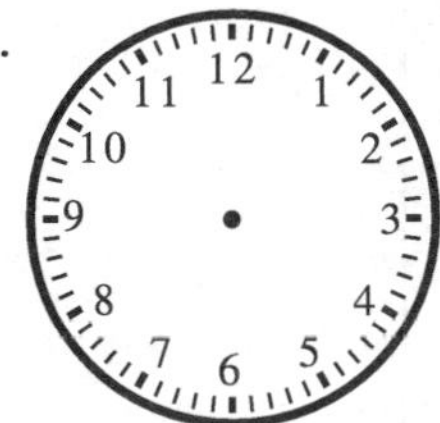

4. 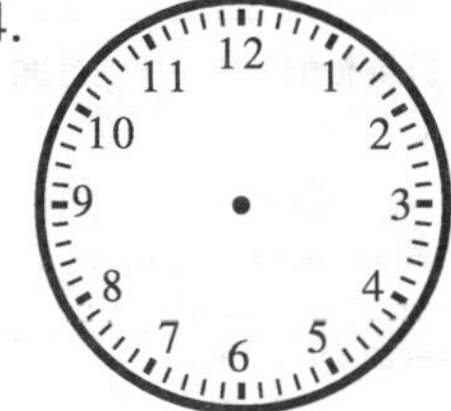

5. 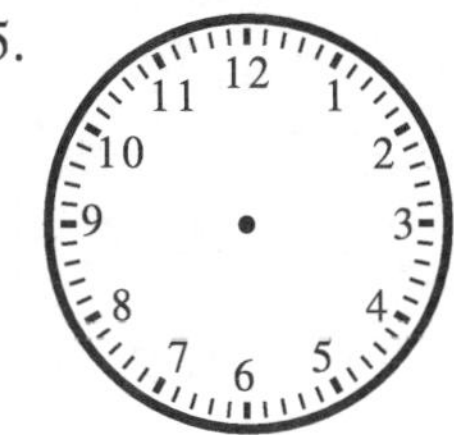

B. ***Answer the question according to the clock provided.***

Modelo: *You hear:* ¿Qué hora es?
You say: Son las dos y cuarto.

modelo 

1. 

2. 

3. 

4. 

5. 

6. 

7. 

8. 

C. ***Refer to the schedule of services and activities of the First Baptist Church of Levittown, Puerto Rico, to answer the questions that you hear.***

Modelo: *You hear:* ¿A qué hora es el servicio de adoración?
You answer: Es a las diez y media de la mañana.
You hear the confirmation: Es a las diez y media de la mañana.

V. Pronunciación

A. ***Follow along on page 79 of your textbook.***

B. ***Listen to the following words and circle the syllable that receives the stress.***

1. co **mi** da
2. A **mé** ri ca
3. pa **la** bra
4. ver **dad**
5. a **mor**
6. fe **liz**
7. li te ra **tu** ra
8. ge o gra **fí** a
9. res tau **ran** te
10. a **bril**
11. a **mén**
12. **ro** sas

VI. Dictado

Escuche y escriba.

1. *¿A qué hora es tu clase?*
2. *Son las cinco y cuarto de la tarde.*
3. *La clase es a las diez menos veinte.*
4. *Miguel tiene sus clases por la tarde.*
5. *Nuestros días son buenos.*

Capítulo Cinco

Lección 10

I. Versículo

Juan 3:7b Os es necesario nacer de nuevo.

II. Diálogo

Follow along on page 82 of your textbook.

III. Vocabulario

Look at the picture; then listen as the speaker makes three statements. Circle **a, b,** ***or*** **c** ***to indicate which statement best describes the picture.***

1. a b (c)
2. a (b) c
3. a (b) c
4. (a) b c

IV. Los verbos *-ar*

A. ***Say the conjugation of the verb*** cantar ***after the speaker.***

yo canto	nosotros cantamos
tú cantas	vosotros cantáis
Ud. canta	Uds. cantan
él canta	ellos cantan

B. ***Give the correct form of the verb*** cantar ***according to each subject provided. You will hear the confirmation.***

C. ***Fill in each blank with the correct form of the verb that you hear.***

Modelo: *You see:* Yo ___________ la trompeta.
You hear: practicar
You say: Yo *practico* la trompeta.
You hear the confirmation: Yo practico la trompeta.

1. Ella ______compra______ un carro nuevo.

2. Nosotros ___entramos___ en la oficina.
3. Manuel ___escucha___ música clásica.
4. Uds. ___ganan___ el partido de tenis.
5. Yo ___practico___ el himno en el piano.
6. Los estudiantes ___estudian___ la Biblia todos los días.
7. Tú ___caminas___ por dos horas.

V. Pronombres con las preposiciones

Answer the questions affirmatively. Replace the words in italics with the appropriate pronouns.

Modelo: *You see and hear:* ¿Cantas para *tu novia*?
You say: Sí, canto para ella.
You hear the confirmation: Sí, canto para ella.

1. ¿Practicas con *los muchachos*?
2. María estudia *contigo,* ¿verdad?
3. José Luis practica los cantos con *Mayra,* ¿no?
4. ¿Trabajas con *tu papá*?
5. La muchacha habla con *sus amigas,* ¿verdad?
6. Pedro está al lado de *sus padres,* ¿no?
7. Marta tiene algo para *ti,* ¿verdad?

VI. Pronunciación

Follow along on page 87 of your textbook.

VII. Dictado

Escuche y escriba.

1. *Conchita llega a su casa a las doce.*
2. *Rafael y Pablo estudian español conmigo.*
3. *Practicamos los himnos nuevos para el domingo.*
4. *Deseo hablar con ella.*
5. *Yo camino todos los días.*

Lección 11

I. Versículo

Romanos 6:23 Porque la paga del pecado es muerte, mas la dádiva de Dios es vida eterna en Cristo Jesús Señor nuestro.

II. Diálogo

Follow along on page 88 of your textbook.

III. Vocabulario

Choose the correct word from the list provided to complete each sentence. You will hear the confirmation.

Modelo: *You see:* El señor Hernández ________ un solo.
You hear: canta, camina
You say: El señor Hernández *canta* un solo.
You hear the confirmation: El señor Hernández canta un solo.

1. Rosa y Carmen cantan un ***dúo***.
2. Los jóvenes ***ensayan*** un cuarteto para cantar esta noche.
3. Raúl ***toca*** la trompeta muy bien.
4. José Luis ***saca*** fotos de sus amigos.
5. El pastor ***predica*** los domingos en la iglesia.

IV. Resumen: El presente de los verbos que terminan en *-ar*

A. *Underline the correct form of the verb used in each sentence that you hear.*

Modelo: *You hear:* Roberto ensaya un solo.
You see: ensayan, ensayo, ensaya
You underline ensaya.

1. predico, predica, predican
2. practico, practica, practican
3. ensayo, ensayas, ensaya
4. canto, cantas, canta
5. toco, tocamos, tocan

B. *Fill in each blank with the correct form of the verb you hear.*

Modelo: *You see:* Jesucristo ________ a sus discípulos.
You hear: llamar
You say: Jesucristo *llama* a sus discípulos.
You hear the confirmation: Jesucristo llama a sus discípulos.

1. Nosotros ***estudiamos*** español todos los días.
2. Santiago y Pablo ***escuchan*** la radio.
3. Mi hermano ***toca*** el violín.
4. Yo ***trabajo*** en un restaurante todos los sábados.
5. Tú ***sacas*** fotos de los animales.
6. Nosotros ***hablamos*** español en la clase.
7. Mayra ***mira*** a los chicos en la iglesia.
8. Usted siempre ***invita*** a Marta a las fiestas.
9. El trío ***canta*** en la iglesia el domingo.
10. Las señoritas ***esperan*** a sus amigos delante de la iglesia.

V. El plural del artículo indefinido

Answer each of the following questions using the cue given and the correct indefinite article.

Modelo: *You hear:* ¿Qué hay en el escritorio?
You see: libros
You say: Hay unos libros en el escritorio.
You hear the confirmation: Hay unos libros en el escritorio.

1. lápices
2. amigos
3. sombreros
4. sodas
5. violines

VI. El *a* personal

A. *Construct sentences using the information given and the verbs you hear. Use the personal* a *when necessary.*

Modelo: *You see:* nosotros / nuestros amigos
You hear: esperar
You say: Nosotros esperamos a nuestros amigos.
You hear the confirmation: Nosotros esperamos a nuestros amigos.

1. los jóvenes / sus padres
2. todos los estudiantes / muchas tareas
3. los chicos / las chicas
4. nosotros / nuestros padres
5. el señor alto / profesor de historia
6. Maritza / la flauta muy bien
7. la familia nueva / una casa
8. yo / Carlos
9. tú / la televisión
10. la estudiante / Bolivia en el mapa

B. *Look at each statement. Then form a question to which the statement could be the answer.*

Modelo: *You see:* Juan espera a María.
You say: ¿A quién espera Juan?
You hear the confirmation: ¿A quién espera Juan?

1. Mario invita a sus amigos.
2. Pablo mira los animales.
3. Sara y Raquel esperan a los chicos.
4. Sus padres buscan los cantos.
5. El cuarteto ensaya un himno.
6. Los estudiantes escuchan al pastor.
7. El doctor Santos enseña biología.
8. José y María buscan a Jesús en el templo.
9. Los doctores en el templo escuchan a Jesús.
10. Jesús es nuestro Salvador.

VII. Pronunciación

Follow along on page 93 of your textbook.

VIII. Dictado

Escuche y escriba.

1. *Roberto predica el domingo por la noche.*

2. *Invitamos a todos nuestros amigos a los programas.*

3. *Pablo nunca mira a Rosita en la clase de español.*

4. *Tomo el autobús para llegar a la escuela.*

5. *¿Cuántas personas cantan en el coro?*

Lección 12

I. Versículo

Juan 6:37b Al que a mí viene, no le echo fuera.

II. Diálogo

Follow along on page 95 of your textbook.

III. Vocabulario

Look at each picture. The speaker will make three statements about each one. Circle the letter of the statement that best describes the picture.

1. a (b) c

3. a (b) c

2. a b (c)

4. (a) b c

IV. Usos del infinitivo

Answer each question affirmatively.

Modelo: *You hear:* ¿Te gusta hablar español?
You say: Sí, me gusta hablar español.
You hear the confirmation: Sí, me gusta hablar español.

V. Palabras afirmativas y negativas

Answer each question in the negative.

Modelo: *You hear:* ¿Hay alguien en el carro?
You say: No, no hay nadie en el carro.
You hear the confirmation: No, no hay nadie en el carro.

VI. Pronunciación

Follow along on page 100 of your textbook.

VII. Dictado

Escuche y escriba.

1. *La señora no compra nada para su casa.*
2. *¿Te gusta escuchar los cantos de las niñas?*
3. *Es bueno llegar a tiempo a la clase de español.*
4. *Trabajo hasta las cinco todos los días.*
5. *Siempre tomo leche por la mañana.*

Capítulo Seis

Lección 13

I. Versículo

Juan 10:11 Yo soy el buen pastor; el buen pastor su vida da por las ovejas.

II. Diálogo

Follow along on page 102 of your textbook.

III. Vocabulario

A. ***Write the number of the statement you hear beside the appropriate illustration.***

B. ***Form a complete statement using the subject that you hear and the infinitive and phrase provided in your manual.***

Modelo: *You see:* ir a pie a la escuela
You hear: Pedro y Marcos
You say: Pedro y Marcos van a pie a la escuela.
You hear the confirmation: Pedro y Marcos van a pie a la escuela.

1. ir al museo en taxi
2. ir al centro en el metro
3. ir al parque en motocicleta
4. ir a Tucson en autobús
5. ir a pie a la iglesia
6. dar tareas a los estudiantes
7. dar regalos el veinticinco de diciembre

IV. El verbo *ir*

A. *Say the conjugation of the verb* ir *after the speaker.*

yo voy	nosotros vamos
tú vas	vosotros vais
Ud. va	Uds. van
él va	ellos van

B. *You will hear a subject and a destination. Form a complete sentence by connecting the phrases you hear with the correct form of the verb* ir.

Modelo: *You hear:* Mi padre / Nueva York.
You say: Mi padre va a Nueva York.
You hear the confirmation: Mi padre va a Nueva York.

V. Estar + participio

Restate the following sentences to indicate that the subject is performing the action right now.

Modelo: *You see and hear:* David y Mario compran un regalo.
You say: David y Mario están comprando un regalo.
You hear the confirmation: David y Mario están comprando un regalo.

1. Santiago estudia en la biblioteca.
2. Mis hermanos practican los himnos para el domingo.
3. Nosotros miramos la televisión.
4. Yo hablo por teléfono con Raquel.
5. Tú trabajas demasiado.
6. Ustedes tocan el piano muy bien.

VI. Pronunciación

Follow along on page 107 of your textbook.

VII. Dictado

Escuche y escriba.

1. ***El dependiente está detrás del mostrador.***
2. ***La cliente mira el precio del reloj.***
3. ***Los jóvenes van al centro comercial en el metro.***
4. ***¿Cuánto cuestan los collares que están en venta especial?***
5. ***El profesor da exámenes difíciles.***

Lección 14

I. Versículo

Hechos 16:31 Cree en el Señor Jesucristo, y serás salvo, tú y tu casa.

II. Diálogo

Follow along on page 109 of your textbook.

III. Vocabulario

You will hear a statement that contains one incorrect word. Choose the correct word from the list provided. Then you will hear the confirmation.

Modelo: *You hear:* El señor Rodríguez come periódicos.
You see: aprende, vende, bebe
You say: El señor Rodríguez vende periódicos.
You hear the confirmation: El señor Rodríguez vende periódicos.

1. aprenden, leen, comen
2. comprende, bebe, vende
3. un periódico, un libro, una revista
4. una novela de misterio, una revista, un periódico
5. aprender, comprender, beber

IV. Verbos que terminan en *-er*

A. Comer *is a regular* -er *verb. Say the conjugation of* comer *after the speaker.*

yo como	nosotros comemos
tú comes	vosotros coméis
Ud. come	Uds. comen
él come	ellos comen

B. *Replace the words in italics with the new subject given.*

Modelo: *You see: Tomás y Pedro* beben leche.
You hear: él
You say: Él bebe leche.
You hear the confirmation: Él bebe leche.

1. Raquel y Belinda comen tortillas.
2. Daniel come pizza.
3. Ustedes comprenden español.
4. Yo leo novelas de misterio.
5. Ellas creen en Dios.
6. Tú vendes periódicos.

C. *The Santana family is very busy. You will hear the names of some of the family members. You are to make a statement about what they are doing right now.*

Modelo: *You see:* vender periódicos
You hear: Andrés
You say: Andrés está vendiendo periódicos.
You hear the confirmation: Andrés está vendiendo periódicos.

1. leer revistas
2. vender la casa
3. aprender francés
4. comer un helado
5. leer novelas de misterio

V. Hace + tiempo + que

Answer the questions according to the cues provided.

Modelo: *You hear:* ¿Cuánto tiempo hace que estudias español?
You see: tres meses
You say: Hace tres meses que estudio español.
You hear the confirmation: Hace tres meses que estudio español.

1. dos semanas
2. dos días
3. cinco años
4. diez años
5. poco tiempo
6. dos años

VI. Pronunciación

Follow along on page 115 of your textbook.

VII. Dictado

Escuche y escriba.

1. *Los estudiantes no comprenden la lección nueva.*
2. *Estamos leyendo una novela interesante en nuestra clase.*
3. *Siempre leo el periódico cuando llego a casa.*
4. *Vamos a ver cuánto cuesta la revista.*
5. *Hace tres meses que estamos aprendiendo español.*

Lección 15

I. Versículo

Lucas 2:14 ¡Gloria a Dios en las alturas, y en la tierra paz, buena voluntad para con los hombres!

II. Diálogo

Follow along on page 117 of your textbook.

III. Vocabulario

A. *Listen to the speaker; then underline the word that best represents the description she gives.*

1. la Navidad, el pesebre, Jesús
2. la tarjeta, la estrella, el pesebre
3. los ángeles, los pastores, los reyes magos
4. el regalo, el árbol de Navidad, el pesebre
5. los ángeles, las tarjetas, los reyes magos

B. *Write the number of the statement that you hear beside the appropriate picture.*

IV. Los verbos *-ir*

A. Vivir *is a regular* -ir *verb. Repeat the conjugation of* vivir *after the speaker.*

yo vivo	nosotros vivimos
tú vives	vosotros vivís
Ud. vive	Uds. viven
él vive	ellos viven

B. *Listen for the speaker to tell you the subject of each sentence; then repeat the sentence with the appropriate form of the verb provided for you in your manual.*

Modelo: *You see:* (escribir) un libro
You hear: yo
You say: Escribo un libro.
You hear the confirmation: Escribo un libro.

1. (vivir) en Bogotá, Colombia
2. (asistir) a la iglesia los domingos
3. (abrir) las ventanas de la casa
4. (escribir) poemas para el periódico
5. (subir) al autobús para ir al centro
6. (no permitir) animales en la oficina

V. El verbo *venir*

A. *Say the conjugation of* venir *after the speaker.*

yo vengo	nosotros venimos
tú vienes	vosotros venís
Ud. viene	Uds. vienen
él viene	ellos vienen

B. *Tell where each person is coming from, according to the cues given by the speaker.*

Modelo: *You see:* los señores Fernández
You hear: de la iglesia
You say: Los señores Fernández vienen de la iglesia.
You hear the confirmation: Los señores Fernández vienen de la iglesia.

1. yo
2. Rafael y María
3. ustedes
4. tú
5. Pedro y yo
6. él
7. los reyes magos
8. nosotros

VI. Los pronombres *lo, la, los, las*

A. *Listen carefully to each sentence; then name the direct object in the sentence.*

Modelo: *You see and hear:* La señorita lee una carta.
You say: una carta
You hear the confirmation: una carta

1. Roberto tiene un carro.
2. Marisol abre su libro.
3. Mi hermano toca la guitarra muy bien.
4. Mi padre no escribe cartas.
5. Los estudiantes toman un examen.
6. Los niños abren los regalos.
7. El estudiante busca su libro.
8. Yo invito a Rosa a la fiesta.

B. *Replace the direct object in each sentence with the correct direct object pronoun.*

Modelo: *You hear:* La señorita lee una carta.
You say: La señorita la lee.
You hear the confirmation: La señorita la lee.

C. *The speaker will give the direct objects for the following sentences. Complete the sentences by writing the correct object pronouns in the blanks.*

Modelo: *You see:* Los estudiantes ______ leen.
You hear: los libros
You write: los

1. Miguel ___*los*___ invita a la fiesta.
2. Ana ___*la*___ escucha con su amiga Rosa.
3. Víctor y Tomás ___*los*___ tocan en sus guitarras.
4. Víctor ___*la*___ toca muy bien.
5. Papá ___*lo*___ lee después de la cena.
6. Ramón siempre ___*las*___ llama los sábados.
7. Está en el carro rojo. Yo ___*lo*___ veo.
8. No está con Rafael. Marisol ___*la*___ está buscando en la cafetería.
9. Viven cerca. ___*Los*___ espero a las ocho.
10. Jorge ___*las*___ va a escribir esta noche.

VII. Los pronombres con el infinitivo y el progresivo

A. *Answer each question affirmatively. Place the object pronoun before the verb.*

Modelo: *You hear:* ¿Estás estudiando el español?
You answer: Sí, *lo* estoy estudiando.
You hear the confirmation: Sí, lo estoy estudiando.

B. *You will hear the questions again. This time answer by attaching the object pronoun to the infinitive or present participle.*

Modelo: *You hear:* ¿Estás estudiando el español?
You answer: Sí, estoy estudiándo*lo.*
You hear the confirmation: Sí, estoy estudiándolo.

VIII. Pronunciación

El sonido de la consonante *d*

The letter *d* (*de*) is pronounced in two ways in Spanish. Let's review.

1. When it occurs at the beginning of a sentence or phrase or after *l* or *n,* the *d* is pronounced like the English *d* in "dough." (Make sure that your tongue touches the back of your upper front teeth.)

   Practique las palabras:

día	molde
dientes	caldo
débiles	banda

   Practique las frases: El día es lindo.

   El decano le da un diploma al director aldeano.

2. When it occurs between vowels or after any other consonants, the letter *d* is pronounced like the *th* in "though." (Make sure your tongue touches rapidly and very lightly against the lower edge of your front teeth without completely blocking the stream of air.)

Practique las palabras:

Estados Unidos	vida
Madrid	verdad

Practique las frases: Soy de Madrid. Pero es verdad que vivo en los Estados Unidos.

Adela tiene dos dientes débiles.

IX. Dictado

Escuche y escriba.

1. ***El veinticinco de diciembre es el día de Navidad.***
2. ***Mamá siempre compra regalos para toda la familia.***
3. ***Tenemos un árbol de Navidad en nuestra casa.***
4. ***Tiene una estrella encima y muchas luces.***
5. ***A la medianoche, todos salen a las calles para saludar y repartir dulces.***

Capítulo Siete

Lección 16

I. Versículo

Lucas 23:34 Padre, perdónalos, porque no saben lo que hacen.

II. Diálogo

Follow along on page 127 of your textbook.

III. Vocabulario

A. ***Say the months of the year after the speaker.***

enero
febrero
marzo
abril
mayo
junio
julio
agosto
septiembre
octubre
noviembre
diciembre

B. ***Say the four seasons after the speaker. She will begin with*** winter.

el invierno
la primavera
el verano
el otoño

C. ***Listen as the speaker tells you her favorite season and asks you a question.***

Mi estación favorita es la primavera. ¿Cuál es tu estación favorita?

Mi estación favorita es . . .

D. ***List the three months that belong to the season you hear. You will then hear the correct answer.***

E. ***Circle the letter of the sentence that goes best with the statement you hear.***

Modelo: *You hear*: Juan está en su casa. Tiene ganas de ir de compras, pero está nevando.
You see: a. Hace frío. b. Hace calor. c. Hace buen tiempo.
You circle a *and say:* Hace frío.

1. a. Hace frío.
   (b.) Hace calor.
   c. Hace fresco.
2. a. Está haciendo la cama.
   b. Está haciendo la maleta.
   (c.) Está haciendo las tareas.
3. a. Van a hacer la cama.
   b. Van a hacer las tareas.
   (c.) Van a hacer un viaje.
4. a. Tengo sed.
   (b.) Tengo sueño.
   c. Tengo frío.
5. (a.) Tengo sed.
   b. Tengo sueño.
   c. Tengo frío.
6. a. Tiene sed.
   b. Tiene sueño.
   (c.) Tiene hambre.

IV. El verbo *hacer*

A. *Repeat the conjugation of* hacer *after the speaker.*

yo hago	nosotros hacemos
tú haces	vosotros hacéis
Ud. hace	Uds. hacen
él hace	ellos hacen

B. *Complete the sentences with the form of the verb you hear.*

1. Yo ___*hago*___ mis tareas por la noche.
2. Mi profesor ___*hace*___ un viaje a España.
3. La señora Carmen ___*hace*___ su maleta ahora.
4. Mi hermano y yo ___*hacemos*___ muchos planes.
5. ¿Por qué tú no ___*haces*___ nada?
6. Roberto y Pedro ___*hacen*___ todo el trabajo.

V. Ir + a + infinitivo

A. *Change the following sentences from the present to the near future.*

Modelo: *You hear:* Yo como en la cafetería.
You say: Yo voy a comer en la cafetería.
You hear the confirmation: Yo voy a comer en la cafetería.

B. *Answer the questions you hear by using the cues provided.*

Modelo: *You hear:* ¿Cuándo haces el viaje?
You see: en mayo
You say: Voy a hacer el viaje en mayo.
You hear the confirmation: Voy a hacer el viaje en mayo.

1. en la primavera
2. esta noche
3. después de Rita
4. en el otoño
5. aquí en agosto

VI. El verbo *decir*

A. *Repeat the conjugation of* decir *after the speaker.*

yo digo	nosotros decimos
tú dices	vosotros decís
Ud. dice	Uds. dicen
él dice	ellos dicen

B. *Report what each person named says. Follow the model.*

Modelo: *You see:* "No hay tarea para mañana".
You hear: el profesor de español
You say: El profesor de español dice que no hay tarea para mañana.
You hear the confirmation: El profesor de español dice que no hay tarea para mañana.

1. "Las chicas de nuestra clase son bonitas".
2. "Los chicos de nuestra clase son interesantes".
3. "La clase de español es bastante difícil".
4. "Los objetos directos no son nada fáciles".

5. “Los objetos indirectos son muy fáciles”.
6. “España es un país grande”.
7. “Madrid es una ciudad cosmopolita”.
8. “Vamos a viajar a Madrid el año próximo”.

VII. Pronunciación

Follow along on page 133 of your textbook.

VIII. Dictado

Escuche y escriba.

1. *Los estudiantes hacen sus tareas en la clase.*
2. *En el verano voy a hacer un viaje a España.*
3. *En diciembre hace mucho frío en Nueva York.*
4. *Mi hermano tiene catorce años y siempre tiene hambre.*
5. *Mis amigos y yo tenemos sed. Vamos a tomar un refresco.*

IX. Comprensión

Listen to the weather report* (el informe del tiempo) *and the forecast* (el pronóstico del tiempo). *Then complete the true-false section.

- **¿Verdadero o falso?**

1. Hace mucho calor hoy. v (f)
2. Hace sol hoy. (v) f
3. La temperatura es de 25 grados. (v) f
4. Mañana la temperatura va a ser de 25 grados también. v (f)
5. Mañana vamos a necesitar nuestros paraguas. (v) f

Lección 17

I. Versículo

Josué 1:9 Mira que te mando que te esfuerces y seas valiente; no temas ni desmayes, porque Jehová tu Dios estará contigo en dondequiera que vayas.

II. Diálogo

Follow along on pages 134-35 of your textbook.

III. Repaso de los pronombres del objeto directo en la tercera persona

Replace the direct object noun in each sentence with its corresponding direct object pronoun.

Modelo: *You hear:* El profesor ayuda a los estudiantes.
You say: El profesor los ayuda.
You hear the confirmation: El profesor los ayuda.

IV. Los pronombres *le, les*

A. *Miguel is a very generous person. He lends many of his things to his friends. Below you see the list of things he lends. Listen carefully as the speaker tells you to whom he lends each thing. Then make a statement.*

Modelo: *You see:* el libro de español
You hear: a Rafael
You say: Miguel le presta el libro de español a Rafael.
You hear the confirmation: Miguel le presta el libro de español a Rafael.

1. el microscopio
2. los discos
3. la cámara
4. los zapatos negros
5. el cuaderno

B. *Supply the correct indirect object pronoun.*

Modelo: *You see:* Yo __________ doy la tarea.
You hear: a la maestra
You say: Yo ___*le*___ doy la tarea a la maestra.
You hear the confirmation: Yo le doy la tarea a la maestra.

1. ___Les___ escribo una carta.
2. ___Le___ presto mi Biblia.
3. ___Le___ compro un refresco.
4. ___Les___ doy un regalo.
5. ___Le___ envío flores.
6. ___Le___ doy los libros.

V. Los pronombres *me, te, nos*

A. *Change the direct object pronouns according to the cues provided after each sentence is read.*

Modelo: *You see and hear:* Martín me va a llamar. (a ti)
You say: Martín te va a llamar.
You hear the confirmation: Martín te va a llamar.

1. El Sr. López los va a llamar.
2. La doctora Blanco la va a llamar.
3. Santiago te va a llamar.
4. La señorita Robles las va a llamar.
5. El reverendo García lo va a llamar.

B. ***Below are listed some activities and the name of the person who does each one. Listen as the speaker tells you for whom (or to whom) the activities are done. Then make a complete statement using the indirect object pronoun. Finally, you will hear the confirmation.***

Modelo: *You see:* Marcos / comprar un regalo
You hear: a mí
You say: Marcos me compra un regalo.
You hear the confirmation: Marcos me compra un regalo.

1. el director / prestar su cámara
2. tu padre / comprar el carro
3. los chicos / escribir cartas
4. mi novio / dar un perfume
5. tu amigo / enviar una camisa de México
6. el profesor / decir que vamos a tener un examen mañana

C. ***Answer the questions according to the cues provided. Change the verb tense from the present to the near future. Remember to replace the direct object noun with its corresponding pronoun.***

Modelo: *You hear:* ¿Escribes la composición hoy?
You see: mañana
You say: No, la voy a escribir mañana.
You hear the confirmation: No, la voy a escribir mañana.

1. a la una
2. el jueves próximo
3. el domingo
4. esta tarde
5. mañana

D. ***Change the following sentences from the present to the near future. This time, place the indirect object pronoun at the end of the infinitive.***

Modelo: *You hear:* Te doy un regalo.
You say: Voy a darte un regalo.
You hear the confirmation: Voy a darte un regalo.

VI. Pronunciación

Follow along on page 141 of your textbook.

VII. Dictado

Escuche y escriba.

1. *La familia va a hacer un viaje a Madrid el próximo mes.*
2. *Todavía no tienen los pasajes, pero van a comprarlos mañana.*
3. *Los abuelos que viven en Madrid nos llaman por teléfono.*
4. *Todas las semanas les enviamos una carta.*
5. *Cuando la reciben, la leen con mucho interés.*

Lección 18

I. Versículo

Romanos 8:28 Y sabemos que a los que aman a Dios, todas las cosas les ayudan a bien.

II. Lectura

Follow along on page 143 of your textbook.

III. Vocabulario

Listen to each sentence and then write its number beside the corresponding picture.

Modelo: *You hear:* David juega con el equipo de voleibol. *You mark the picture as shown.*

modelo

IV. El verbo *gustar*

Below are listed some people who like certain things. After you hear the speaker tell you what each one likes, make a complete statement about it. Then you will hear the confirmation.

Modelo: *You see:* a nosotros
You hear: los tacos
You say: Nos gustan los tacos.
You hear the confirmation: Nos gustan los tacos.

1. a ellos
2. a ella
3. a mí
4. a ellas
5. a ti
6. a Uds.
7. a nosotros
8. a él

V. El verbo *jugar*

A. ***Repeat the conjugation of the verb* jugar *after you hear it on the tape.***

yo juego	nosotros jugamos
tú juegas	vosotros jugáis
Ud. juega	Uds. juegan
él juega	ellos juegan

B. ***Everyone in the Méndez family loves sports. Many of them are active players. Listen as the speaker tells you what each one plays, then say the complete sentence.***

Modelo: *You see:* Tomás
You hear: fútbol
You say: Tomás juega al fútbol.
You hear the confirmation: Tomás juega al fútbol.

1. Ana María
2. los tíos Ramón y Pablo
3. el Sr. Méndez y su hermano
4. mamá y yo

VI. El verbo *tocar*

The Méndez family is also musical. Again you will see some of their names, and the speaker will tell you which instruments they play. You will then make a complete statement about each person.

Modelo: *You see:* Tomás
You hear: el piano
You say: Tomás toca el piano.
You hear the confirmation: Tomás toca el piano.

1. Ana María
2. los tíos Ramón y Pablo
3. el Sr. Méndez y su hermano
4. mamá y yo

VII. El verbo *saber*

A. ***Repeat the conjugation of* saber *after the speaker.***

yo sé	nosotros sabemos
tú sabes	vosotros sabéis
Ud. sabe	Uds. saben
él sabe	ellos saben

B. *Below are the names of some students who are good at either sports or music. After the speaker tells you in what they excel, make a complete statement about each one. Use the correct form of the verb* saber *and the infinitive of* tocar *or* jugar.

Modelo: *You see:* Rafael
You hear: el baloncesto
You say: Rafael sabe jugar al baloncesto.
You hear the confirmation: Rafael sabe jugar al baloncesto.

1. Tomás
2. Pedro
3. Marcos y Felipe
4. tú
5. nosotros
6. yo
7. Samuel y yo
8. usted

VIII. Pronunciación

Follow along on page 149 of your textbook.

IX. Dictado

Escuche y escriba.

1. *Mi hermana es aficionada del béisbol.*
2. *Mis hermanos juegan en el equipo de volibol de mi escuela.*
3. *Voy a verlos jugar en el partido de esta tarde.*
4. *Me gusta la guitarra, pero no sé tocarla.*
5. *Alicia de Sevilla sabe tocar el piano muy bien.*

Capítulo Ocho

Lección 19

I. Versículo

I Samuel 15:22b Ciertamente el obedecer es mejor que los sacrificios, y el prestar atención que la grosura de los carneros.

II. Diálogo

Follow along on page 152 of your textbook.

III. Vocabulario

Write the number of the statement you hear beside the appropriate illustration.

IV. Los verbos *salir, poner*

A. ***Say the conjugation of* salir *after the speaker.***

yo salgo	nosotros salimos
tú sales	vosotros salís
Ud. sale	Uds. salen
él sale	ellos salen

B. ***Complete the sentences below with the correct form of* salir.**

Modelo: *You see:* El señor Martínez ______________ para la oficina a las siete.
You say: El señor Martínez ____*sale*____ para la oficina a las siete.
You hear the confirmation: El señor Martínez sale para la oficina a las siete.

1. Paco y Anita ___salen___ para la escuela a las ocho.
2. Rosa ___sale___ para el trabajo a las ocho y cuarto.
3. Yo ___salgo___ para la universidad a las siete y media.
4. Paco y yo ___salimos___ a las cuatro de la tarde para jugar al tenis.
5. Nuestra familia ___sale___ para la iglesia los domingos a las nueve y media de la mañana.

C. ***When members of the Robles family come into the house, they put their things in many unusual places. The speaker will tell you where they put their articles. Use the information provided to make a complete statement.***

Modelo: *You see:* Juan / libros
You hear: debajo de la cama
You say: Juan pone sus libros debajo de la cama.
You hear the confirmation: Juan pone sus libros debajo de la cama.

1. Ana María / zapatos

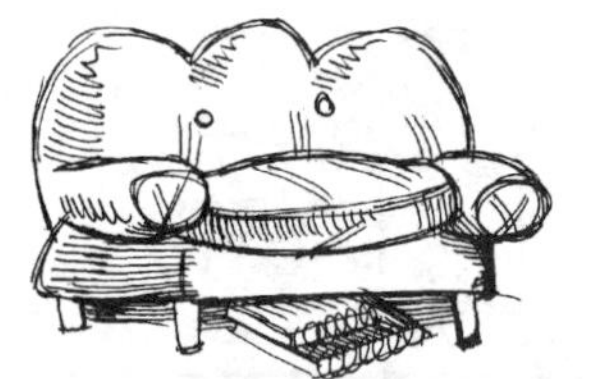

2. los niños / cuadernos

3. yo, el señor Robles / portafolio

4. la señora Robles y yo / suéteres

5. Juan y Ana María / raquetas de tenis

V. Los verbos *traer, oír*

A. *Say the conjugation of* traer *after the speaker.*

yo traigo	nosotros traemos
tú traes	vosotros traéis
Ud. trae	Uds. traen
él trae	ellos traen

B. *Replace the words in italics with the noun or pronoun you hear. Make any other necessary changes in the sentences.*

Modelo: *You see: El pastor* trae su himnario a la iglesia.
You hear: yo
You say: Yo traigo mi himnario a la iglesia.
You hear the confirmation: Yo traigo mi himnario a la iglesia.

1. *Ella* trae su lápiz, cuaderno y libro de español a la clase.
2. *María* trae a su amiga de Colombia a la clase.
3. *Uds.* oyen a la profesora.
4. *Rafael* oye el programa en español.
5. *Yo* traigo el dinero en mi cartera.
6. En la iglesia *tú* oyes himnos bonitos.

C. *Answer the following questions about yourself.*

VI. Los verbos *conocer, obedecer*

A. *Repeat the conjugation of the verb* conocer *after you hear it on the tape.*

yo conozco	nosotros conocemos
tú conoces	vosotros conocéis
Ud. conoce	Uds. conocen
él conoce	ellos conocen

B. *Our speaker thinks he knows a lot about you! Listen to each of his statements and then confirm or deny each one using the direct object pronoun.*

Modelo: *You hear:* Conoces bien a tu pastor.
You say: Sí, lo conozco bien. *or* No, no lo conozco bien.

VII. Pronunciación

Follow along on page 158 of your textbook.

VIII. Dictado

Escuche y escriba.

1. *Mi familia conoce a unos misioneros en Colombia.*
2. *Es una familia que obedece al Señor.*
3. *En Colombia, su hijo conduce un autobús.*
4. *Yo les traduzco las cartas al inglés.*
5. *A veces yo salgo con ellos para repartir tratados.*

Lección 20

I. Versículo

I Juan 5:14 Si pedimos alguna cosa conforme a su voluntad, él nos oye.

II. Diálogo

Follow along on pages 159-60 of your textbook.

III. Vocabulario

Rosita and her brother have just come home from a shopping spree. They took off all the price tags, but now their father wants to know how much they paid for each article. As Rosita gives the prices, fill in the blank price tags.

Modelo: *You hear:* el suéter, veinte dólares
You mark the picture as shown.

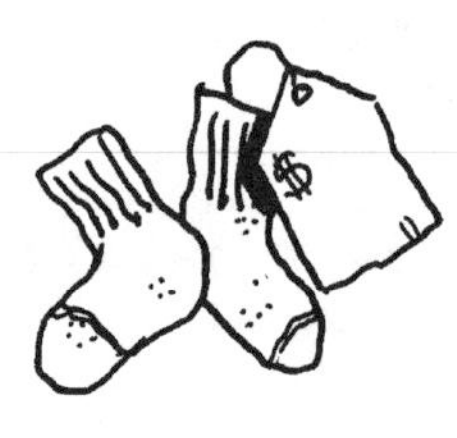

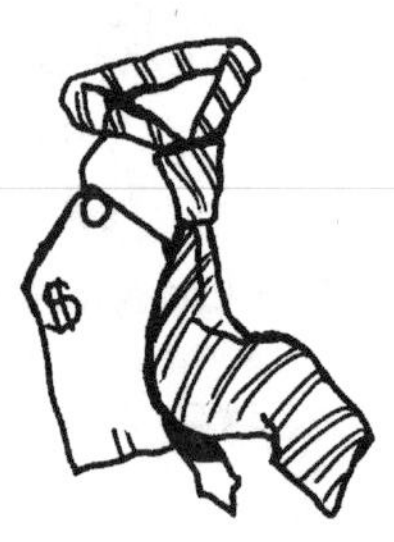

IV. Repaso de verbos irregulares en la primera persona

Sometimes the speaker doesn't know all the details. Listen to his questions and then tell him that it is not you, but the person named in each case who does what he says.

Modelo: *You hear:* ¿Tú haces el pastel para el cumpleaños de Pedro?
You see: María
You say: No, yo no lo hago. María lo hace.
You hear the confirmation: No, yo no lo hago. María lo hace.

1. Ramón
2. Alberto
3. mi hermano
4. Felipe
5. Sara
6. mis padres
7. mis abuelos

V. Verbos con cambios *e→ie*

A. ***Say the conjugation of* pensar *after the speaker.***

yo pienso	nosotros pensamos
tú piensas	vosotros pensáis
Ud. piensa	Uds. piensan
él piensa	ellos piensan

B. ***Replace the words in italics with the pronoun you hear after the sentence is read.***

Modelo: *You see and hear: Marcos* piensa que el español es fácil. (yo)
You say: Yo pienso que el español es fácil.
You hear the confirmation: Yo pienso que el español es fácil.

1. *El presidente* siente lástima por los pobres.
2. *Entiendo* todo el vocabulario nuevo.
3. *Rafael* quiere zapatos negros.
4. *El señor* pierde tiempo cuando empieza tarde.
5. *Ella* prefiere faldas azules.

VI. Verbos con cambios *o→ue*

A. ***Say the conjugation of* poder *after the speaker.***

yo puedo	nosotros podemos
tú puedes	vosotros podéis
Ud. puede	Uds. pueden
él puede	ellos pueden

B. ***The verb* poder *often combines with an infinitive to ask for permission. Ask the speaker for permission to do the following things. Follow the model.***

Modelo: *You see:* mamá / usar el paraguas
You say: ¿Puede mamá usar el paraguas?
You hear the confirmation: Sí, puede.

1. nosotros / jugar béisbol en el parque
2. yo / llamar a Dora por teléfono
3. ellos / lavar el carro
4. ella / usar el abrigo
5. yo / cerrar el manual de actividades

C. ***The following people tell us where or when they sleep. Use the cues provided to form complete sentences.***

Modelo: *You see:* yo / en el autobús
You say: Yo duermo en el autobús.
You hear the confirmation: Yo duermo en el autobús.

1. Papá / delante del televisor
2. tú / durante los partidos de baloncesto
3. yo / después de comer mucho
4. Uds. / en el trabajo
5. nosotros / en el colegio

D. ***The following tourists are having trouble finding things. Use the correct form of* encontrar *and the subject you hear to form a question.***

Modelo: *You see:* un diccionario inglés-español
You hear: ella
You say: ¿Dónde encuentra ella un diccionario inglés-español?
You hear the confirmation: ¿Dónde encuentra ella un diccionario inglés-español?

1. un motel
2. un teléfono público
3. los buenos restaurantes
4. el estadio de fútbol
5. información turística

E. ***The present participle form of the verb is used with the conjugated verb estar to express that an action is in progress right now. In this exercise the speaker will make a statement in the present tense. Change the statement to indicate that the action is in progress right now.***

Modelo: *You hear:* El juego de béisbol empieza ahora.
You say: El juego de béisbol está empezando ahora.
You hear the confirmation: El juego de béisbol está empezando ahora.

VII. Pronunciación

Follow along on page 169 of your textbook.

VIII. Dictado

Escuche y escriba.

1. *Manuel piensa que va a encontrar a su amiga en el parque.*
2. *Rosalina prefiere volver a Ecuador en marzo.*
3. *¿Cuánto cuestan las guitarras españolas?*
4. *No recuerdo qué himno quieres cantar.*
5. *Mañana podemos dormir hasta las diez de la mañana.*

Lección 21

I. Versículo

Colosenses 4:5 Andad sabiamente para con los de afuera, redimiendo el tiempo.

II. Diálogo

Follow along on page 170 of your textbook.

III. Vocabulario

You are visiting the restaurant* El buen comer. *A waitress will ask you what you wish to order. Refer to the menu items pictured to make your choice.

Modelo: *You hear:* ¿Qué fruta desea pedir?
You choose from the menu and say:
Deseo peras, por favor.

1. 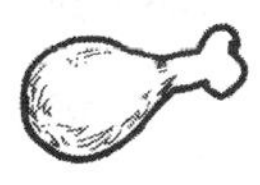  

2. 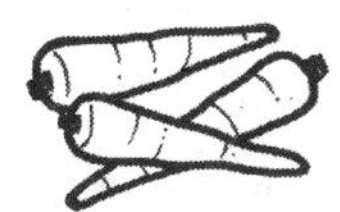 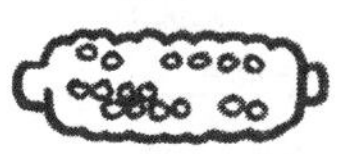 

3.   

4.   

IV. Verbos con cambios *e→i*

A. *Say the conjugation of* pedir *after the speaker.*

yo pido	nosotros pedimos
tú pides	vosotros pedís
Ud. pide	Uds. piden
él pide	ellos piden

B. *The Rodríguez family has invited you to eat with them at a restaurant. You are to report what each person is ordering. Refer to the picture cues.*

Modelo: *You hear:* Rosita
You say: Rosita pide un bistec.
You hear the confirmation: Rosita pide un bistec.

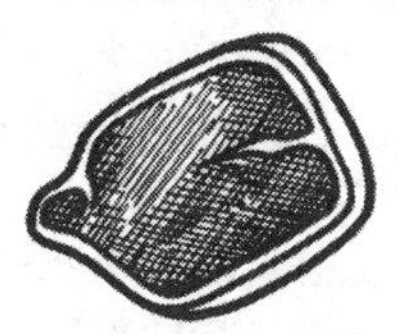

C. *Complete each sentence with the correct form of the verb you hear.*

Modelo: *You see:* Ella le __________ la taza de café a su papá.
You hear: servir
You write and say: Ella le ___*sirve*___ la taza de café a su papá.
You hear the confirmation: Ella le sirve la taza de café a su papá.

1. Ud. siempre ___***repite***___ lo que oye.
2. Nosotros ___***repetimos***___ las palabras en español.
3. Yo siempre ___***pido***___ pizza.
4. A las cinco y media, ellos ___***sirven***___ la comida.
5. Tú les ___***pides***___ permiso a tus padres antes de salir.
6. Después de la cena, el mesero ___***sirve***___ el café.
7. No hay problema, porque ellas ___***saben***___ conducir.
8. Nosotros ___***conocemos***___ a todos los jóvenes en la iglesia.

V. Adverbios que terminan en *-mente*

You are given an adjective. Change it to an adverb and use it with the sentence you hear. Follow the model.

Modelo: *You see:* lento
You hear: La señorita habla.
You say: La señorita habla lentamente.
You hear the confirmation: La señorita habla lentamente.

1. rápido
2. alegre
3. loco
4. fácil
5. claro
6. cuidadoso
7. económico
8. sincero

VI. Pronunciación

El sonido de la consonante *v*

At the beginning of a word, after a pause, or after the consonants *n* or *l,* the letter *v* is pronounced like the *b* in "box."

In all other positions, the letter *v* is softer. It is pronounced without putting the lips together and without allowing the lower lip to touch the upper front teeth.

Practique las palabras:

verbo	viaje
ventana	lavar
verde	nave
selva	llueve
enviar	diversión

Practique las frases: Me divierto cuando voy de viaje.

Víctor se levanta varias veces a las nueve.

¡Viviana va volando al volante!

Vamos a visitar a Vicente en el invierno.

VII. Dictado

Escuche y escriba.

1. ***Vamos a pagar la cuenta y la propina.***
2. ***Ellos piden una mesa para cuatro.***
3. ***En mi casa, mamá me sirve naranjas en el desayuno.***
4. ***Pido leche para el almuerzo.***
5. ***Si repetimos las palabras, las aprendemos fácilmente.***

Capítulo Nueve

Lección 22

I. Versículo

Salmo 119:103 ¡Cuán dulces son a mi paladar tus palabras! Más que la miel a mi boca.

II. Diálogo

Follow along on page 180 of your textbook.

III. Vocabulario

As you hear each statement, write its number beside the picture it describes.

Modelo: *You hear*: Tiene los ojos grandes.
You mark the picture as shown.

modelo

IV. Repaso de los adjetivos

In Spanish, adjectives must agree in number and gender with the nouns they describe. Make complete sentences using the cues provided. Pattern your sentences after the model.

Modelo: *You see:* bajo y rubio
You hear: mis hermanas

You say: Mis hermanas son bajas y rubias.
You hear the confirmation: Mis hermanas son bajas y rubias.

1. corto y fácil
2. intelectual
3. interesante y práctico
4. pequeño y económico
5. castaño y rizado
6. grande y negro
7. rojo, blanco y azul
8. guapo y fuerte

V. La forma comparativa (I)

Make comparisons according to the cues provided.

Modelo: *You see:* la química / difícil / historia
You hear: más que
You say: La química es más difícil que la historia.
You hear the confirmation: La química es más difícil que la historia.

1. el diccionario / caro / la calculadora
2. Maritza / bonito / Rebeca
3. Simón / flaco / Rubén
4. el pelo de Susana / largo / el pelo de Ana
5. Santiago / simpático / Bruno
6. los ojos de Pedro / azul / los ojos de Roberto
7. Lidia / alto / Alberto
8. los gatos / inteligente / los perros

VI. La forma comparativa (II)

A. *Use the information given by the speaker plus the elements below to complete the comparison of quality. Use the correct form of* mejor que / mejores que *or* peor que / peores que.

Modelo: *You hear:* Roberta es mala en ciencia, pero Susana es muy mala en ciencia.
You write and say: Susana es ___*peor que*___ Roberta en ciencia.
You hear the confirmation: Susana es peor que Roberta en ciencia.

1. Tomás es ___***mejor que***___ su hermano en los deportes.
2. Gloria y Melinda son ___***peores que***___ Delia en inglés.
3. Mamá es ___***mejor que***___ papá en Piccionario.
4. Robertín y Gilberto son ___***mejores que***___ Manolito en voleibol.
5. Mi nota en álgebra es ___***peor que***___ mi nota en biología.

B. *Listen as the speaker begins to make a comparison. Complete the comparison with the most logical phrase or word.*

Modelo: *You hear:* Serafín es bueno en geometría, pero Gabriel es . . .
You see: a. menor. b. mejor. c. mayor.
You choose b *and say*: mejor
You hear the confirmation: b. mejor.

1. a. mayor.
   b. peores.
   (c.) mejor.
2. (a.) menos.
   b. mejor.
   c. mayor.
3. a. peor.
   b. menor.
   (c.) más.
4. a. mayor.
   (b.) más grande.
   c. mayores.
5. a. menos.
   b. mejor.
   (c.) más pequeño.
6. a. menores.
   (b.) mayor.
   c. mejor.

VII. La forma superlativa

A. ***Combine the elements provided in each exercise into superlative statements.***

Modelo: *You see:* Rosa / chica / inteligente
You say: Rosa es la chica más inteligente.
You hear the confirmation: Rosa es la chica más inteligente.

1. La historia y la química / clases / difícil
2. Juan / jóven / guapo
3. Alaska y Texas / estados / grande
4. El español / clase / interesante

B. ***Make superlative statements based on the elements provided. Use the correct forms of* mayor *and* menor.**

Modelo: *You see:* Juan tiene 16 años, Sara tiene 15 y Pablo tiene 14 años.
You hear: Juan
You say: Juan es el mayor.
You hear the confirmation: Juan es el mayor.

1. Felipe tiene 8 años, María Nieves tiene 12 y Débora tiene 15.
2. Mi mamá tiene 35 años, mi papá tiene 36 y mi tío tiene 39.
3. Pablo y Luis tienen 16 años, Rosa y Ana tienen 13 años.
4. Mis abuelos son viejos, pero mis hermanos son jóvenes.

C. ***Change the comparative adjective in each statement to its superlative form. Follow the model.***

Modelo: *You hear:* Roberto, Eduardo, y Daniel son buenos en álgebra.
You see: Javier
You say: Pero Javier es el mejor en álgebra.

1. Mateo
2. tus hermanos
3. Carola
4. Estebán
5. Mercedes
6. tus primas
7. Luis y Marcos

VIII. Pronunciación

Follow along on page 186 of your textbook.

IX. Dictado

Escuche y escriba.

1. *A Pedro le gusta el pelo largo y rizado.*
2. *El capitán del equipo es un joven alto, guapo y fuerte.*
3. *La profesora de historia es baja, delgada y muy bonita.*
4. *Mi amiga tiene los ojos azules, el pelo rubio y la boca grande.*
5. *Alberto tiene el pelo liso y castaño.*

Lección 23

I. Versículo

Mateo 5:3 Bienaventurados los pobres en espíritu, porque de ellos es el reino de los cielos.

II. Lectura

Follow along on page 188 of your textbook.

III. Vocabulario

As you hear each statement, write its number beside the picture it describes.

Modelo: *You hear:* Antes de ir a la escuela, Rafael se peina.
You mark the picture as shown.

modelo

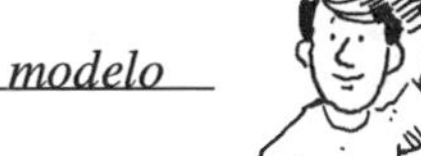

4

1

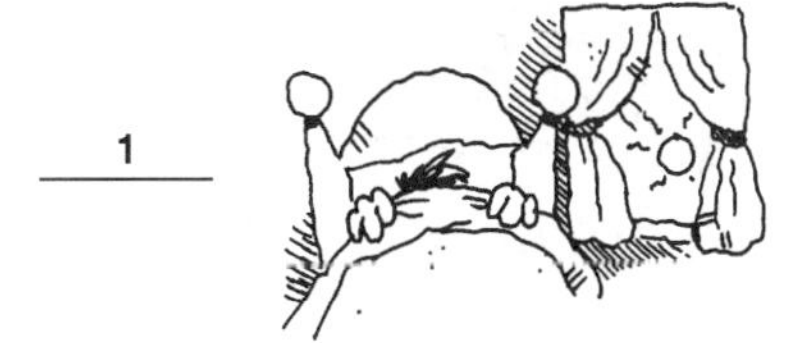

3

5

2

IV. Los verbos reflexivos

A. ***Say the conjugation of*** **lavarse** ***after the speaker.***

yo me lavo	nosotros nos lavamos
tú te lavas	vosotros os laváis
Ud. se lava	Uds. se lavan
él se lava	ellos se lavan

B. ***For each of the incomplete sentences you see, you will be given a subject. Complete the sentences using the correct reflexive pronouns.***

Modelo: *You see:* (mirarse) en el espejo
You hear: yo
You say: Yo me miro en el espejo.
You hear the confirmation: Yo me miro en el espejo.

1. (cepillarse) los dientes tres veces al día
2. (bañarse) por la mañana
3. (despertarse) a las siete
4. (peinarse) antes de salir
5. (lavarse) el pelo todos los días
6. (ponerse) los zapatos nuevos para ir a la iglesia
7. (afeitarse) con Gillette

C. ***Listen for the verb you should use to complete the following sentences. Be sure to use the reflexive form when necessary.***

Modelo: *You see:* La señora Márquez va a ________ por la mañana.
You hear: bañar
You write and say: La señora Márquez va a <u>bañarse</u> por la mañana.
You hear the confirmation: La señora Márquez va a bañarse por la mañana.

1. María va a ___**poner**___ las revistas en la mesa.
2. Ella quiere ___**peinarse**___ antes de salir.
3. Pedro tiene que ___**lavar**___ el carro el sábado.
4. El dentista dice que es bueno ___**cepillarse**___ los dientes dos veces al día.
5. Mi hermano me va a ___**despertar**___ temprano mañana.

V. Adjetivos demostrativos

A. ***The demonstrative adjectives* este, esta, estos, *and* estas *are used to modify nouns that are very near to or in the possession of the speaker. In the following exercise, fill in each blank with the noun you hear and the correct form of the demonstrative adjective.***

Modelo: *You see:* ________ está encima de mi libro.
You hear: lápiz
You write and say: <u>Este lápiz</u> está encima de mi libro.
You hear the confirmation: Este lápiz está encima de mi libro.

1. ___**Estas plumas**___ están en mi escritorio.
2. ___**Estos chicos**___ están conmigo.
3. ___**Esta cartera**___ que tengo es nueva.
4. ___**Este papel**___ es para el examen.

B. ***The demonstrative adjectives* ese, esa, esos, *and* esas *are used to modify nouns that are somewhat distant from the speaker, possibly near or in the possession of the person being spoken to. Fill in each blank with the noun you hear and the correct form of the demonstrative adjective. Continue on as before.***

1. ___**Esa chica**___ en la foto es mi prima.
2. ___**Ese carro**___ en la calle es de Juan.
3. ___**Esos guantes**___ son de los chicos.
4. ___**Esas corbatas**___ que tienes son feas.

C. ***The demonstrative adjectives* aquel, aquella, aquellos, *and* aquellas *are used to modify nouns that are a great distance from the speaker. Fill in each blank with the noun you hear and the correct form of the demonstrative adjective. Continue on as before.***

1. ___**Aquellas tiendas**___ en Santa Fe son excelentes.
2. ___**Aquel señor**___ de Ecuador es mi tío.
3. ___**Aquella muchacha**___ al lado de mi tío es su hija.
4. ___**Aquellos museos**___ franceses son famosos.

VI. Pronunciación

Follow along on page 197 of your textbook.

VII. Dictado

Escuche y escriba.

1. *Mi papá se afeita dos veces al día.*

2. *Después de bañarse, los jugadores se ponen los uniformes.*

3. *Me gusta despertarme temprano y prepararme para el día.*

4. *Voy a peinarme y ponerme el sombrero.*

5. *¡Te vistes muy elegante esta noche!*

Lección 24

I. Versículo

Mateo 16:24 Si alguno quiere venir en pos de mí, niéguese a sí mismo, y tome su cruz, y sígame.

II. Lectura

Follow along on page 198 of your textbook.

III. Vocabulario

The speaker will name certain parts of the body. Write the numbers in the appropriate spaces.

Modelo: *You hear:* la mano
You label the part of the body as shown.

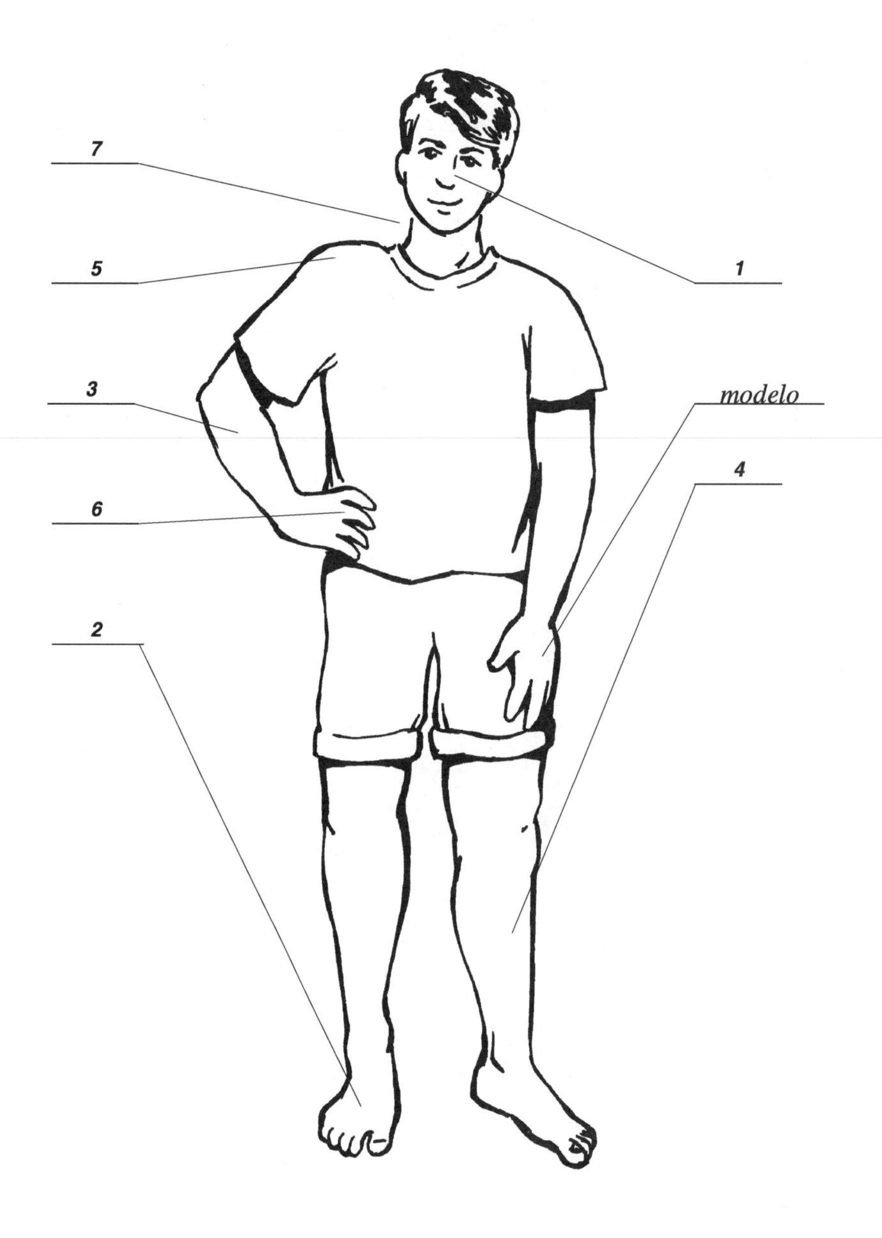

IV. Otros usos de los verbos reflexivos

A. *Listen to each question and then choose the statement that would be the most logical answer.*

Modelo: *You hear:* ¿A qué hora te levantas?
You see: a. Tienes que levantarte temprano.
b. Me levanto a las siete.
c. Mi hermano se levanta a las seis.
You choose b *and say:* Me levanto a las siete.

1. a. Mi amigo se duerme en la clase de español.
   b. Duermo ocho horas cada noche.
   (c.) No, no me duermo en la clase de español.
2. (a.) Se va a las ocho y media.
   b. Hace dos años que va al Colegio Bautista.
   c. Va con su papá en el carro.
3. a. Se llama Margarita Pérez.
   (b.) Llama a Rafael.
   c. Me llamo Rafael.
4. a. Me voy a poner flores.
   (b.) Voy a poner flores en la mesa.
   c. Voy a sacar las flores.
5. (a.) Me siento feliz.
   b. Se siente triste.
   c. Te sientes enfermo.

B. *As you listen to each sentence, write its corresponding number below the picture it describes.*

V. Pronunciación

El sonido de la consonante *d*

When the letter *d* (*de*) begins a sentence or a phrase or follows *n* or *l*, it is pronounced like the *d* in "dough." When it follows any consonant except *n* or *l* or comes between vowels, either within a word or a phrase, it is pronounced like the *th* in "though."

Practique las palabras:

domingo	lavado
deportes	traducir
aldea	dedo
conducta	poder

Practique las frases: Adela no puede reducir las dos deudas.

¿De dónde en el mundo es el doctor débil?

VI. Dictado

Escuche y escriba.

1. *Rafael se acuesta a las doce de la noche.*
2. *Su hermano se despierta temprano y después tiene que despertar a Rafael.*
3. *Rafael no quiere levantarse; prefiere quedarse en cama.*
4. *Alberto dice que la natación es buena para los brazos y las piernas.*
5. *Pedro y Roberto se levantan temprano y se van al parque.*

Capítulo Diez

Lección 25

I. Versículo

Apocalipsis 1:5,6 Al que nos amó, y nos lavó de nuestros pecados con su sangre, a él sea gloria por los siglos de los siglos. Amén.

II. Diálogo

Follow along on pages 206-07 of your textbook.

III. Acabar de + infinitivo

Listen as the speaker presents a situation. Using the cues provided, explain the cause of the situation.

Modelo: *You hear:* Manuel no entiende inglés.
You see: llegar de Colombia
You say: Él acaba de llegar de Colombia.
You hear the confirmation: Él acaba de llegar de Colombia.

1. gastarlo en el supermercado
2. correr cinco millas
3. comer en el Restaurante García
4. recibir una carta de su novia
5. recibir una *A* en su clase de español

IV. El pretérito: los verbos regulares *-ar*

A. ***Repeat the conjugation of the verb*** **caminar** ***after the speaker.***

yo caminé	nosotros caminamos
tú caminaste	vosotros caminasteis
Ud. caminó	Uds. caminaron
él caminó	ellos caminaron

B. ***Give the correct form of the verb*** **caminar** ***according to the subject provided. You will hear the confirmation.***

C. ***Susana has made a list of the things she recently did. Repeat each sentence supplying the correct form of the verb Susana used as she told what she did.***

Modelo: *You see:* Yo _________ en el coro el domingo.
You hear: cantar
You say: Yo ___*canté*___ en el coro el domingo.
You hear the confirmation: Yo canté en el coro el domingo.

1. Yo ___caminé___ a la biblioteca ayer.
2. Yo ___hablé___ con papá por teléfono.
3. Yo le ___lavé___ los platos a mamá.
4. Yo ___bañé___ el perro.
5. Yo ___estudié___ la lección de español.

D. ***Jonatán wants to sound as diligent as his older sister. He claims he has done several things he really has not done. Correct him by using the appropriate form of the verb you hear in each sentence.***

Modelo: *You hear:* Yo llamé a papá por teléfono.
You say: No, tú no llamaste a papá por teléfono.
You hear the confirmation: No, tú no llamaste a papá por teléfono.

V. El pretérito: verbos que terminan en *-car, -gar, -zar*

A. ***Using the cues provided, tell when the following people arrived or when the activities began.***

Modelo: *You see:* llegar (5:00)
You hear: Marcos y Tomás
You say: Marcos y Tomás llegaron a las cinco.
You hear the confirmation: Marcos y Tomás llegaron a las cinco.

1. llegar (6:00)
2. llegar (7:00)
3. empezar (8:00)
4. empezar (8:30)
5. tocar la trompeta (9:00)

B. ***Answer each question affirmatively by writing the correct form of the verb in the space provided.***

Modelo: *You hear:* ¿Tocaste el piano por una hora?
You write toqué *and say:* Sí, *toqué* el piano por una hora.
You hear the confirmation: Sí, toqué el piano por una hora.

1. Sí, ***llegué*** a casa a las cuatro de la tarde.
2. Sí, ***empecé*** las tareas a las cinco.
3. Sí, ***jugué*** con mi hermano menor después de la cena.
4. Sí, ***saqué*** unas fotos con mi cámara nueva.
5. Sí, ***toqué*** la guitarra antes de acostarme.

C. ***The statements you will hear are in the present tense. Repeat each statement you hear by writing the correct preterite form of the verb in the space provided.***

Modelo: *You hear:* Pago la cuenta.
You write and say: *Pagué* la cuenta.
You hear the confirmation: Pagué la cuenta.

1. ***Dejé*** una propina para el camarero.
2. ***Toqué*** la guitarra para la sociedad de jóvenes.
3. ***Jugué*** al Monopolio con Enrique.
4. Maribel y Rosita ***sacaron*** una *B* en el examen.
5. Yo ***saqué*** una *A* en la clase de inglés.
6. El Sr. Mendoza nos ***enseñó*** a hablar español.
7. ***Practicaste*** mucho el versículo.

VI. Pronunciación

Follow along on page 214 of your textbook.

VII. Dictado

Escuche y escriba.

1. *Acabamos de estudiar la geografía de Ecuador.*

2. *Tengo que escribir la dirección en el sobre.*

3. *Cuando mamá entró en la casa, mi hermano colgó el teléfono.*

4. *Me levanté temprano, pero me acosté tarde.*

5. *¿Enviaste la carta a los misioneros?*

Lección 26

I. Versículo

Juan 20:21 Entonces Jesús les dijo otra vez: Paz a vosotros. Como me envió el Padre, así también yo os envío.

II. Lectura

Follow along on page 216 of your textbook.

III. Vocabulario

You will hear the speaker give a description. Circle a, b, or c, before the word that represents what he describes.

Modelo: *You hear:* Es un edificio donde llegan muchas cartas.
You see: a. el buzón b. el paquete c. el correo
You circle c *and say*: el correo.

1. (a.) el cartero
   b. el buzón
   c. el paquete
2. a en el cartero
   (b.) en el sobre
   c. en el paquete
3. a. el sello
   b. el correo
   (c.) la dirección
4. a. la tarjeta postal
   b. la dirección
   (c.) la estampilla
5. (a.) el teléfono
   b. el correo
   c. la tarjeta postal
6. a. marcar
   (b.) colgar
   c. sonar

IV. El pretérito: los verbos regulares *-er, -ir*

A. ***Say the conjugation of the verb*** **correr** ***after the speaker.***

yo corrí	nosotros corrimos
tú corriste	vosotros corristeis
Ud. corrió	Uds. corrieron
él corrió	ellos corrieron

B. ***Give the correct preterite form of the verb*** **correr.**

C. ***Your little sister has some confessions to make about things she has done. Repeat each sentence supplying the form of the verb your sister would use in her confessions. Listen to the model.***

Modelo: *You see:* Yo __________ las llaves del carro.
You hear: perder
You write and say: Yo ___*perdí*___ las llaves del carro.
You hear the confirmation: Yo perdí las llaves del carro.

1. Yo ___*vi*___ tu diario personal.
2. Yo ___*comí*___ tu torta de chocolate.
3. Yo ___*rompí*___ tu cámara nueva.
4. Yo ___*vendí*___ tu radio.
5. Yo ___*abrí*___ la carta de tu novia.
6. Yo ___*bebí*___ tu último refresco.

D. *You will hear the same confessions once more. This time, express shock and disbelief over your sister's confessions. Follow the model.*

Modelo: *You hear:* Yo perdí las llaves del carro.
You say: ¡Ay, no! ¡No perdiste las llaves del carro!
You hear the confirmation: ¡Ay, no! ¡No perdiste las llaves del carro!
You write the verb in the space provided.

1. *viste*
2. *comiste*
3. *rompiste*
4. *vendiste*
5. *abriste*
6. *bebiste*

E. *Change the statement you hear to the preterite tense.*

Modelo: *You hear:* Rafael vive en Venezuela.
You say: Rafael vivió en Venezuela.
You hear the confirmation: Rafael vivió en Venezuela.

F. *Answer each question according to the cues provided. Replace any direct object nouns with the corresponding direct object pronouns.*

Modelo: *You hear:* ¿Quién perdió mi reloj?
You see: Manolito (perder)
You answer: Manolito lo perdió.
You hear the confirmation: Manolito lo perdió.

1. nosotros (asistir)
2. yo (comer)
3. tú (romper)
4. nadie (abrir)
5. Uds. (nacer)
6. nuestros abuelos (vivir)

V. Pronombres demostrativos

A. *Answer each question according to the model.*

Modelo: *You hear:* ¿Buscas estos papeles?
You answer: No, no busco éstos, busco ésos.
You hear the confirmation: No, no busco éstos, busco ésos.

B. *Answer each question according to the model.*

Modelo: *You hear:* ¿Usas esos zapatos?
You say: No, no uso ésos, uso aquéllos.
You hear the confirmation: No, no uso ésos, uso aquéllos.

VI. Pronunciación

Follow along on page 222 of your textbook.

VII. Dictado

Escuche y escriba.

1. ***Miguel le abrió la puerta del carro a la señorita.***

2. ***¿En qué mes naciste tú?***

3. ***Los misioneros recibieron un paquete en el correo.***

4. ***Ellos no perdieron tiempo en abrirlo.***

5. ***En ese paquete encontraron algo para toda la familia.***

Lección 27

I. Versículo

Romanos 4:3 Creyó Abraham a Dios, y le fue contado por justicia.

II. Lectura

Follow along on page 224 of your textbook.

III. El pretérito de *ir* y *ser*

A. ***Repeat the forms of the verbs* ser *and* ir *in the preterite.***

yo fui	nosotros fuimos
tú fuiste	vosotros fuisteis
Ud. fue	Uds. fueron
él fue	ellos fueron

B. ***Give the correct preterite form of the verbs* ser *and* ir *according to the subject you hear.***

C. ***Listen to the sentences and decide whether the verb used is a form of* ser *or* ir *in the preterite. Follow the model.***

Modelo: *You hear:* José fue a Ecuador.
You say: ir
You hear the confirmation: ir

D. ***Answer the following questions using the elements provided.***

Modelo: *You hear:* ¿Cuándo fuiste al banco?
You see: el lunes
You answer: Fui el lunes.
You hear the confirmation: Fui el lunes.

1. el verano pasado
2. en abril
3. el domingo
4. a las nueve

E. ***Last year the students of la Sra. Pascual's class went to many parts of Latin America. You have listed for you the places they went. La Sra. Pascual will tell you who traveled. Make a statement that tells who traveled where.***

Modelo: *You hear:* Marcos
You see: Bogotá, Colombia
You say: Marcos fue a Bogotá, Colombia.
You hear the confirmation: Marcos fue a Bogotá, Colombia.

1. Lima, Perú
2. Santiago, Chile
3. La Paz, Bolivia
4. Caracas, Venezuela
5. Santo Domingo, República Dominicana

IV. El pretérito de *dar* y *ver*

A. ***Repeat the preterite forms of the verb* dar.**

yo di	nosotros dimos
tú diste	vosotros disteis
Ud. dio	Uds. dieron
él dio	ellos dieron

B. ***Give the correct preterite form of the verb*** **dar** ***according to the subjects you hear.***

C. ***Irene has arrived late at Beto's birthday party. Since all of the gifts are now unwrapped, she cannot tell who gave which gifts. Answer her questions using the correct form of*** **dar** ***and the cues provided.***

Modelo: *You hear:* ¿Qué le dio María?
You see: la cartera
You say: María le dio la cartera.
You hear the confirmation: María le dio la cartera.

1. el disco compacto
2. la Biblia
3. el guante de béisbol
4. la guitarra
5. la novela de misterio

D. ***Jaime and Daniel took the children in their Bible club to the zoo. Paquito, one of the little boys, is reporting who in the group saw which animals. Using the correct form of*** **ver** ***and the elements provided, tell what Paquito said.***

Modelo: *You see and hear:* yo / el elefante
You say: Yo vi el elefante.
You hear the confirmation: Yo vi el elefante.

1. tú / los tigres
2. Juanito y yo / los leones
3. Ud. / las jirafas
4. Héctor / las zebras
5. Gloria y Teresa / el chimpancé
6. Yo / los camellos

E. ***Supply the correct preterite form of the verb you hear; then read the sentence aloud.***

Modelo: *You see:* Los estudiantes ___________ la frase muchas veces.
You hear: leer
You write and say: Los estudiantes *leyeron* la frase muchas veces.
You hear the confirmation: Los estudiantes leyeron la frase muchas veces.

1. La niña corrió cuando ___***oyó***___ el camión.
2. Mi amiga ___***se cayó***___ de la bicicleta en el accidente.
3. ¿___***Oíste***___ tú el programa de radio?
4. Jonatán y Luis ___***oyeron***___ de Cristo en el club bíblico.
5. ¿No ___***creyeron***___ Uds. mi excusa?
6. El año pasado yo ___***leí***___ todo el Nuevo Testamento.
7. Nosotros ___***leímos***___ la noticia ayer.
8. Yo no ___***creí***___ tu versión de la historia.

V. Pronunciación

Follow along on page 230 of your textbook.

VI. Diálogo

Follow along on page 229 of your textbook.

Capítulo Once

Lección 28

I. Versículo

I Corintios 15:3b Cristo murió por nuestros pecados, conforme a las Escrituras.

II. Diálogo

Follow along on page 232 of your textbook.

III. Repaso: las formas regulares del pretérito

A. *Answer each question using the correct form of the preterite and the elements provided.*

Modelo: *You hear:* ¿A qué hora volvió Ud. a casa?
You see: a las ocho
You say: Yo volví a las ocho.
You hear the confirmation: Yo volví a las ocho.

1. en Belén
2. libros y papel
3. en el Grillo Bizco
4. Samuel
5. una *B*

B. *Repeat each sentence you hear, changing the verb to the preterite. Write the correct form of the preterite in the space provided.*

Modelo: *You see:* No __________ la corbata azul.
You hear: No encuentro la corbata azul.
You write encontré *and say:* No ___*encontré*___ la corbata azul.
You hear the confirmation: No encontré la corbata azul.

1. ¿Qué ___***pensaste***___ de mi camisa nueva?
2. No ___***perdí***___ nada.
3. Uds. ___***cantaron***___ muy bien esa canción.
4. No ___***vimos***___ el partido de baloncesto.
5. ___***Salí***___ a las dos de la tarde.
6. Mi maestra me ___***enseñó***___ un versículo.
7. Te ___***ayudé***___ con la tarea a las cinco.
8. Los Otero ___***escucharon***___ el sermón con interés.
9. Mi equipo de béisbol ___***jugó***___ bien esta mañana.
10. No ___***reconocí***___ a tu papá.

IV. El pretérito de los verbos *-ir* con cambios de raíz

A. ***Say the conjugation of the verb*** **pedir** ***after the speaker.***

yo pedí	nosotros pedimos
tú pediste	vosotros pedisteis
Ud. pidió	Uds. pidieron
él pidió	ellos pidieron

B. ***Give the correct preterite form of the verb*** **pedir** ***according to each subject you hear.***

C. ***Say the conjugation of the verb*** **preferir** ***after the speaker.***

yo preferí	nosotros preferimos
tú preferiste	vosotros preferisteis
Ud. prefirió	Uds. prefirieron
él prefirió	ellos prefirieron

D. ***Give the correct preterite form of the verb*** **preferir** ***according to each subject you hear.***

E. ***Ramón needs help to complete his sentences. He doesn't know how to put his verbs in the preterite form. His teacher will give you the infinitive form. You read him the complete sentence.***

Modelo: *You see:* Santos le ________ permiso al profesor para salir temprano.
You hear: pedir
You say: Santos le __*pidió*__ permiso al profesor para salir temprano.
You hear the confirmation: Santos le pidió permiso al profesor para salir temprano.

1. Marta y Rosita ___**pidieron**___ ensalada y pollo frito.
2. El sábado yo ___**dormí**___ hasta las nueve de la mañana.
3. Miguel y Andrés ___**durmieron**___ hasta las diez.
4. El año pasado Juan ___**repitió**___ la clase de francés.
5. Antes del examen los estudiantes ___**se sintieron**___ nerviosos.
6. ¿(Tú) ___**te sentiste**___ cansado después del partido de baloncesto?
7. Marcos ___**prefirió**___ ir a México en abril.
8. Marcos le ___**pidió**___ diez dólares a su papá.
9. Dos personas ___**murieron**___ en un accidente anoche.
10. Los estudiantes ___**repitieron**___ la frase después de escucharla.

F. ***You will hear a sentence in the present tense. Change the verb to the past tense and repeat the whole sentence.***

Modelo: *Yo hear:* Yo no repito tu secreto.
You see: repetir
You say: Yo no repetí tu secreto.
You hear the confirmation: Yo no repetí tu secreto.

1. pedir
2. servir
3. preferir
4. dormir
5. dormirse
6. sentirse
7. repetir

V. Pronunciación

Follow along on page 236 of your textbook.

VI. Dictado

Escuche y escriba.

1. *Un grupo de jóvenes fue al restaurante a comer.*
2. *Miguel pidió chuletas.*
3. *Rosa y Marisol pidieron arroz con pollo.*
4. *Tomás prefirió comer fruta.*
5. *Cuando terminaron de comer, se sintieron satisfechos.*

Lección 29

I. Versículo

Mateo 4:19 Y les dijo: Venid en pos de mí, y os haré pescadores de hombres.

II. Lectura

Follow along on page 238 of your textbook.

III. Vocabulario

After listening to each job description, circle the letter of the person best qualified to do this work. Remember to use the correct form of the noun according to the subject you hear.

Modelo: *You hear:* Ella escribe cartas a máquina. Contesta el teléfono.
You see: a. aeromozo(a) b. secretario(a) c. enfermero(a)
You circle b *and say:* una secretaria
You hear the confirmation: una secretaria

1. a. aeromozo(a)
   b. secretario(a)
   (c.) enfermero(a)
2. (a.) aeromozo(a)
   b. mecánico
   c. enfermero(a)
3. a. abogado(a)
   (b.) mecánico
   c. empresario(a)
4. a. empresario(a)
   b. médico(a)
   (c.) abogado(a)
5. a. abogado(a)
   b. secretario(a)
   (c.) médico

IV. Verbo + infinitivo

The Santanas do not hear very well. When la señora Santana tells her husband something, he always asks her if it is true. She speaks in the present tense, and he puts it in the past tense. You will hear la señora Santana speak; play the part of el señor Santana.

Modelo: *You hear:* Roberto dice que va a ser piloto.
You say: ¿Roberto dijo que va a ser piloto?
You hear the confirmation: ¿Roberto dijo que va a ser piloto?

V. ¿Cuál, cuáles o qué?

Cuál *and* cuáles *are used in questions asking for a choice between two or more items in a group if the question word precedes a form of the verb* ser. Qué *is used if a noun follows or if a definition is requested. The sentences you will hear on the tape are answers. Supply an appropriate question for each answer using* cuál, cuáles, *or* qué. *Listen to the model.*

Modelo: *You hear:* Quiero comprar la camisa azul.
You say: ¿Qué camisa quieres comprar?
You hear the confirmation: ¿Qué camisa quieres comprar? *or*
You hear: Mi libro favorito es *Don segundo sombra.*
You say: ¿Cuál es tu libro favorito?
You hear the confirmation: ¿Cuál es tu libro favorito?

VI. Pronunciación

Follow along on page 245 of your textbook.

VII. Dictado

Escuche y escriba.

1. *A veces Roberto se olvida de estudiar, pero nunca se olvida de comer.*

2. *Me dice Roberto que dejó de comer mucho.*

3. *Me dice también que empezó a hacer ejercicio todos los días.*

4. *Ramona quiere ser secretaria y trabajar con una empresa internacional.*

5. *A Pablo le interesan los asuntos legales y desea ser abogado.*

Lección 30

I. Versículo

Romanos 5:8 Mas Dios muestra su amor para con nosotros, en que siendo aún pecadores, Cristo murió por nosotros.

II. Diálogo

Follow along on pages 247-48 of your textbook.

III. La preposición *para*

The preposition* para *may express an objective or a destination. This objective or destination may be any of the following:

a. a person
b. an action
c. a place
d. a point in time

As you listen to each sentence, determine which of the above applies. Write the appropriate letter in the space provided. Follow the model.

Modelo: *You hear:* El martes salgo para Miami.
You write c *in the space provided.*
You hear the confirmation: c. a place

1. a
2. b
3. d
4. b
5. c

IV. Otros verbos irregulares

You will hear what one person did yesterday, then you will be asked what someone else did. Use the cues given to answer. Be sure to use the correct verb form.

Modelo: *You hear:* Pedro puso sus libros en la mesa. ¿Y ellos?
You see: en la cama
You say: Ellos pusieron sus libros en la cama.
You hear the confirmation: Ellos pusieron sus libros en la cama.

1. en las montañas
2. no poder tampoco
3. en la cafetería
4. en el carro de mi papá
5. no querer tampoco
6. no poder tampoco
7. no ponérselo
8. después del almuerzo

V. La preposición *por*

The preposition* por *can be used to express the following ideas:

a. duration
b. in exchange for
c. in place of
d. manner or means
e. movement through or along
f. among

A. ***Identify the usage of the preposition* por *in the following sentences. Write the category of usage in the space provided based on the list above.***

1. e
2. b
3. c
4. d, a

B. ***Form sentences with the words provided and the proper choice of* por *or* para. *Follow the model.***

Modelo: *You see :* Te doy mi manzana ________ tu pera.
You write por *in the blank and say:* Te doy mi manzana __*por*__ tu pera.
You hear the confirmation: Te doy mi manzana por tu pera.

1. Te doy un regalo ___*para*___ tu cumpleaños.
2. Mamá entra en la casa ___*por*___ la puerta de la cocina.
3. Nicolás va a la biblioteca ___*para*___ estudiar.
4. Vivimos en Argentina ___*por*___ seis años.
5. Mandaste los paquetes ___*por*___ camión ayer.
6. Los pioneros viajaron ___*por*___ los desiertos ___*para*___ llegar a su destinación.

VI. Pronunciación

Follow along on page 254 of your textbook.

VII. Dictado

Escuche y escriba.

1. *Quiero pasar las vacaciones en el mar.*
2. *Los señores Gómez hicieron un viaje al océano.*
3. *La semana pasada estuvimos en el desierto donde hizo frío de noche.*
4. *Cuando estuvimos en las montañas, miramos las estrellas y la luna por la noche.*
5. *El año pasado, mi papá no tuvo vacaciones.*

Capítulo Doce

Lección 31

I. Versículo

I Tesalonicenses 5:24 Fiel es el que os llama, el cual también lo hará.

II. Diálogo

Follow along on pages 257-58 of your textbook.

III. Vocabulario

Circle the letter of the item that best matches the description you hear.

Modelo: *You hear:* Pongo la carne encima de esto.
You see: a. la mostaza b. el pan c. la sal
You mark b and say: el pan.
You hear the confirmation: b. el pan

1. a. el cuchillo
   b. la cuchara
   (c.) el plato
2. (a.) la servilleta
   b. la cuchara
   c. la mostaza
3. a. la salsa de tomate
   (b.) la mostaza
   c. la pimienta
4. (a.) el vaso
   b. el mantel
   c. el tenedor
5. a. el carbón
   (b.) la sal y la pimienta
   c. los huevos

IV. Repaso: pronombres de objetos directos e indirectos

A. ***Restate the statement you hear by replacing the direct objects with the appropriate object pronouns.***

Modelo: *You hear:* La señora puso el mantel sobre la mesa.
You say: La señora ___*lo*___ puso sobre la mesa.
You hear the confirmation: La señora lo puso sobre la mesa.

1. Rafael ___*las*___ trajo.
2. Maritza ___*los*___ tiene.
3. Roberto ___*lo*___ trajo.
4. El señor Ruiz ___*la*___ está usando.

B. ***The sentences you see below are incomplete without the indirect object pronouns. Add the appropriate indirect object pronoun as you say each sentence aloud.***

Modelo: *You see:* Yo ________ presto el libro a Rafael.
You say: Yo ___*le*___ presto el libro a Rafael.
You hear the confirmation: Yo le presto el libro a Rafael.

1. ___*Les*___ enviamos la carta a ustedes.

2. Esteban y Timoteo ___**nos**___ venden sus guantes de béisbol a nosotros.
3. Tú ___**les**___ pasas los platos a los hermanos Ruiz.
4. Papá va a prestar___**-le**___ el carro al Sr. Rivas.
5. Uds. pueden explicar___**-nos**___ la gramática a nosotros, ¿verdad?
6. Voy a preguntar ___**-les**___ a los estudiantes si tienen hambre.

V. La posición de dos complementos

A. *Replace the direct object noun in italics with its corresponding pronoun; then say the sentence aloud.*

Modelo: *You see:* Ricardo me da *la sal.*
You say: Ricardo me la da.
You hear the confirmation: Ricardo me la da.

1. Carlota me explica *el plan de salvación.*
2. Julián y Adela me preparan *las hamburguesas.*
3. Yo te presto *los manteles.*
4. Nosotros te damos *las servilletas.*
5. Gloria me da *el periódico.*

B. *Replace the direct object noun with its corresponding pronoun as you say the sentence aloud. Place the object pronoun at the end of the infinitive.*

Modelo: *You hear:* Cristóbal va a mandarte la carta.
You say: Cristóbal va a mandártela.
You hear the confirmation: Cristóbal va a mandártela.

C. *Martín is very anxious to please Cristina and is always willing to do whatever she asks. Benjamín, on the other hand, is not. Listen to Cristina's requests and give an affirmative response for Martín and a negative response for Benjamín. Use both object pronouns in your responses.*

Modelo: *You hear:* ¿Me prestas tu libro, Martín?
You see: sí
You say: Sí, te lo presto.
You hear the confirmation: Sí, te lo presto.

1. sí
2. no
3. no
4. sí
5. sí

VI. Mandatos afirmativos: forma *Ud.*

Make formal commands using the elements provided.

Modelo: *You see:* Juan / abrir su libro
You say: Juan, abra su libro.
You hear the confirmation: Juan, abra su libro.

1. Marta / escribir la frase
2. Ramón / cerrar la puerta
3. Pedro / hablar más fuerte
4. María Dolores / contestar la pregunta
5. Carolina / venir a mi oficina
6. Eliseo / decir la verdad
7. Felipe / volver a las tres
8. Patricia / repetir el versículo

VII. La posición de los pronombres con los mandatos afirmativos

El Sr. Vásquez sometimes lacks motivation to do what he ought to do. El Sr. González always provides the extra encouragement he needs. Play the role of el Sr. González. Remember to include the necessary object pronouns in your answers.

Modelo: *You hear:* Quiero enseñar la clase bíblica.
You say: Pues, enséñela.
You hear the confirmation: Pues, enséñela.

VIII. Mandatos irregulares forma *Ud.: dar, estar, ir, ser*

A. ***The command forms of a few verbs are not based on the* yo *form of the present tense. The* Ud. *command for the verb* dar *is* dé. *Answer the following questions with commands. Remember to include the direct object pronouns.***

Modelo: *You hear:* ¿Le doy el tenedor?
You say: Sí, démelo.
You hear the confirmation: Sí, démelo.

B. ***The* Ud. *command for the verb* estar *is* esté. *Listen as la Sra. Blanco's new housekeeper Lucinda is promising to fulfill specific responsibilities. Play the part of la Sra. Blanco as she reinforces each of Lucinda's statements with an appropriate command.***

Modelo: *You hear:* Voy a estar a tiempo.
You say: ¡Sí, esté a tiempo!
You hear the confirmation: ¡Sí, esté a tiempo!

C. ***The* Ud. *command for the verb* ir *is* vaya. *Change the following statements to commands.***

Modelo: *You hear:* Ud. va a la pizarra.
You say: Vaya Ud. a la pizarra.
You hear the confirmation: Vaya Ud. a la pizarra.

D. ***The* Ud. *command for the verb* ser *is* sea. *Change the following statements to commands.***

Modelo: *You hear:* Ud. es bueno.
You say: Sea Ud. bueno.
You hear the confirmation: Sea Ud. bueno.

IX. Dictado

Escuche y escriba.

1. *Ramona le pidió un refresco a la señora.*

2. *Mamá hizo un pastel y me lo dio para llevarlo al picnic.*

3. *No trajeron suficientes vasos y platos.*

4. *Siempre pongo mostaza y salsa de tomate en mi hamburguesa.*

5. *Me gusta cocinar y comer al aire libre.*

Lección 32

I. Versículo

Proverbios 6:20 Guarda, hijo mío, el mandamiento de tu padre, y no dejes la enseñanza de tu madre.

II. Diálogo

Follow along on page 265 of your textbook.

III. Mandatos: forma *nosotros*

Every Friday night the members of the López family take turns suggesting things they can do together. After each suggestion, join the family in saying, "Let's do it."

Modelo: *You hear:* Podemos hacer una pizza.
You say: Sí, hagámosla.
You hear the confirmation: Sí, hagámosla.

IV. Mandatos negativos: forma *Ud.*

A. ***La Sra. Espín is not in the best of moods. Every time her friend la Sra. Pedregales tries to do something, la Sra. Espín tells her not to do it. Make la Sra. Espín's commands, using the elements provided.***

Modelo: *You hear:* Voy a cerrar la ventana.
You say: ¡No cierre la ventana!
You hear the confirmation: ¡No cierre la ventana!

B. ***La Sra. Acevedo asks advice from her lawyer. Play the role of the lawyer and answer her according to the cues provided.***

Modelo: *You hear:* ¿Vendo mi carro?
You see: No
You say: No, no lo venda.
You hear the confirmation: No, no lo venda.

1. no
2. sí
3. no
4. no
5. sí

V. El pronombre *se*

A. ***The indirect object pronouns* le *and* les *change to* se *when followed by another object pronoun that begins with* l (lo, la, los, las). *In the following exercise, replace each direct object noun in italics with its corresponding pronoun. Make the proper change in the indirect object pronoun.***

Modelo: *You see:* Yo le doy *el periódico* a Jaime.
You say: Yo se lo doy.
You hear the confirmation: Yo se lo doy.

1. Mis padres les envían *las direcciones* a Uds.
2. Yo quiero leerles *la Biblia* a los niños.
3. César le trae *el refresco* a Noemí.
4. Tú vas a darles *los regalos* a tus abuelos mañana.
5. Miguel y yo podemos explicarles *la lección* a Uds.
6. Ud. le presta *el carro* a su hijo.

B. *Answer the following questions using the elements provided. Remember to include both object pronouns in your answer.*

Modelo: *You hear:* ¿Quién le presta el dinero a Gilberto?
You see: Irene
You say: Irene se lo presta.
You hear the confirmation: Irene se lo presta.

1. Nancy
2. Alán
3. sus padres
4. los niños
5. el Sr. Castillo
6. los jóvenes
7. nosotros
8. tú
9. mi hermana

C. *Answer the following questions with either an affirmative or a negative* Ud. *command according to the cue provided. Remember that object pronouns go before a negative command but are attached to the end of an affirmative command.*

Modelo: *You hear:* ¿Le vendo la radio a Ramón?
You see: no
You say: No, no se la venda.
You hear the confirmation: No, no se la venda.

1. sí
2. no
3. sí
4. no
5. sí
6. no

VI. Dictado

Escuche y escriba.

1. ***Doble a la derecha y camine dos cuadras.***
2. ***El colmado está en la esquina, al lado de la oficina del abogado.***
3. ***Ponga la carta en el buzón frente al correo.***
4. ***Tenemos que esperar si la luz del semáforo está en rojo.***
5. ***La luz del semáforo está en verde. ¡Vámonos!***

Lección 33

I. Versículo

Proverbios 3:7 No seas sabio en tu propia opinión; teme a Jehová, y apártate del mal.

II. Lectura

Follow along on page 273 of your textbook.

III. Mandatos: forma *tú*

A. *Poor Angustias has a number of problems. Many people are telling her what to do and what not to do. Complete their instructions using the elements provided.*

Modelo: *You hear:* Estoy muy cansada.
You see: descansar; no tomar aspirina
You say: Descansa; no tomes aspirina.
You hear the confirmation: Descansa; no tomes aspirina.

1. comer más fruta; no comer los postres.
2. escribir tu nombre aquí; no escribir nada allí.
3. no llorar; llamar a la policía.
4. no tomar café después del mediodía.
5. estudiar para el examen; no mirar televisión.

B. *Francisco is baby-sitting his little brother. It seems that he is giving orders all day long. What are some of the orders he gives? Use the familiar command form.*

Modelo: *You hear:* lavarse las manos
You say: Lávate las manos.
You hear the confirmation: Lávate las manos.

IV. Mandatos irregulares

Complete the commands that Pablo's mother gave him. Use the cues provided and the verbs you hear.

Modelo: *You see:* donde fuiste
You hear: decirme
You say: Dime donde fuiste.

1. las naranjas en la mesa
2. pena
3. lo que te digo
4. a casa después del servicio
5. sin tu suéter
6. los pies en el sofá
7. la verdad
8. ¡de una vez!
9. al colmado a comprar pan
10. tu comida al perro
11. tan lento
12. al parque con esos muchachos

V. Repaso del pronombre *se*

Maritza's mother is checking up on her to see if she has done all her work. Listen to her mother's questions, and then give Maritza's answers according to the cue provided.

Modelo: *You hear:* ¿Diste los libros al profesor?
You see: sí
You say: Sí, se los di.
You hear the confirmation: Sí, se los di.

1. sí
2. no
3. sí
4. sí
5. sí

VI. Dictado

Escuche y escriba.

1. ***Jesús le dijo al demonio, Cállate y sal de él.***
2. ***Una cosa te falta: Anda, vende todo lo que tienes, y dalo a los pobres, y ven, sígueme.***
3. ***Hazme oir gozo y alegría.***
4. ***Estudia para el examen final.***

Textbook Exercises

Capítulo Uno

Introducción

I. Saludos

A. *Complete the following dialogues.*

Juan: ¡Hola, Pedro! ¿ ___Cómo___ estás?
Pedro: Estoy bien, ___gracias___ . ¿Y ___tú___ ?
Juan: Más o menos, ___gracias___ .

Rosa: ¡Hola, Ana!
Ana: ¡ ___Hola___ , Rosa! ¿Qué ___tal___ ?
Rosa: ___(Yo) estoy muy bien___ , gracias. ¿Cómo ___estás___ tú?
Ana: ___Estoy bien___ también, ___gracias___ .

Sra. Rojas: ___Buenas___ tardes, Sra. Matos.
Sra. Matos: ___Buenas tardes___ . ¿Cómo ___está usted___ ?
Sra. Rojas: Estoy ___bien___ , gracias. ¿Y ___usted___ ?
Sra. Matos: Muy ___bien___ , gracias.

B. *Pablo and Felipe have been getting some help from their Spanish teacher after supper. Complete their conversation as the boys leave their teacher.*

Pablo y Felipe: ___Buenas___ noches, Sr.Martínez.
Sr. Martínez: ___Buenas noches___ , Pablo y Felipe.
Pablo y Felipe: ¡ ___Hasta___ mañana, señor!
Sr. Martínez: ¡ ___Hasta mañana___ , muchachos!

C. *Margarita meets many people. For each time of day listed, write how she would greet them. Begin with* Buenos *or* Buenas.

Modelo: 11:30 A.M. *Buenos días*

1. 2:00 P.M. ___Buenas tardes___
2. 8:00 P.M. ___Buenas noches___
3. 9:15 A.M. ___Buenos días___
4. 11:45 P.M. ___Buenas noches___
5. 5:30 P.M. ___Buenas tardes___

D. *When presented with the following situations, what should you say in Spanish?*

1. What question do you ask if you want to inquire about a friend's health?
   ¿ Cómo estás?
2. What question do you ask if you want to inquire about your principal's health?
   ¿ Cómo está Ud.?

3. What do you ask if you wish to learn a teacher's name?

   ¿Cómo se llama Ud.?

4. What do you say when you are leaving for a short time?

   ¡Hasta luego!

5. What do you say in polite response to an introduction?

   Mucho gusto.

6. What do you say to express appreciation?

   Gracias.

7. How would you greet a close friend?

   ¡Hola, amigo(a)! ¿Qué tal?

8. What do you say when someone says *hola* to you?

   ¡Hola!

9. What do you say to find out how to reach someone by phone?

   ¿Cuál es tu número de teléfono?

II. Los números

After solving the following arithmetic problems, write them out in Spanish.

Modelo: 1 + 1 = __2__ *Uno más uno son dos.*
2 − 1 = __1__ *Dos menos uno es uno.*

1. 0 + 4 + 2 = __6__ *Cero más cuatro más dos son seis.*
2. 3 + 4 = __7__ *Tres más cuatro son siete.*
3. 10 − 1 = __9__ *Diez menos uno son nueve.*
4. 8 − 7 = __1__ *Ocho menos siete es uno.*
5. 5 + 3 = __8__ *Cinco más tres son ocho.*

III. La familia

Decide whether each statement is true or false. Write* verdadero *for true and* falso *for false.

__verdadero__ 1. Jorge Washington es el "Padre de la Nación".
__falso__ 2. El hijo de tu padre es tu primo.
__falso__ 3. Tu abuela es la madre de tu hermano.
__verdadero__ 4. María es la madre de Jesús.
__falso__ 5. Rut es la hermana de Booz.
__verdadero__ 6. Abraham es el tío de Lot.
__verdadero__ 7. Sara es la madre de Isaac.
__falso__ 8. David es el hermano de Salomón.

IV. Buscapalabras

Hidden in this puzzle are the names of nine occupations. Can you find them all? Pictures are provided as hints.

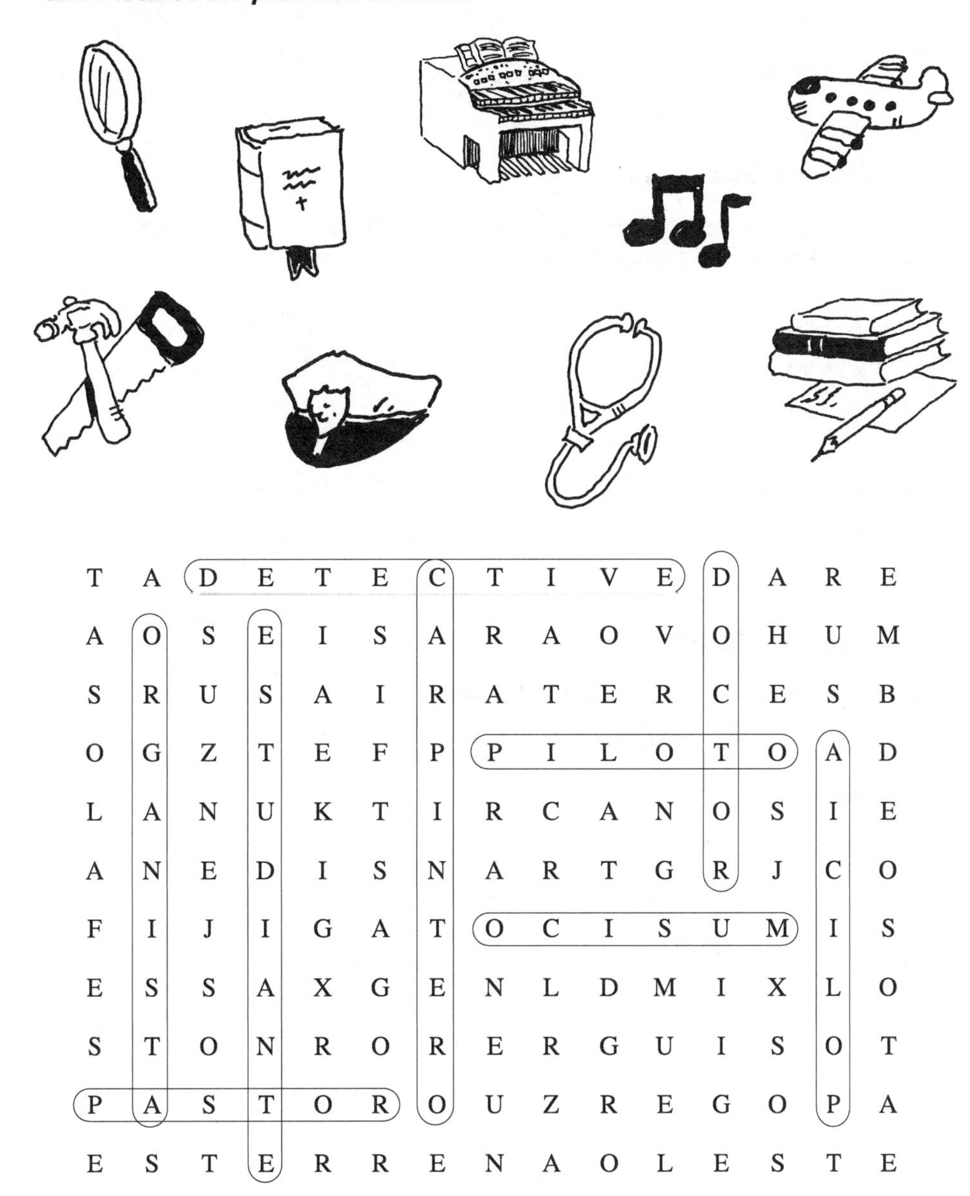

V. La clase

Tell in Spanish what you think the teacher would say to the class under the following circumstances.

1. The teacher wants the class to listen. *Escuchen.*
2. The teacher wants the class to notice something. *Miren.*
3. The teacher wants the class to be seated. *Siéntense.*
4. The teacher wants the class to say something after him or her. *Repitan.*
5. The teacher wants to find out who knows the answer. *Levanten la mano.*

6. The teacher wants the class to find something in the textbook. ***Abran el libro.***
7. The teacher is telling the class not to be noisy. ***¡ Silencio!***
8. The teacher does not want the class to respond in English. ***Contesten en español.***

VI. Los días de la semana

Unscramble the days of the week and write them in the spaces provided. Remember to include accent marks where appropriate.

1. adobas — 1. ***sábado***
2. eusevj — 2. ***jueves***
3. modigno — 3. ***domingo***
4. restam — 4. ***martes***
5. renesiv — 5. ***viernes***
6. nselu — 6. ***lunes***
7. cleiromes — 7. ***miércoles***

VII. División en sílabas

Divide the following words into syllables.

1. escoger ***es-co-ger***
2. escritura ***es-cri-tu-ra***
3. separado ***se-pa-ra-do***
4. tremendo ***tre-men-do***
5. flecha ***fle-cha***
6. trece ***tre-ce***
7. milagro ***mi-la-gro***
8. lástima ***lás-ti-ma***
9. amarillo ***a-ma-ri-llo***
10. perro ***pe-rro***

Capítulo Dos

Lección 1

I. Vocabulario

Marcos has gone to church with Felipe. He points to various objects and asks Felipe* ¿Qué es esto? *Give Felipe's answers as shown in the model.

Es una Biblia.

1. ***Es una cruz.***

2. ***Es un himnario.***

3. ***Es un coro.***

4. ***Es una congregación.***

5. ***Es una iglesia.***

II. Preguntas y respuestas

A. *Conteste afirmativamente.*

1. ¿Es un borrador? ***Sí, es un borrador.***
2. ¿Es una tiza? ***Sí, es una tiza.***
3. ¿Es un libro? ***Sí, es un libro.***
4. ¿Es un cuaderno? ***Sí, es un cuaderno.***
5. ¿Es un lápiz? ***Sí, es un lápiz.***

B. ***Conteste negativamente.***

1. ¿Es un profesor? ***No, no es un profesor.***
2. ¿Es una muchacha? ***No, no es una muchacha.***
3. ¿Es un estudiante? ***No, no es un estudiante.***
4. ¿Es un misionero? ***No, no es un misionero.***
5. ¿Es un pastor? ***No, no es un pastor.***

III. El artículo definido

A. ***Write the correct definite article,* el *or* la, *in the space provided.***

1. *la* pared
2. *la* llave
3. *el* lápiz
4. *la* tiza
5. *el* bolígrafo
6. *el* papel
7. *el* avión
8. *la* congregación
9. *el* pastor
10. *la* cruz
11. *el* pupitre
12. *el* predicador

B. ***The following phrases describe vocabulary that you know. Can you determine which words should go in the spaces? The answer to the first one is provided to help you get started. Include* el *or* la *with each noun.***

1. Una parte de la Biblia: ***el Nuevo Testamento***
2. Un libro de himnos: ***el himnario***
3. Otra palabra para *pastor*: ***el predicador***
4. Un instrumento de crucifixión: ***la cruz***
5. Los miembros de la iglesia: ***la congregación***
6. Una conversación con Dios: ***la oración***
7. El Hijo de Dios: ***Jesucristo***
8. Otra palabra para *maestro*: ***el profesor***
9. Otra palabra para *automóvil*: ***el carro***
10. Un grupo musical en la iglesia: ***el coro***

C. ***Responda a las preguntas.***

1. ¿Cómo se llama el pastor de tu iglesia? ***Answers will vary.***
2. ¿Cómo se llama tu misionero favorito? ____________
3. ¿En qué parte de la Biblia está el libro de Romanos? ____________
4. ¿Qué es el *747*, un carro o un avión? ____________
5. ¿Es grande la congregación de tu iglesia? ____________

D. *¿Verdadero o falso?*

verdadero 1. La congregación canta himnos en la iglesia.

falso 2. Génesis está en el Nuevo Testamento.

falso 3. El pastor de tu iglesia se llama Carlos Spurgeon.

verdadero 4. Juan 3:16 no está en el libro de los Salmos.

verdadero 5. La Biblia es la Palabra de Dios.

IV. Situación

¿Cómo se dice en español? *(How do you say it in Spanish?)*

1. What do you say to invite someone to accompany you to a religious service?

   Ven conmigo a la iglesia.

2. What would your pastor say if he wanted you to find a passage of Scripture?

   Abran sus Biblias al libro de . . .

3. What do you ask if you want someone to identify something for you?

   ¿ Qué es esto?

Lección 2

I. El verbo *tener* (singular)

A. ***Escriba la forma correcta de* tener.**

1. ¿ ___Tiene___ Ud. casas para alquilar?
2. Yo ___tengo___ un apartamento; no ___tengo___ una casa.
3. El apartamento ___tiene___ patio, pero no ___tiene___ garaje.
4. La primera planta ___tiene___ cocina, comedor, sala y baño.
5. La Sra. de Martínez ___tiene___ dos niños.
6. ¿ ___Tienes___ tú una familia grande?

B. ***Responda a las preguntas.***

1. ¿Tiene tu casa una cocina grande? Answers will vary. ______________________
2. ¿Tienes un dormitorio en la primera planta o en la segunda planta? ______________________
3. ¿Tiene tu casa un comedor formal? ______________________
4. ¿Tienes un perro o un gato? ______________________

II. Adjetivos posesivos (singular)

Llene el espacio con la forma correcta del posesivo.

1. Tengo un libro en ___mi___ bolsa.
2. ¿Tienes un perro en ___tu___ casa?
3. María tiene una radio en ___su___ dormitorio.
4. ¿Tiene Ud. un lápiz en ___su___ bolsillo?
5. Tengo un teléfono en ___mi___ cocina.
6. ¿Tienes un horno de microondas (*microwave*) en ___tu___ cocina?

III. El artículo definido

Supply the definite article if necessary.

1. Buenos días, ___—___ Srta. Morales.
2. ___El___ doctor Pérez es mi amigo.
3. ¿Quién es? Es ___la___ señora López.
4. ___El___ profesor Blanco tiene un carro nuevo.
5. ¿Cómo está Ud., ___—___ señor Méndez?
6. ___La___ profesora de español está en su oficina.

IV. Vocabulario

A. *In the space provided, write the number of the word that best fits each picture.*

1. la oficina
2. la familia
3. el garaje
4. el dormitorio
5. la sala
6. el baño
7. la cocina
8. el comedor

 5

 3

 7

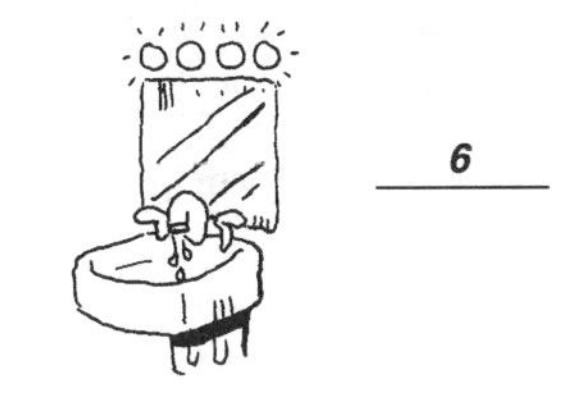 6

 2

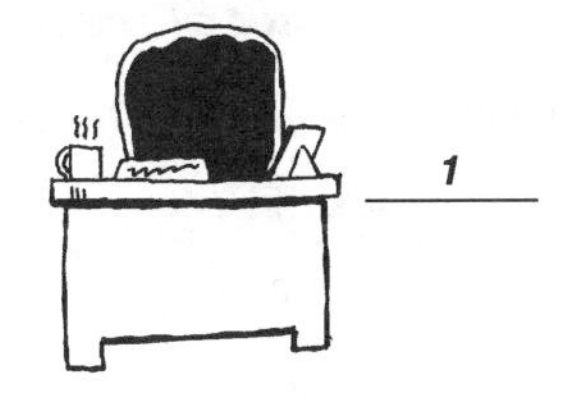 1

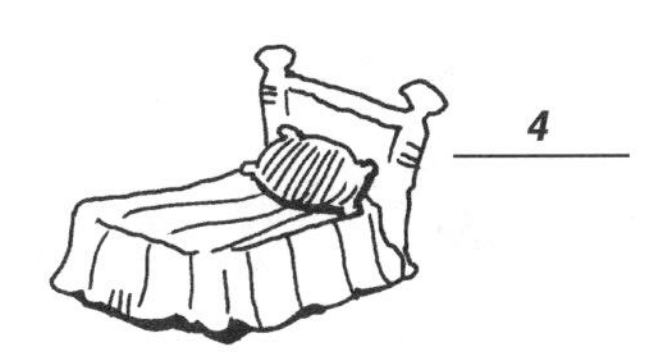 4

 8

B. *Conduct a survey to find out who in your class has the following things. Ask and answer in Spanish using the correct form of* tener. *Afterward, report your findings in Spanish to the class.*

¿Tienes . . .?

1. un apartamento
2. un perro grande
3. una casa de tres plantas
4. una guitarra
5. un piano
6. un garaje para tres carros
7. un vecino italiano
8. una familia de ocho personas
9. una casa de cuatro dormitorios
10. tres gatos
11. un diccionario español
12. un carro *Volkswagen*

Lección 3

I. Vocabulario

A. *Associations. Match the vocabulary on the left with the information on the right.*

1. ____D____ la educación física
2. ____G____ la historia
3. ____E____ la geografía
4. ____I____ las matemáticas
5. ____A____ la ciencia
6. ____H____ la biología
7. ____C____ la literatura
8. ____B____ el español
9. ____J____ la biblioteca
10. ____F____ la geometría

A. fórmulas y experimentos
B. ¡Buenos días!
C. los poemas, las novelas, Longfellow y Shakespeare
D. la gimnasia, el tenis y el fútbol
E. las montañas, los continentes y los mapas
F. los ángulos, triángulos y círculos
G. A. D. 1492, 1776, 1865
H. la disección, los reptiles y los invertebrados
I. 2 + 2 = 4
J. los libros para el público

B. *Circle the letter of the answer that does not fit.*

1. ¿Cuál de las palabras no es una clase?
   a. la geometría
   b. la literatura
   (c.) la iglesia
   d. el inglés
2. ¿Cuál de las palabras no se asocia con la transportación?
   (a.) el aula
   b. el autobús
   c. la bicicleta
   d. la motocicleta
3. ¿Cuál de las palabras no se asocia con la ciencia?
   a. el laboratorio
   b. la química
   (c.) la historia
   d. la biología
4. ¿Cuál de las palabras no se asocia con la comunicación?
   a. el teléfono
   b. el inglés
   c. el español
   (d.) el experimento
5. ¿Cuál de las palabras no se asocia con la iglesia?
   a. el coro
   b. el predicador
   (c.) el laboratorio
   d. el himnario

II. Preguntas con respuestas afirmativas/negativas

Find out whether the following facts are true of anyone in your class. Ask and answer each other in Spanish, taking care to practice correct question formation.

Pregunte si . . .

1. su padre es pastor *¿Es pastor tu padre?*
2. su madre es maestra *¿Es maestra tu (su) madre?*
3. su clase de español es difícil *¿Es difícil tu (su) clase de español?*

4. tiene una clase de biología *¿Tienes (tiene Ud.) una clase de biología?*

5. su clase de inglés es interesante *¿Es interesante tu (su) clase de inglés?*

6. su padre tiene un Volvo *¿Tiene un Volvo tu (su) padre?*

7. su clase de educación física es grande *¿Es grande tu (su) clase de educación física?*

8. tiene una clase en la cafetería *¿Tienes (tiene Ud.) una clase en la cafetería?*

9. tiene una biblioteca en su casa *¿Tienes (tiene Ud.) una biblioteca en tu (su) casa?*

10. su padre tiene una motocicleta *¿Tiene una motocicleta tu (su) padre?*

11. tiene un hermano guapo o una hermana bonita *¿Tienes (tiene Ud.) un hermano guapo o una hermana bonita?*

12. su casa está en China *¿Está en China tu (su) casa?*

III. Buscapalabras

In the puzzle below there are eleven words related to school and school subjects. Circle and then write your answers in the spaces provided.

1. *aula*
2. *historia*
3. *inglés*
4. *química*
5. *ciencia*
6. *literatura*
7. *biología*
8. *español*
9. *biblioteca*
10. *matemáticas*
11. *laboratorio*

Capítulo Tres

Lección 4

I. El verbo *estar* (singular)

***Escriba la forma correcta de* estar.**

1. Yo ___estoy___ en casa.
2. Mi hermana ___está___ en Colombia.
3. Marcos ___está___ en Santiago, Chile.
4. Tú ___estás___ en la escuela.
5. Ella ___está___ en su clase de español.
6. Usted ___está___ en la casa de María.
7. Yo ___estoy___ en mi cuarto.
8. El ___está___ en mi casa.
9. Dorina ___está___ en Nueva York.
10. El profesor ___está___ en la oficina del director.

II. Las preposiciones

***Here is a review of some prepositions that might be helpful in answering the question* ¿Dónde está?**

encima de ≠ debajo de

delante de ≠ detrás de

al lado de = junto a

III. La frase interrogativa *¿Dónde está?*

A. ***Refer to the illustration to complete the sentences below. Use the prepositions*** **encima de, debajo de, al lado de, junto a, en, detrás de,** ***and*** **delante de.** ***Watch for articles and contractions.***

1. El cuadro del gato está ***junto al / al lado del*** cuadro del perro.
2. La mesa está ***junto a / al lado de*** la puerta.
3. El cuaderno está ***encima del / en el*** sofá (*masc.*).
4. El señor está ***detrás de*** la señora.
5. La señora está ***delante del*** señor.
6. El libro está ***encima de / en*** la mesa.
7. El sofá está ***debajo del*** cuadro del perro.
8. El lápiz está ***junto al / al lado del*** libro.

B. ***Refer to the illustration to make a statement about the two nouns listed. Use the prepositions*** **encima de, debajo de, detrás de, delante de, al lado de, junto a,** ***and*** **en.**

1. Carmen / la casa

   Carmen está en la casa.

2. Pedro / la mesa

   Pedro está detrás de la mesa.

3. el libro / la mesa

   El libro está encima de la mesa.

4. la bolsa de Ana / la silla

   La bolsa de Ana está debajo de la silla.

5. la puerta / la ventana

   La puerta está al lado de la ventana.

IV. Adjetivos con estar

A. After each of the following adjectives, write F if it is feminine and M if it is masculine. Write FM if it could be either.

1. contento ___M___
2. triste ___FM___
3. tranquila ___F___
4. abierta ___F___
5. cerrado ___M___
6. sano ___M___
7. alegre ___FM___
8. pequeño ___M___
9. grande ___FM___
10. guapo ___M___
11. gorda ___F___
12. fea ___F___
13. bajo ___M___
14. mucha ___F___
15. enfermo ___M___

B. Complete each sentence with the antonym of the adjective in italics.

1. Enrique no está *triste;* está ___alegre___
2. Maritza no está *sana;* está ___enferma___
3. La puerta no está *cerrada;* está ___abierta___
4. La ventana no está *sucia;* está ___limpia___
5. No estoy *nervioso;* estoy ___tranquilo___
6. Papá no está *de mal humor;* está ___de buen humor___

C. Arrange the following sentence elements to create sentences. Be sure to make the adjective agree with the noun it modifies.

1. nervioso / perro / Diana / está / de / el

   El perro de Diana está nervioso.

2. profesora / español / buen / de / humor / está / la / de

   La profesora de español está de buen humor.

3. está / no / la / muchacha / cansado

   La muchacha no está cansada.

4. mi / está / limpio / cuarto

   Mi cuarto está limpio.

5. sucio / la / está / mi / puerta / casa / de

   La puerta de mi casa está sucia.

6. de / María / la / contento / está / madre

   La madre de María está contenta.

7. carro / está / Pedro / el / de / sucio

El carro de Pedro está sucio.

8. tranquilo / yo / mañana / estoy / esta

Esta mañana yo estoy tranquilo(a). / Yo estoy tranquilo(a) esta mañana.

Lección 5

I. El verbo *ser* (singular)

***Escriba la forma correcta de* ser.**

1. El cuaderno ___*es*___ de Alicia.
2. Tú ___*eres*___ bautista, ¿no?
3. Marcos ___*es*___ muy guapo.
4. Yo ___*soy*___ de Arizona.
5. Ud. ___*es*___ misionera, ¿verdad?

II. Adjetivos con el verbo *ser*

A. *Escriba en el espacio la letra del grupo de sustantivos asociados con el adjetivo.*

1. ___*C*___ tonto
2. ___*I*___ limpio
3. ___*F*___ tacaño
4. ___*A*___ malo
5. ___*H*___ viejo
6. ___*G*___ enorme
7. ___*B*___ fácil
8. ___*J*___ inteligente
9. ___*D*___ rico
10. ___*E*___ magnífico

A. Barrabás, Al Capone, Jesse James
B. el alfabeto, 1+1=2, 2+2=4
C. Los Tres Chiflados (*Stooges*)
D. Los Rockefeller
E. La Casa Blanca, El Palacio Buckingham, El Taj Majal
F. Ebenezer Scrooge
G. un hipopótamo, un elefante
H. Matusalén, los abuelos
I. *Tide, Cheer, All*
J. Alberto Einstein, Isaac Newton, tu profesor(a) de español

B. *Responda a las preguntas.*

1. ¿Cómo eres tú? ¿Eres tacaño(a) o generoso(a)?
   Answers will vary.
2. ¿Es simpático tu papá?
   ______
3. ¿Cuál es tu clase más interesante?
   ______
4. ¿Es elegante o económico tu carro favorito?
   ______
5. ¿Quién es un(a) chico(a) guapo(a) en tu escuela?
   ______
6. ¿Eres serio(a)?
   ______
7. ¿Es guapa tu mamá?
   ______

C. *Find out who in your class has the following things by asking* ¿Tienes una casa moderna?, ¿. . . un perro inteligente?, *and so on. After each answer ask a follow-up question to get more information. Follow-up questions would include questions such as* ¿Cómo es? ¿Por qué? ¿Qué tipo de . . . es?

1. una casa moderna
2. un perro inteligente
3. un carro fantástico
4. una bicicleta fea
5. un hermano intelectual
6. una familia muy grande
7. una clase difícil

III. Adverbios de intensificación

Fill in the blank with the most appropriate adverb from the following:* muy, bastante, algo, poco, no . . . nada. *Try to use each adverb at least once.

1. Nueva York es ___*muy*___ grande.
2. El álgebra es ___*poco*___ fácil.
3. El *Yugo* no es ___*nada*___ elegante.
4. La reina Sofía de España es ___*muy*___ famosa.
5. Mi mamá es ___*bastante*___ joven.
6. Mi amigo es ___*algo*___ generoso.
7. La clase de español es ___*bastante*___ interesante.

IV. El uso de *ser* para expresar profesión, nacionalidad y religión

Puerto Rico

México

Argentina

España

Write a brief description of the characters above. Include the nationality and profession of each one.

1. *Answers will vary.*
____
2. ______________________________
____
3. ______________________________
____
4. ______________________________
____

Lección 6

I. Vocabulario

Use the picture clues to complete the puzzle.

Horizontal *(Across)*

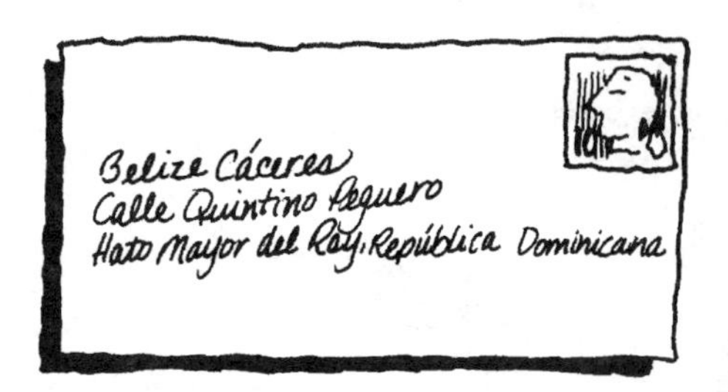

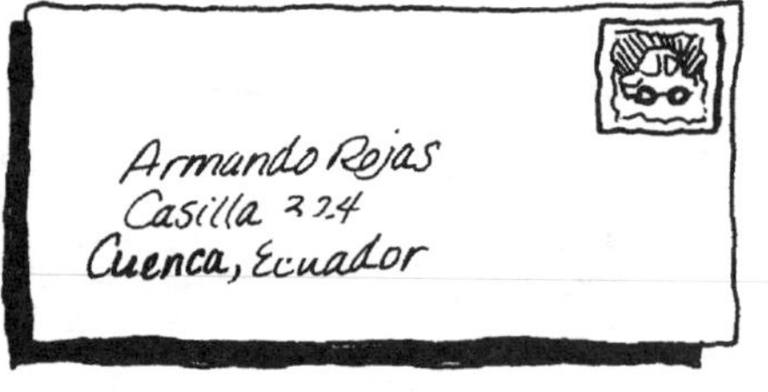

II. El uso de la preposición *de* con *ser*

A. *¿De dónde es?*

1. ¿De dónde es Belize? ¿Es de Puerto Rico?

   Belize es de la República Dominicana. No es de Puerto Rico.

2. ¿De dónde es Pablo?

   Pablo es de Puerto Rico.

3. ¿De dónde es Armando?

   Armando es de Ecuador.

4. ¿De dónde es Rafaela?

   Rafaela es de Venezuela.

5. ¿De dónde es Simón?

   Simón es de México.

B. *Escriba la pregunta apropiada para cada respuesta.*

1. La Srta. Rojas es de San Pedro. ***¿De dónde es la Srta. Rojas?***
2. La corbata es de algodón. ***¿De qué es la corbata?***
3. La camisa es de mi padre. ***¿De quién es la camisa?***
4. Dolores está en Miami. ***¿Dónde está Dolores?***
5. Mi padre es médico. ***¿Qué es tu padre?***
6. Mi madre es profesora. ***¿Qué es tu madre?***
7. El reloj de mi abuelo es de oro. ***¿De qué es el reloj de tu abuelo?***
8. Elisabet está en la escuela. ***¿Dónde está Elisabet?***
9. Blanca es de Cuba. ***¿De dónde es Blanca?***
10. El carro Nissan es de mi padre. ***¿De quién es el carro Nissan?***
11. El señor Matos es el pastor de la iglesia. ***¿Quién es el señor Matos?***
12. La iglesia es grande. ***¿Cómo es la iglesia?***

C. *Bring to class something unusual that you can tell about in a few sentences. Give answers to the following questions:* ¿Qué es? ¿De quién es? *and* ¿De dónde es? *Ask your teacher or look in a Spanish-English dictionary for help with unfamiliar vocabulary.*

III. Resumen de *ser y estar*

A. *Fill in the blank with the correct form of* ser *or* estar. *Then decide whether the verb identifies or locates. Write* I *for identification and* L *for location in the spaces provided to the left of each sentence.*

1. ***L*** El coro ***está*** en la iglesia.
2. ***I*** *¡Hasta luego!* ***es*** una expresión.
3. ***L*** El comedor ***está*** al lado de la cocina.
4. ***L*** La Biblia de Elena ***está*** dentro de su bolsa.
5. ***L*** La tarea de Lucas ***está*** debajo de su cuaderno.
6. ***I*** La novia de Tomás ***es*** la Srta. Ruiz.
7. ***I*** Su mamá ***es*** profesora de matemáticas.
8. ***L*** Ecuador ***está*** en América del Sur.
9. ***I*** Quito ***es*** la capital de Ecuador.
10. ***L*** Yo ***estoy*** en mi cuarto.

B. *Using the elements below, write complete sentences by adding either* ser *or* estar *and making the adjective agree with the noun.*

1. La casa de mis padres / grande

   La casa de mis padres es grande.

2. El comedor / bastante grande

   El comedor es bastante grande.

3. Hoy mi cuarto / no / limpio

   Hoy mi cuarto no está limpio.

4. La sala / limpio

   La sala está limpia.

5. Yo / nervioso / hoy

   Yo estoy nervioso hoy.

6. Mi abuela / enfermo

   Mi abuela está enferma.

7. Juan / muy inteligente

   Juan es muy inteligente.

8. Miguelina / simpático

   Miguelina es simpática.

9. Antonio / cubano

   Antonio es cubano.

10. El señor Torres / bajo y gordo

    El señor Torres es bajo y gordo.

IV. El pronombre relativo *que*

A. *Use the relative pronoun* que *to combine both sentences into one.*

Modelo: El sombrero está en la mesa. El sombrero no es mi sombrero.
El sombrero *que* está en la mesa no es mi sombrero.

1. El perro es grande. El perro es feo.

   El perro que es grande es feo.

2. El carro está detrás de mi casa. El carro no es de mi padre.

   El carro que está detrás de mi casa no es de mi padre.

3. La muchacha está cansada. La muchacha está de mal humor.

   La muchacha que está cansada está de mal humor.

4. El saco es de poliéster. El saco es de mi abuelo.

   El saco que es de poliéster es de mi abuelo.

5. La pluma es de oro. La pluma es de mi profesora.

   La pluma que es de oro es de mi profesora.

B. ***With a partner, ask and answer questions about the identity of the characters in the pictures. Write the questions and answers in the spaces below.***

Modelo: —¿Cómo se llama la muchacha que tiene la Biblia?
—La muchacha que tiene la Biblia se llama Laura.

Laura

Patricia

Cintia y Samuel

Martín

Daniel

Alicia y el pastor

Natán

1. Q: ______________________________

   A: ______________________________

   ____

2. Q: ______________________________

   A: ______________________________

   ____

3. Q: ______________________________

   A: ______________________________

   ____

4. Q: ______________________________

   A: ______________________________

   ____

5. Q: ______________________________

   A: ______________________________

Capítulo Cuatro

Lección 7

I. Vocabulario

Associations. Match the things on the right with the places on the left. Some of the vocabulary may be unfamiliar to you, but if you use your imagination you can figure out what the words mean.

1. ___C___ la tienda
2. ___D___ el teatro
3. ___G___ el restaurante
4. ___B___ el museo
5. ___F___ el parque
6. ___A___ el hospital
7. ___E___ la iglesia

A. médicos, medicina, pacientes
B. arte, artefactos, escultura
C. relojes, collares, paraguas
D. dramas, conciertos, óperas
E. pastor, congregación, himnos
F. niños, perros, béisbol
G. hamburguesas, pizza, tacos

II. Los pronombres personales

¿Qué pronombre es correcto?

1. Rosa y Marta: ___ellas___
2. Felipe, Alejandro y Pedro: ___ellos___
3. Los señores Pérez y yo: ___nosotros___
4. Sandra, Marta, Beatriz y Ud.: ___ustedes___
5. El señor López: ___él___
6. La señora Carmen Montez: ___ella___
7. ¿Cómo estás ___tú___ ?
8. Guillermo, Ernesto y Francisca: ___ellos___

III. El verbo *estar*

A. *Complete las oraciones con la forma correcta de* estar.

1. Nosotros ___estamos___ en el aeropuerto.
2. Manolo y Federico ___están___ en el estadio.
3. Las hermanas de Pablo no ___están___ en nuestra escuela.
4. Ellas ___están___ en la escuela secundaria.
5. ¿Tú ___estás___ cansado?
6. Yo ___estoy___ alegre hoy.
7. Su hermanito ___está___ en casa; no ___está___ en el parque.
8. ¿Dónde ___están___ sus amigos?
9. Marla y David ___están___ en el restaurante.
10. Rafael y Ana ___están___ en el centro.

B. ***Responda a las preguntas.***

1. ¿Dónde están Uds. en este momento? ***Answers will vary.*** ____________
2. ¿Quién está delante de la clase? ____________
3. ¿Están en la iglesia ahora tus padres? ____________
4. ¿Quién está en tu pupitre? ____________
5. ¿Estamos en el laboratorio ahora? ____________
6. ¿Están bien hoy todos Uds.? ____________
7. ¿Quiénes en tu familia están en casa? ____________

IV. El plural de los adjetivos

Complete la oración con la forma correcta de un adjetivo de la lista.

Modelo: Gilberto tiene fotografías *interesantes* .

alto	inteligente
feo	clásico
gordo	guapo
grande	rico
mexicano	bonito
viejo	flaco
elegante	español
feliz	argentino

1. Diana tiene amigas ____________.
2. El Sr. León tiene hijos ____________.
3. Ricardo tiene perros ____________.
4. Mi madre tiene libros ____________.
5. Orlando tiene un carro ____________.
6. Tengo muchos amigos ____________.
7. Mi casa tiene cuartos ____________.
8. Mi gata tiene gatitos ____________.
9. Mi padre tiene primos ____________.
10. Dolores tiene abuelos ____________.

Lección 8

I. Los números

A. *Write out the following arithmetic problems in Spanish.*

90 − 14 = 76   *noventa* menos catorce son *setenta y seis*

82 − 20 = 62   ochenta y dos *menos* *veinte* *son* *sesenta y dos*

21 + 38 = 59   *veintiuno* más *treinta y ocho* son cincuenta y nueve

16 + 15 + 13 = 44   *dieciséis* *más* *quince* *más* *trece* son *cuarenta y cuatro*

B. *¿Cuál es tu número de teléfono? Escriba los números de teléfono según el modelo.*

Modelo: 235-4281 Mi número de teléfono es dos, treinta y cinco, cuarenta y dos, ochenta y uno.

1. 528-4329 *cinco, veintiocho, cuarenta y tres, veintinueve*
2. 884-5726 *ocho, ochenta y cuatro, cincuenta y siete, veintiséis*
3. 963-1215 *nueve, sesenta y tres, doce, quince*
4. 732-1376 *siete, treinta y dos, trece, setenta y seis*

C. *Exchange telephone numbers in Spanish with three people in your class. Write them in the spaces provided.*

1. ____________________
2. ____________________
3. ____________________

II. Crucigrama.

The numbers related to the items below form the answers to the crossword puzzle.

***Horizontal** (across)*

3. las colonias originales de Norte América
4. los hombres en un equipo de fútbol americano
5. las horas en un día
7. los días de febrero
10. las semanas en un año
11. los Estados Unidos de América
13. los días de junio
14. "________ trombones" en el gran desfile (*parade*)
15. los días en una semana

***Vertical** (down)*

1. las pulgadas (*inches*) en una yarda
2. los senadores en Washington, D.C.
4. 70 + 10 + 5 = ____
6. los hijos de Jacob
7. las letras del alfabeto inglés
8. Ali Baba y sus ________ ladrones (*thieves*)
9. las tribus de Israel
12. los años en el desierto para Moisés y los israelitas
14. los minutos en una hora

III. *Tener* para indicar edad

Es 1993. ¿Cuántos años tiene?
The date following each name is his or her date of birth. After determining the person's age, write your answers in complete sentences.

1. Rosa María—1977 *Rosa María tiene dieciséis años.*
2. Juana Carlota—1952 *Juana Carlota tiene cuarenta y un años.*
3. Doña Blanca—1917 *Doña Blanca tiene setenta y seis años.*
4. Don Roberto—1900 *Don Roberto tiene noventa y tres años.*
5. George Bush—1924 *George Bush tiene sesenta y nueve años.*
6. Ronald Reagan—1911 *Ronald Reagan tiene ochenta y dos años.*
7. El Rey Juan Carlos de España—1938 *El Rey Juan Carlos de España tiene cincuenta y cinco años.*
8. Plácido Domingo—1941 *Plácido Domingo tiene cincuenta y dos años.*

IV. El verbo *tener*

Responda a las preguntas.

1. ¿Tienes muchos hermanos? *Answers will vary.*
2. ¿Dónde tienes tu clase de español? ______
3. ¿Cuándo tienen Uds. programas especiales en su escuela, por la tarde o por la noche? ______
4. ¿Tienen tus padres un carro y un camión? ______
5. ¿Qué tiene tu profesor(a), un carro o un avión personal? ______

V. Los artículos definidos

Make the following sentences plural. Pay special attention to the italicized words and make sure nouns and adjectives agree in number.

Modelo: *El avión* está en el aeropuerto.
Los aviones están en el aeropuerto.

1. *El cuarto pequeño* está a la derecha. *Los cuartos pequeños están a la derecha.*
2. *La niña flaca* está enferma. *Las niñas flacas están enfermas.*
3. *El muchacho triste* está en la oficina del director. *Los muchachos tristes están en la oficina del director.*
4. *La señorita* está presente. *Las señoritas están presentes.*
5. *El maestro* de álgebra está contento con *el estudiante.* *Los maestros de álgebra están contentos con los estudiantes.*

Lección 9

I. El verbo *ser*

A. ***Escriba la forma correcta del verbo* ser.**

1. Los estudiantes ___*son*___ inteligentes.
2. Mi hermano y yo ___*somos*___ de Bolivia.
3. Pedro y Juan ___*son*___ discípulos de Cristo.
4. María y Marta ___*son*___ hermanas de Lázaro.
5. Ustedes ___*son*___ buenos amigos.
6. Tú ___*eres*___ muy guapo.
7. ¿___*Son*___ Uds. norteamericanos?
8. ¿___*Es*___ el hijo del doctor Pérez?
9. Yo ___*soy*___ feliz porque ___*soy*___ hijo de Dios.
10. Nosotros ___*somos*___ españoles.

B. ***Escriba oraciones originales con el verbo* ser *y los elementos siguientes.***

Modelo: mesas / elegante
Las mesas son elegantes.

1. iglesias / grande *Las iglesias son grandes.*
2. chicos / guapo *Los chicos son guapos.*
3. estudiantes y yo / de Nueva York *Los estudiantes y yo somos de Nueva York.*
4. señoritas / simpático *Las señoritas son simpáticas.*
5. Ud. y yo / inteligente *Ud. y yo somos inteligentes.*
6. abrigos / feo *Los abrigos son feos.*
7. ustedes / de Costa Rica *Ustedes son de Costa Rica.*
8. carros / japonés *Los carros son japoneses.*
9. sombreros / enorme *Los sombreros son enormes.*
10. pizarras / necesario *Las pizarras son necesarias.*
11. Manolo y Eugenio / divertido *Manolo y Eugenio son divertidos.*
12. vestidos / largo *Los vestidos son largos.*

II. ¿Qué hora es?

Modelo: 1:55 P.M. Son las dos menos cinco de la tarde.

1. 11:25 A.M. *Son las once y veinticinco de la mañana.*
2. 7:50 A.M. *Son las ocho menos diez de la mañana.*
3. 12:45 A.M. *Es la una menos cuarto de la madrugada.*
4. 9:35 P.M. *Son las diez menos veinticinco de la noche.*
5. 4:15 P.M. *Son las cuatro y cuarto de la tarde.*

Note: The traditional way of telling time used with analog clocks is also used with digital clocks, but many people simply read the time on a digital clock as we would in English. For example, 5:45 on a digital clock could be read as "Son las seis menos cuarto" or as "Son las cinco y cuarenta y cinco."

III. ¿A qué hora llega?

The table below is a flight schedule for several Latin American airlines that fly in and out of Miami International Airport.

Origen	Llegada (Arrival)	Salida (Departure)	Destino
Bogotá	9:45 A.M.	10:50 A.M.	Nueva York
Caracas	10:10 A.M.	12:26 P.M.	Boston
Lima	1:55 P.M.	4:00 P.M.	Dayton
Santo Domingo	4:30 P.M.	6:24 P.M.	Newark
San Juan	8:00 P.M.	8:50 P.M.	Atlanta

The times given in the exercises are the actual arrival times. Refer to the flight schedule to answer the following questions: ¿A qué hora llega el avión? ¿Llega temprano, a tiempo o tarde?

Modelo: Santo Domingo 4:10 P.M.
El avión de Santo Domingo llega a las cuatro y diez de la tarde. Llega temprano.

1. Caracas 10:30 A.M. *El avión de Caracas llega a las diez y media de la mañana. Llega tarde.*
2. Bogotá 9:45 A.M. *El avión de Bogotá llega a las diez menos cuarto de la mañana. Llega a tiempo.*
3. San Juan 7:55 P.M. *El avión de San Juan llega a las ocho menos cinco de la noche. Llega temprano.*
4. Lima 1:55 P.M. *El avión de Lima llega a las dos menos cinco de la tarde. Llega a tiempo.*

IV. Los posesivos

A. *Supply the correct form of the possessive adjective. (Hint: The underlined words will help you decide which possessive to use.)*

1. Mi familia es interesante.

Mis padres son puertorriqueños. *Mi* papá es de San Juan y *mi* mamá es de Ponce. *Mis* hermanos están en la escuela primaria. *Mi* escuela es privada.

2. Enrique, tú eres muy inteligente.

Tu clase favorita es trigonometría. Tienes dos computadoras en *tu* cuarto. *Tus* padres son médicos, y *tus* hermanos están en Yale.

3. Tenemos una iglesia excelente.

__Nuestro__ pastor es un buen predicador. __Nuestro__ coro tiene mucho talento. __Nuestras__ clases de escuela dominical son interesantes. __Nuestros__ miembros son dedicados. __Nuestra__ iglesia tiene un buen espíritu.

4. Arturo es un buen chico.

__Su__ nombre completo es Arturo Ernesto Fernández y Menéndez de la Llana. __Su__ casa está cerca de la plaza central. __Su__ mamá es amiga de mi mamá. __Su__ papá es piloto comercial. __Sus__ hermanos son estudiantes en la universidad local. __Su__ novia es una chica de __su__ iglesia. __Sus__ aspiraciones para el futuro son ser piloto, como __su__ padre, y ser misionero también.

5. Los misioneros de mi iglesia están en Honduras.

__Su__ casa es pequeña y __su__ iglesia también. __Su__ avión es para la distribución de tratados y para transporte. __Su__ carro es un *Jeep* porque el terreno es malo. __Su__ ministerio es difícil, pero están contentos entre __sus__ nuevos amigos hondureños (*hondureño = de Honduras*).

6. Sr. Martínez, Ud. tiene una familia rara.

Usted es inventor, __su__ esposa es una científica nuclear, __su__ hijo David es violinista, __sus__ hermanas Matilde y Yolanda son astronautas, __su__ madre es conductora de orquesta, __su__ padre es oficial del Pentágono, y __su__ abuelo es mecánico.

7. La Sra. Ruiz tiene un problema muy grande.

__Sus__ llaves, __su__ dinero, __sus__ tarjetas de crédito y __su__ cartera están en __su__ carro. Pero, __su__ carro está enllavado (*locked*). ¡Qué problema!

Capítulo Cinco

Lección 10

I. Los verbos *-ar*

A. ***Escriba la forma correcta del verbo entre paréntesis.***

1. Marta y yo ___cantamos___ en el coro. (cantar)
2. Tú ___llegas___ temprano a la iglesia. (llegar)
3. Nosotros ___compramos___ Pepsi-Cola todos los días. (comprar)
4. Pedro, Felipe y yo ___trabajamos___ en la cafetería. (trabajar)
5. Yo ___escucho___ música clásica en casa. (escuchar)
6. Mi hermano ___toma___ café por la mañana. (tomar)
7. Tomás y yo ___ganamos___ el partido de tenis. (ganar)
8. Uds. ___hablan___ con sus amigos en la escuela. (hablar)
9. Ud. no ___entra___ tarde a la clase. (entrar)
10. Mi tío no ___toma___ aspirina. (tomar)
11. Nosotros ___ganamos___ muchas medallas de oro en los Juegos Olímpicos de Barcelona. (ganar)
12. Los miembros de la orquesta ___practican___ para el concierto. (practicar)

B. ***Escriba la forma correcta del verbo apropiado:*** **ensayar, cantar, preparar, escuchar, predicar.** ***Use cada verbo solamente una vez.***

1. Elena y yo ___cantamos___ en el coro de la iglesia.
2. Los niños ___escuchan___ su casete favorito de música.
3. Yo ___ensayo___ mi lección de piano.
4. Mi pastor ___prepara___ muchos sermones porque ___predica___ cinco veces a la semana.

C. ***Escriba preguntas para las respuestas siguientes.***

1. Yo estudio en mi cuarto. ___¿Dónde estudias?___
2. No, no hablamos español en casa. ___¿Hablan Uds. español en casa?___
3. Mis padres trabajan por la mañana y por la tarde. ___¿Cuándo trabajan tus padres?___
4. Mi pastor es el Dr. Menéndez. ___¿Quién es tu pastor?___
5. Sí, practico mucho el piano. ___¿Practicas mucho el piano?___
6. Nosotros ganamos el partido de fútbol. ___¿Quiénes ganan el partido de fútbol?___

D. ***Escriba oraciones (sentences) con los elementos siguientes.***

1. tú / tocar ___*Tú tocas . . .*___
2. mi papá / trabajar ___*Mi papá trabaja . . .*___
3. Susana / llegar a la clase ___*Susana llega a la clase . . .*___
4. Rubén / sacar fotos ___*Rubén saca fotos . . .*___
5. Uds. / escuchar ___*Uds. escuchan . . .*___
6. yo / hablar ___*Yo hablo . . .*___
7. nosotros / practicar ___*Nosotros practicamos . . .*___
8. mi mamá / comprar ___*Mi mamá compra . . .*___

II. Pronombres con las preposiciones

Escriba el pronombre que corresponde a los elementos entre paréntesis.

1. El regalo es para ___*nosotros*___. (Mario y yo)
2. Los pastores están con ___*ellos*___. (Juanita y José)
3. Compramos un regalo para ___*ella*___. (mamá)
4. Sacan una foto de ___*ti*___. (tú)
5. Dios siempre está con ___*-migo*___. (yo)
6. Gilberto trabaja con ___*-tigo*___, ¿no? (tú)
7. La profesora está delante de ___*nosotros*___. (nosotros)
8. Jaime está a la derecha de ___*Ud.*___. (Ud.)
9. Mi amigo José está sentado detrás de ___*él*___. (Felipe)
10. Eliseo está al lado de ___*ellas*___. (Ester y Juana)

III. Vocabulario

Supply the -ar verb that best corresponds to each definition. (Some of the words in the definitions will be new to you. You can figure them out with a little imagination.)

1. comunicar verbalmente: ___*hablar*___
2. usar dinero ($) para tener cosas: ___*comprar*___
3. ser victorioso: ___*ganar*___
4. tener empleo: ___*trabajar*___
5. ensayar; preparar a cantar el domingo: ___*practicar*___
6. producir música vocal: ___*cantar*___
7. actividad principal del estudiante: ___*estudiar*___

Lección 11

I. Resumen: El presente de los verbos que terminan en *-ar*

A. *Escriba la forma correcta del verbo entre paréntesis.*

1. (hablar) Mario y Tomás ___*hablan*___ con Patricia, pero yo ___*hablo*___ con Teresa. Entonces Teresa y yo ___*hablamos*___ con Eduardo.
2. (trabajar) Raquel ___*trabaja*___ en el centro. Mis padres ___*trabajan*___ en una escuela y Uds. ___*trabajan*___ en la capital.
3. (escuchar) Nosotros ___*escuchamos*___ la orquesta sinfónica. Ellos ___*escuchan*___ la radio y yo ___*escucho*___ mi estéreo.
4. (tocar) Rafaela ___*toca*___ el piano; tú ___*tocas*___ el clarinete; y Nicolás y yo ___*tocamos*___ las guitarras.
5. (sacar) Ud. ___*saca*___ muchas fotos; Carola ___*saca*___ algunas fotos; pero yo nunca ___*saco*___ fotos.

B. *Escriba la forma correcta del verbo entre paréntesis.*

1. ¿Tú ___*estás*___ en casa para la Nochebuena? (estar)
2. Yo siempre ___*canto*___ en el coro de Navidad. (cantar)
3. Feliciano no ___*toma*___ leche. (tomar)
4. ¿___*Hablan*___ Uds. español en casa? (hablar)
5. Ellos ___*ensayan*___ mucho para el programa, ¿verdad? (ensayar)
6. Ud. ___*enseña*___ una clase de escuela dominical, ¿no? (enseñar)
7. Nosotros ___*buscamos*___ la información en la enciclopedia. (buscar)
8. Samuel y Aida ___*miran*___ la obra de arte. (mirar)
9. La señora ___*espera*___ el autobús delante de la biblioteca. (esperar)
10. El pastor ___*predica*___ todos los domingos. (predicar)

C. *Escriba oraciones originales con los elementos siguientes.*

1. Miguelín / sacar libros

   Miguelín saca libros . . .
2. Yo / no tocar

   Yo no toco . . .
3. Mis padres / trabajar

   Mis padres trabajan . . .
4. El Sr. Galdós / esperar

   El Sr. Galdós espera . . .
5. Andrés y yo / llegar

   Andrés y yo llegamos . . .

II. El plural del artículo indefinido

A. *Make the following sentences plural.*

1. Un muchacho canta bien una canción.

   Unos muchachos cantan bien unas canciones.

2. Una chica de la escuela toca bien su instrumento.

   Unas chicas de la escuela tocan bien sus instrumentos.

3. Uno de mis amigos siempre llega un minuto tarde.

   Unos de mis amigos siempre llegan unos minutos tarde.

B. *Rewrite the sentences in section A using the correct form of* algunos *or* varios.

1. *Algunos / varios muchachos cantan bien algunas / varias canciones.*
2. *Algunas / varias chicas de la escuela tocan bien sus instrumentos.*
3. *Algunos / varios de mis amigos siempre llegan algunos / varios minutos tarde.*

III. Adjetivos de cantidad

A. *Escriba la forma correcta de* todo.

1. ___*Todos*___ mis amigos hablan inglés.
2. ___*Toda*___ la clase practica en el laboratorio.
3. ___*Todo*___ el dinero que tengo está en el banco.

B. *Escriba la forma correcta de* mucho.

1. ___*Mucho*___ dinero es necesario para comprar un carro.
2. ___*Muchas*___ personas están en mi casa.

C. *Escriba la forma correcta de* otro.

1. ___*Otro*___ coro canta en el servicio el domingo.
2. ___*Otras*___ personas también tocan la flauta.

D. *Escriba preguntas para las respuestas. Use la forma correcta de ¿cuánto? en cada pregunta. Siga el modelo.*

Modelo: Tengo cinco hermanos y dos hermanas.
¿Cuántos hermanos y hermanas tienes?

1. Elena saca muchas fotos.

   ¿Cuántas fotos saca Elena?

2. Tenemos dos servicios cada domingo.

   ¿Cuántos servicios tienen Uds. cada domingo?

3. No tengo mucho tiempo ahora.

   ¿Cuánto tiempo tienes ahora?

IV. El *a* personal

A. *Escriba el* a *personal si es necesario.*

1. Llamo por teléfono ___a___ mi mejor amigo.
2. Maribel tiene ___—___ muchos amigos en España.
3. Mis amigos escuchan ___—___ música clásica.
4. José y Marcos invitan ___a___ los jóvenes a su casa.
5. El pastor enseña ___a___ los adultos en la escuela dominical.
6. Alberto compra ___—___ rosas para Inez.
7. Ricardo y Roberto esperan ___a___las chicas en la sala.
8. La Srta. Ordóñez enseña ___a___ los estudiantes de la clase de español.

B. *Responda a las preguntas con oraciones completas.*

1. ¿Quién en tu familia toca un instrumento? ¿Qué instrumento toca? ______________
   Answers will vary.
2. ¿Quién predica el sermón en tu iglesia el domingo? ______________
3. ¿Dónde buscamos definiciones? ______________
4. ¿Miran Uds. mucha televisión? ¿Qué programas miran? ______________
5. ¿Quién en tu escuela enseña la Biblia? ______________
6. ¿A quiénes invitan Uds. a su casa cuando tienen una fiesta? ______________
7. ¿Cómo se llama el / la pianista de tu iglesia? ______________
8. ¿Qué es el nombre de tu escuela? ______________
9. ¿Cuántos maestros enseñan allí? ______________
10. ¿Quién de tu familia saca buenas fotografías? ______________
11. ¿A quién buscas cuando deseas consejo (*advice*)? ______________

V. Buscapalabras

The following puzzle contains sixteen words related to music and musical instruments. They come from the dialogue and the vocabulary sections of Lección 11.

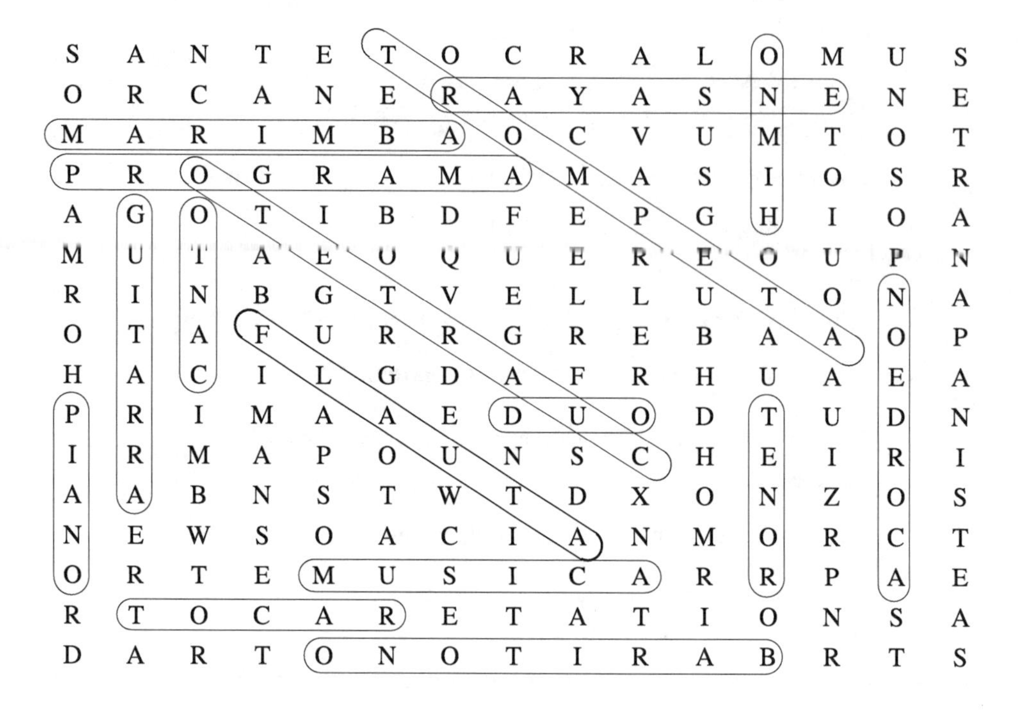

acordeón	flauta	piano
barítono	guitarra	programa
canto	himno	tenor
cuarteto	marimba	tocar
duo	música	trompeta
ensayar		

Lección 12

I. Vocabulario

A. *Escriba la forma correcta del verbo entre paréntesis.*

1. La clase ___termina___ a las diez. (terminar)
2. Nosotros no ___mencionamos___ su problema. (mencionar)
3. Yo siempre ___olvido___ mis llaves. (olvidar)
4. El gobernador ___felicita___ a los senadores por su buena política. (felicitar)
5. Tú ___necesitas___ practicar tu lección de piano. (necesitar)
6. Mamá ___prepara___ la comida para la familia. (preparar)
7. Yo ___oro___ al Señor todos los días. (orar)
8. Nosotros ___alabamos___ a Dios por sus muchas bendiciones. (alabar)
9. Uds. ___terminan___ su parte del programa antes del sermón. (terminar)
10. Los oficiales ___presentan___ las medallas de oro, plata y bronce a los atletas olímpicos. (presentar)

B. *Responda a las preguntas con oraciones completas.*

1. ¿Quién prepara las comidas en tu casa? ___Answers will vary.___
2. ¿A qué hora termina tu clase de español? ______
3. ¿Qué olvidas frecuentemente (*-mente* = *-ly*)? ______
4. ¿Quién presenta los diplomas en tu escuela? ______
5. ¿Con quién hablamos cuando oramos? ______
6. ¿Qué cosas necesitas cuando estudias? ______

C. *Asociaciones. ¿Qué verbo asocia Ud. con las cosas siguientes?*

orar	olvidar	predicar	alabar
presentar	necesitar	felicitar	

1. un sermón: ___predicar___
2. aire, agua, comida; ropa, una casa, dinero; una buena educación: ___necesitar___
3. una experiencia mala: ___olvidar___
4. ¡Muy bien! ¡Excelente! ¡Tremendo!: ___felicitar___
5. regalos, diplomas, medallas de oro: ___presentar___
6. ¡Qué bueno es el Señor! ¡Gracias a Dios! ¡Gloria a Dios!: ___alabar___
7. "Padre celestial, gracias por tus bendiciones . . . Amén": ___orar___

II. Usos del infinitivo

A. ***Escriba la forma correcta del verbo entre paréntesis.***

1. Es necesario ___trabajar___ para tener dinero. (trabajar)
2. Ernesto ___tiene___ que estudiar inglés. (tener)
3. Dorís ___desea___ sacar buenas notas. (desear)
4. No me ___gusta___ estudiar en la sala. (gustar)
5. Necesitamos ___practicar___ el canto para el domingo. (practicar)
6. ___Es___ bueno hablar con el Señor todos los días. (ser)
7. ¿No tienes que ___estudiar___ para el examen? ¡Qué cosa! (estudiar)
8. Es importante ___practicar___ la pronunciación. (practicar)
9. Yo ___tengo___ que llegar a tiempo a la clase. (tener)
10. ¿ ___Es___ posible comprar ropa buena en Wal-Mart? (ser)

B. ***¿Cuál es su opinión? Identifique dos actividades que le gustan y dos que no le gustan. Use cuatro verbos diferentes. Siga el modelo.***

Modelo: Me gusta cantar en el coro.
No me gusta preparar las tareas.

1. *Answers will vary.*
2. ____________________
3. ____________________
4. ____________________

C. ***Comentarios y opiniones impersonales. Exprese opiniones impersonales acerca de cuatro actividades. Use cuatro verbos diferentes. Siga el modelo.***

Modelo: Es difícil estudiar en el gimnasio.

1. *Answers will vary.*
2. ____________________
3. ____________________
4. ____________________

D. ***Actividades obligatorias. Relate tres cosas que Ud. u otra persona tiene que hacer*** *(hacer = to do).* ***Use tres verbos diferentes.*** *(Hint: Do not use* hacer.*)*

1. *Answers will vary.*
2. ____________________
3. ____________________

E. ***Escriba el verbo más lógico.***

1. Pedro es alumno en la escuela secundaria. Tiene que ___estudiar___ mucho. (hablar, comprar, estudiar)

2. Ana María está en el coro de la iglesia. Tiene que *practicar* a las cinco. (tomar, practicar, jugar)
3. Es importante *estudiar* para sacar notas buenas. (cantar, estudiar, llegar)
4. ¿Te gusta *tomar* un examen? (llegar, tomar, estudiar)
5. No es posible *entrar* en la casa porque no tengo la llave. (entrar, ganar, comprar)

III. Palabras afirmativas y negativas

***Responda negativamente a las preguntas. Use las palabras* nada, nunca, nadie, ninguno(a).**

1. ¿Siempre tocas la guitarra en la iglesia? *No, nunca toco la guitarra en la iglesia.*
2. ¿Está alguien a la puerta? *No, no está nadie a la puerta.*
3. ¿Siempre predicas en la iglesia los miércoles? *No, nunca predico en la iglesia los miércoles.*
4. ¿Hay algunos dulces en la mesa? *No, no hay ningún dulce en la mesa.*
5. ¿Hay algo en el pesebre? *No, no hay nada en el pesebre.*
6. ¿Hay estrellas en el árbol de Navidad? *No, no hay ninguna estrella en el árbol de Navidad.*
7. ¿Quién tiene un estéreo? *Nadie tiene un estéreo.*
8. ¿Hay alguien en la casa? *No, no hay nadie en la casa.*
9. ¿Qué tienes en el bolsillo? *No tengo nada en el bolsillo.*
10. ¿Siempre olvidas el nombre de tu mejor amigo? *No, nunca olvido el nombre de mi mejor amigo.*

Capítulo Seis

Lección 13

I. Vocabulario

A. *Responda con oraciones completas.*

1. ¿Llegas a la escuela en motocicleta?¿Cómo llegas? ***Answers will vary.***

2. ¿Tiene autobús tu escuela? ______

3. ¿Cuánto cuesta tu libro de español? ______

4. ¿Es barato o caro un BMW? ______

5. ¿Cuál es tu almacén favorito? ______

6. ¿Van Uds. a la iglesia en taxi? ¿Cómo van? ______

7. ¿Qué cosas compran Uds. durante (*during*) ventas especiales? ______

8. ¿Qué es un buen precio para un collar de oro? ______

B. *Descripciones. Escriba la palabra del vocabulario que corresponde a la descripción.*

1. Lo contrario de barato: ***caro***
2. *J. C. Penney, Sears, Macy's:* ***tiendas / almacenes / centro comercial***
3. Indica cuánto cuesta una cosa: ***precio***
4. Un grupo de muchas tiendas en un lugar: ***centro comercial***
5. Actividad especial que una tienda tiene para sus clientes: ***venta especial***
6. La persona que compra algo de una tienda o un almacén: ***cliente***
7. La persona que trabaja en una tienda o un almacén: ***dependiente***
8. Cuesta muy poco: ***barato***

II. El verbo *ir*

***¿Adónde van todos? Escriba la forma correcta de* ir.**

1. Rosa y Patricia ***van*** al museo.

2. Pedro y yo ___vamos___ al almacén para comprar un reloj.
3. Tú ___vas___ a la casa de tu abuela.
4. Sara ___va___ a una venta especial en su tienda favorita.
5. Yo ___voy___ al aeropuerto para llevar a mi hermano.
6. Ud. ___va___ con su familia al concierto.

III. Verbos

Escriba la forma correcta del verbo entre paréntesis.

1. En Latinoamérica, las mujeres ___van___ al mercado temprano. (ir)
2. Beto y Chele ___compran___ tarjetas en el almacén. (comprar)
3. Tomás ___va___ a la escuela todos los días. (ir)
4. Carmen y José ___van___ a la iglesia en el metro. (ir)
5. Tomás y yo ___estamos___ en la misma clase. (estar)
6. Yo ___voy___ a una escuela cristiana. (ir)
7. La congregación ___da___ una ofrenda (*offering*) especial el domingo. (dar)
8. Los maestros aquí ___dan___ muchos exámenes a sus estudiantes. (dar)
9. Yo ___doy___ una fiesta en mi casa. (dar)
10. Mis hermanos y yo ___vamos___ a la casa de nuestra abuela. (ir)

IV. Estar + participio

A. *Actividades en progreso. Escriba los verbos en el presente progresivo. Siga el modelo.*

Modelo: Mario / hablar por teléfono
Mario está hablando por teléfono.

1. Diana / buscar su perro ***Diana está buscando su perro.***
2. Yo / tomar café ***Yo estoy tomando café.***
3. Los hermanos Ruiz / estudiar francés ***Los hermanos Ruiz están estudiando francés.***
4. Nosotros / cantar en el coro del colegio ***Nosotros estamos cantando en el coro del colegio.***
5. Usted / sacar una foto ***Usted está sacando una foto.***
6. Roberto y yo / comprar un carro ***Roberto y yo estamos comprando un carro.***
7. Tú / esperar a tus amigos ***Tú estás esperando a tus amigos.***
8. Yo / mirar la televisión ***Yo estoy mirando la televisión.***

B. ***The present progressive is for action in progress at a given moment. After reading the following sentences, decide if each verb in italics could be changed to the present progressive without affecting the meaning of the sentence. Make only the changes that seem logical.***

1. Yo *estudio* en este momento. ***estoy estudiando***
2. Nicoleta y Silvia *preparan* la comida en la cocina. ***están preparando***
3. Yolanda y yo *practicamos* juntas todos los días. —
4. Ese señor siempre *llega* a las seis. —
5. Ahora *hablo* con mi amigo por teléfono. ***estoy hablando***
6. Mamá *busca* mi suéter porque yo voy al parque pronto. ***está buscando***

Lección 14

I. Vocabulario

Asociaciones. ¿En qué tipo de publicación se encuentran los siguientes?

1. Sherlock Holmes: ***una novela de misterio***
2. Las Naciones Unidas, La Arabia Saudita, el reporte de Wall Street, los deportes, *Dear Abby*: ***un periódico***
3. Fotos de personas famosas, artículos de la moda, información técnica: ***una revista***
4. Una heroína romántica: ***una novela de amor***

II. Verbos que terminan en *-er*

A. *Escriba la forma correcta del verbo entre paréntesis.*

1. Yo nunca ***como*** en un restaurante sucio. (comer)
2. Mi papá siempre ***lee*** el periódico cuando llega a casa por la tarde. (leer)
3. Mi hermano y yo no ***comprendemos*** siempre a nuestros padres, pero él y yo ***creemos*** que (ellos) ***son*** padres buenos. (comprender / creer / ser)
4. En la clase de francés los alumnos ***aprenden*** a hablar francés. (aprender)
5. Tú no ***bebes*** café, ¿verdad? (beber)
6. El almacén *Sears* ***vende*** de todo un poco. (vender)

B. *Responda a las preguntas con oraciones completas.*

1. ¿Beben tus padres café por la mañana?
   Answers will vary.
2. ¿Quién en tu clase comprende el álgebra?
3. ¿Crees tú en el Señor Jesucristo?
4. ¿Qué novela leen Uds. en la clase de literatura?
5. ¿En qué clase aprendes de *la Declaración de Independencia*?
6. ¿Dónde come tu profesor(a), en la cafetería o en su oficina?
7. ¿Venden tus padres su casa?

C. *Escriba en el espacio el verbo más lógico.*

1. Susana está en España. No ___comprende___ mucho, pero ___lee___ el periódico un poco. (leer, ver, comprender)
2. Marta está en el restaurante. ___Come___ tortillas y ___bebe___ una Pepsi-Cola. (comer, explicar, beber)
3. Los chicos tienen un apetito enorme. ___Comen___ todo lo que ___ven___ en la mesa. (ver, vender, comer)
4. Marcos ___vende___ periódicos y revistas. Su papá ___lee___ el periódico todos los días. (vender, leer, comer)
5. Mi hermano ___trabaja___ en una estación de servicio. ___Vende___ gasolina. (trabajar, vender, ver)
6. ¿___Comprenden___ los alumnos cuando el profesor ___explica___ la teoría de la relatividad de Alberto Einstein? (comprender, vender, explicar)
7. Yo no ___comprendo___ por qué tú no ___deseas___ tener una computadora. (comprender, desear, aprender)

D. *El presente progresivo. Escriba la forma correcta del verbo.*

Modelo: Jaime / beber / una Pepsi
Jaime está bebiendo una Pepsi.

1. Yo / aprender / los verbos ___Yo estoy aprendiendo los verbos.___
2. Mi papá / leer / el periódico ___Mi papá está leyendo el periódico.___
3. Mi familia y yo / comer / en un restaurante mexicano ___Mi familia y yo estamos comiendo en un restaurante mexicano.___
4. Uds. / leer / una novela de aventuras ___Uds. están leyendo una novela de aventuras.___
5. ¿Tú / vender / mis tarjetas de béisbol? ___¿Estás vendiendo mis tarjetas de béisbol?___

E. *Definiciones. ¿Qué verbos -er corresponden a las definiciones?*

1. mirar y comprender palabras en papel: ___leer___
2. similar a mirar: ___ver___
3. resulta de estudiar y memorizar: ___aprender___
4. tomar agua, café u otros líquidos: ___beber___
5. tener una opinión fuerte; tener fe: ___creer___
6. contrario de comprar: ___vender___
7. tener comprensión: ___comprender___

III. El verbo *ver*

***Escriba la forma correcta del verbo* ver.**

1. Roberta y Felipe ___ven___ un carro moderno.
2. Uds. y yo ___vemos___ muchos libros nuevos en la tienda.
3. Yo ___veo___ que tú no comprendes el problema.
4. Mi amigo no ___ve___ ninguna revista de interés.
5. ¿ ___Ves___ (tú) el collar en el mostrador?
6. Vamos a ___ver___ qué revistas venden aquí.
7. ¿ ___Ven___ Uds. la ciudad de Cali en el mapa?
8. Yo no ___veo___ por qué tienes que estudiar ahora.

IV. Hace + tiempo + que

¿Cuál es la pregunta? Escriba la pregunta para cada respuesta.

1. Hace un año que estudio aquí en esta escuela. ___
   ¿Cuánto tiempo hace que estudias aquí en esta escuela?
2. Hace muchos años que mis padres tienen nuestra casa. ___
   ¿Cuánto tiempo hace que tus padres tienen su casa?
3. Hace cinco años que voy a la misma (*same*) iglesia. ___
   ¿Cuánto tiempo hace que vas o va Ud. a la misma iglesia?
4. Hace más o menos un semestre que aprendemos español. ___
   ¿Cuánto tiempo hace que ustedes aprenden español?
5. Hace una semana que el maestro enseña la Lección 14. ___
   ¿Cuánto tiempo hace que el maestro enseña la Lección 14?

Lección 15

I. Vocabulario

¡Feliz Navidad! ***Hidden in the puzzle are twenty words and phrases related to Christmas.***

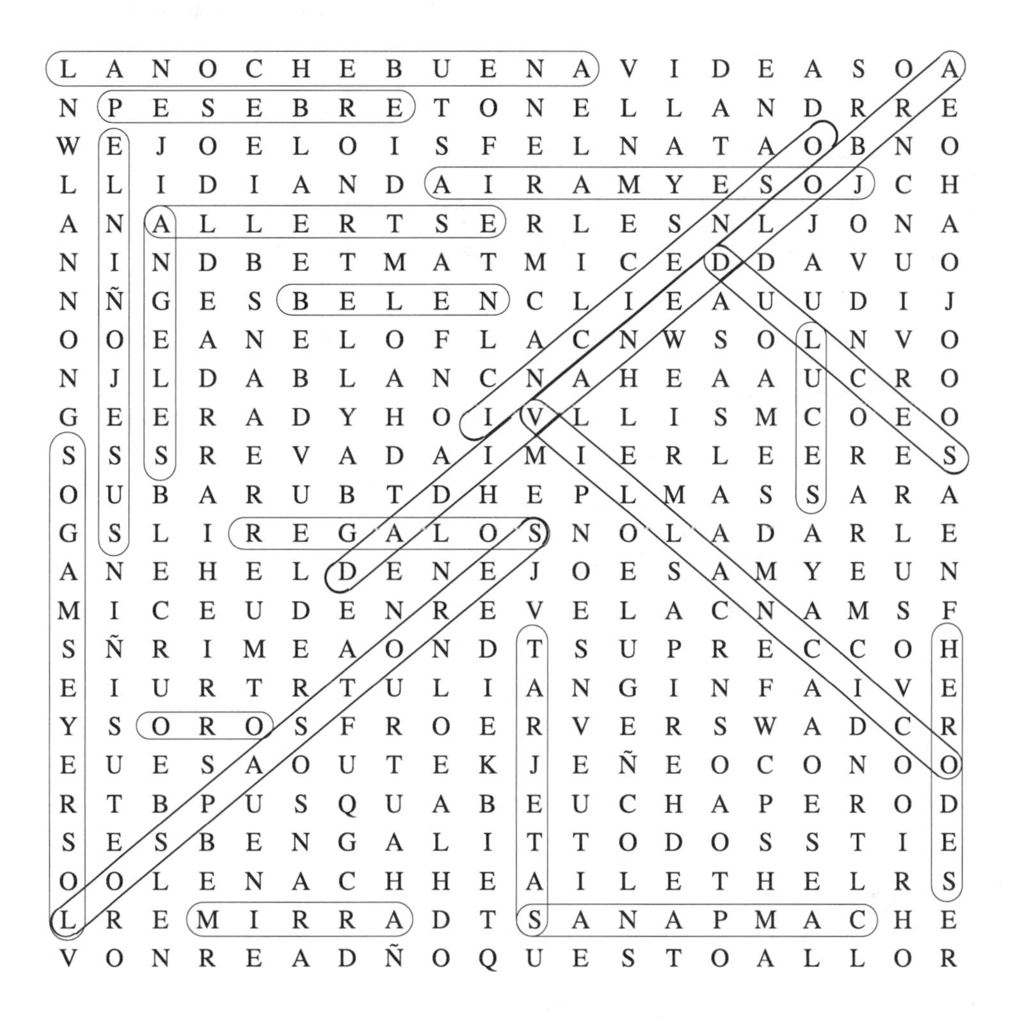

Words in the puzzle:

el Niño Jesús
José y María
Belén
Herodes
pesebre
los reyes magos
los pastores
estrella
ángeles
oro
incienso
mirra
la Nochebuena
campanas
villancico
tarjetas
regalos
luces
dulces
árbol de Navidad

II. Los verbos *-ir*

A. *Escriba la forma correcta del verbo entre paréntesis.*

1. El banco ***abre*** a las ocho. (abrir)
2. Muchas personas ***asisten*** a nuestro programa de Navidad. (asistir)
3. Yo ***vivo*** con mis padres. (vivir)
4. Nosotros tenemos que ***escribir*** una composición para la clase de español. (escribir)
5. Para llegar a mi cuarto (tú) ***subes*** al segundo piso. (subir)
6. Mi pastor ***escribe*** artículos para el periódico local. (escribir)
7. El médico no ***vive*** en el hospital; sólo trabaja allí. (vivir)
8. Durante los primeros años, Jesús, María y José ***viven*** en Egipto. (vivir)

B. *Responda a las preguntas.*

1. ¿Dónde viven Uds.? ***Answers will vary.***
2. ¿Qué escribes en este momento? ____________________
3. ¿A quién escribes cartas? ____________________
4. ¿A qué hora abren las puertas de la escuela? ____________________
5. ¿Permite comida en la clase tu maestro? ____________________
6. ¿Qué ocurre en tu casa el 25 de diciembre? ____________________

III. El verbo *venir*

***Escriba la forma correcta de* venir.**

1. Mis abuelos ***vienen*** a nuestra casa el 24 de diciembre.
2. Toda la familia ***viene*** para la Nochebuena.
3. Tengo regalos para cuando ***vienen*** mis tíos.
4. Nadie ***viene*** a la escuela durante las vacaciones.
5. Nosotros no ***venimos*** tarde a la clase.
6. Mi papá ***viene*** a casa a las seis de la tarde.
7. Mis hermanos ***vienen*** a las cinco.
8. Carlota y Andrea ***vienen*** esta noche a la fiesta.
9. ¿No ***vienes*** tú con ellas?
10. ¿ ***Vienen*** Uds. a la clase con sus libros?

IV. Los pronombres *lo, la, los, las*

A. *Convierta en pronombres los sustantivos del objeto directo.*

Modelo: Escribo la composición.
La escribo.

1. Miro el cuaderno. *Lo miro.*
2. Escuchamos la música. *La escuchamos.*
3. Diego Velázquez pinta los retratos (*portraits*) de la familia real (*royal*). *Los pinta.*
4. Uds. no escriben cartas nunca. *No las escriben nunca.*
5. Tengo el dinero en mi bolsillo. *Lo tengo en mi bolsillo.*
6. Enrique no tiene su dirección. *No la tiene.*
7. Yo siempre olvido el número de teléfono. *Siempre lo olvido.*
8. Comemos las enchiladas. *Las comemos.*
9. Tú bebes café, ¿no? *Tú lo bebes, ¿no?*
10. Uds. practican los villancicos a las seis. *Uds. los practican a las seis.*

B. *Responda a las preguntas. Use los pronombres del objeto directo en sus respuestas.*

Modelo: ¿Crees la información en el periódico?
Sí, la creo. / No, no la creo.

1. ¿Ven Uds. las estrellas? *Sí, las vemos. / No, no las vemos.*
2. ¿Escribe Ud. tarjetas de Navidad? *Sí, las escribo. / No, no las escribo.*
3. ¿Quién tiene la motocicleta, tú o Gonzalo? *Yo la tengo. / Gonzalo la tiene.*
4. ¿Desean Uds. el periódico? *Sí, lo deseamos. / No, no lo deseamos.*
5. ¿Tienes mis plumas? *Sí, las tengo. / No, no las tengo.*
6. ¿Quién prepara el almuerzo en tu casa, tú o tu mamá? *Yo lo preparo. / Mi mamá lo prepara.*
7. ¿Quién tiene las llaves de mi carro, José o tú? *Jose las tiene. / Yo las tengo.*
8. ¿Tienes tu Biblia hoy? *Sí, la tengo hoy. / No, no la tengo hoy.*
9. ¿Necesitan Uds. el diccionario en la clase? *Sí, lo necesitamos. / No, no lo necesitamos.*
10. ¿Invitas a tus amigos a la iglesia? *Sí, los invito. / No, no los invito.*

V. Los pronombres con el infinitivo

A. *Each time Pedro says something, his sister asks him if it is really true. Play the part of his sister and ask questions like the ones in the model.*

Modelo: Voy a leer un libro.
—¿Es verdad que vas a leerlo?
Tengo que escribir una carta.
—¿Es verdad que tienes que escribirla?

1. Voy a comprar un reloj. *¿Es verdad que vas a comprarlo?*

2. Necesito tomar un refresco. *¿Es verdad que necesitas tomarlo?*

3. Deseo visitar a mi novia. *¿Es verdad que deseas visitarla?*

4. Voy a llamar a mis amigos. *¿Es verdad que vas a llamarlos?*

5. Tengo que estudiar mis versículos. *¿Es verdad que tienes que estudiarlos?*

6. Voy a abrir las ventanas. *¿Es verdad que vas a abrirlas?*

7. Tengo que comprar los regalos de Navidad. *¿Es verdad que tienes que comprarlos?*

8. Voy a vender mi bicicleta. *¿Es verdad que vas a venderla?*

9. Tengo que escribir la composición. *¿Es verdad que tienes que escribirla?*

10. Voy a invitar al presidente a mi fiesta. *¿Es verdad que vas a invitarlo?*

B. *Responda en oraciones completas y con el pronombre del complemento directo. Note la posición del pronombre.*

Modelo: ¿Quién va a abrir la puerta, la profesora?
—Sí, la profesora la va a abrir.

1. ¿Quién va a comprar tu bicicleta? ¿Samuel? *Sí, Samuel la va a comprar.*

2. ¿Tienes que leer el libro esta semana? *Sí, lo tengo que leer esta semana.*

3. ¿Cuándo vas a llamar a María? ¿Hoy o mañana? *La voy a llamar hoy / mañana.*

4. ¿Estás mirando la televisión? *Sí, la estoy mirando.*

5. ¿Están Uds. leyendo el periódico? *Sí, lo estamos leyendo .*

6. ¿Vas a visitar a tus abuelos para la Navidad? *Sí, los voy a visitar para la Navidad.*

7. ¿Quién va a cerrar la puerta, tú o el maestro? *Yo la voy a cerrar. / El maestro la va a cerrar.*

8. ¿Quién vende helados, el Sr. Ramos? ***Sí, el Sr. Ramos los vende.***

9. En tu casa, ¿quién come pizza? ***Todos la comemos.***

10. ¿Comprendes la lección? ***Sí, la comprendo.***

Capítulo Siete

Lección 16

I. Vocabulario

Los meses del año. ¿Qué mes se asocia con el día especial?

Horizontal

3. el Día de los Trabajadores
5. el Día de San Patricio
7. el Día de la Hispanidad (Colón llega a América.)
9. las temperaturas más altas del verano
10. la Navidad

Vertical

1. el Día de Acción de Gracias en los Estados Unidos
2. el Día de los Enamorados (San Valentín)
4. el Día de los Padres
5. el Día de las Madres
6. el Día de la Independencia en los Estados Unidos
8. el Año Nuevo
9. temporada de lluvia

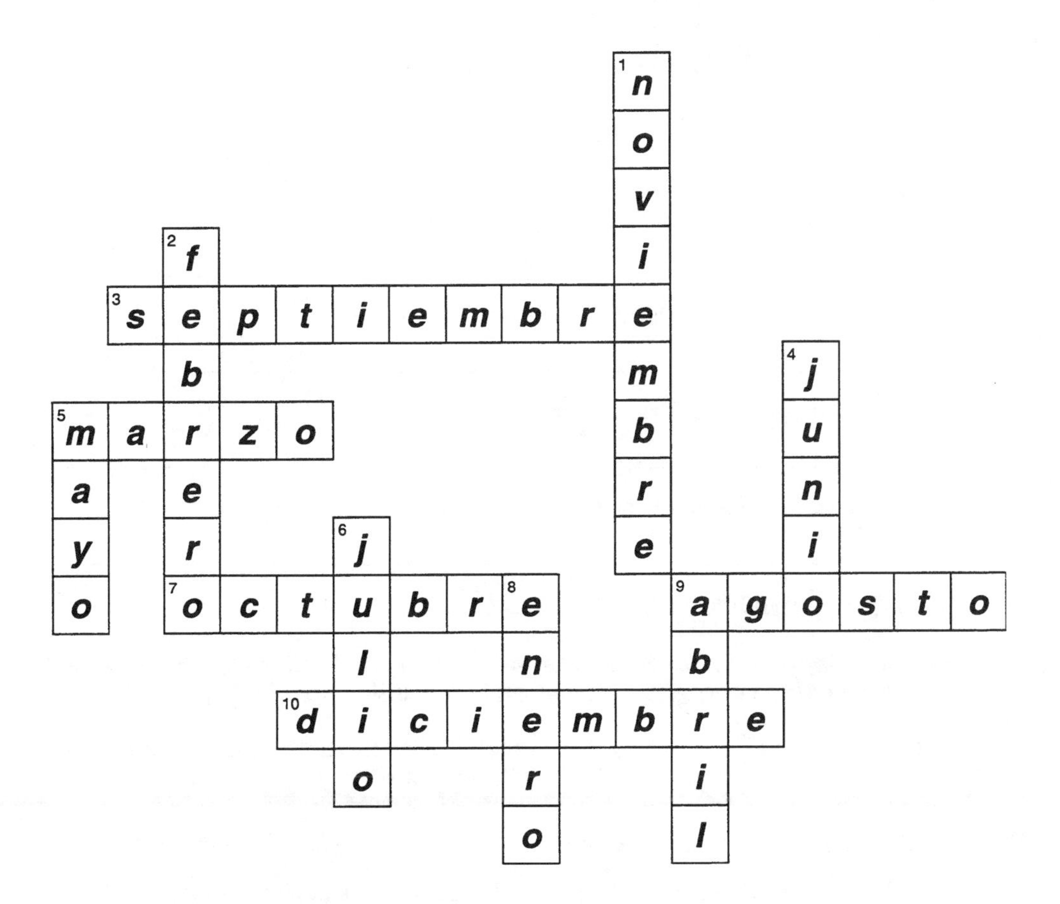

II. ¿Cuál es la fecha de hoy?

Mire los ejemplos:

Hoy es *el primero* de abril.
Hoy es *el dos* de mayo.
Hoy es *el cuatro* de julio.
Hoy es *el catorce* de febrero.
Hoy es *el veinticinco* de diciembre.
Hoy es *el treinta y uno* de enero.

En español las abreviaturas para indicar el día y el mes se escriben así:

1 / IV = el primero de abril
4 / VII = el cuatro de julio
25 / XII = el veinticinco de diciembre

A. *¿Cuál es la fecha? Escriba el día y el mes indicados por las abreviaturas.*

1. 5 / IX ***el cinco de septiembre***
2. 1 / I ***el primero de enero***
3. 12 / VI ***el doce de junio***
4. 8 / XI ***el ocho de noviembre***
5. 31 / X ***el treinta y uno de octubre***
6. 1 / VIII ***el primero de agosto***
7. 28 / II ***el veintiocho de febrero***
8. 9 / VII ***el nueve de julio***
9. 6 / XII ***el seis de diciembre***
10. 15 / III ***el quince de marzo***

B. *Responda a las preguntas.*

1. ¿Cuál es la fecha de tu cumpleaños?
   Answers will vary.
2. ¿Cuál es la fecha de hoy?
   ____
3. ¿Cuál es la fecha del Día de la Independencia?
   ____
4. ¿Cuál es la fecha del Día de Acción de Gracias este año?
   ____
5. ¿Cuál es la fecha del Día de la Hispanidad (*Columbus Day*)?
   ____

III. El verbo *hacer*

¿Dónde está, y qué hace? Escriba la forma correcta de* estar *en el primer espacio y la forma correcta de* hacer *en el segundo espacio de cada oración.

1. Paco ***está*** con su amigo Ricardo. Ellos ***hacen*** planes para el sábado.
2. Irene ***está*** en México. ***Hace*** un viaje a Colombia el martes.
3. Los tres chiflados (*stooges*) ***están*** en el laboratorio de química. ***Hacen*** muchos errores.

4. Yo *estoy* en mi cuarto. *Hago* mi tarea para mañana.
5. Tú *estás* en casa. *Haces* tu cama.

IV. El tiempo y las estaciones

¿Qué tiempo hace?

Hace frío.

Hace sol.

Hace viento.

Está nevando.

Está lloviendo.

Está nublado.

V. Expresiones con *tener*

Escriba una expresión con* tener *en el espacio.

1. Son las once de la noche. Esteban *tiene sueño*. Va a la cama.
2. Diego *tiene hambre*. Va a comer una pizza.
3. Yo *tengo sed*. Tengo ganas de tomar una Pepsi.
4. La temperatura está a 95° F. Los jóvenes *tienen calor*.
5. Hoy es el cumpleaños de mi hermana. *Tiene* diez años.

VI. Ir + a + infinitivo

A. *Escriba oraciones que indican eventos futuros.*

Modelo: Horacio / cantar / en el coro
Horacio va a cantar en el coro.

1. David / hablar / con sus abuelos en Chicago
David va a hablar con sus abuelos en Chicago.
2. Yo / ir / a la playa *Yo voy a ir a la playa.*
3. Uds. / hacer / las camas *Uds. van a hacer las camas.*
4. Patricio y Eduardo / subir / una montaña *Patricio y Eduardo van a subir una montaña.*
5. Mi amigo y yo / asistir a / un concierto de música sagrada (*sacred*).
Mi amigo y yo vamos a asistir a un concierto de música sagrada.

B. *Relate sus planes para el futuro. Escriba cinco oraciones usando cinco verbos diferentes. Mencione los planes de Ud., su familia y sus amigos.*

Modelo: Hoy Tomás va a practicar la trompeta por dos horas.

1. ***Answers will vary.*** ______
2. ______
3. ______
4. ______
5. ______

VII. El verbo *decir*

A. *Escriba la forma correcta de* decir.

1. ¿Qué ***dices*** tú del nuevo presidente?
2. Marisa no ***dice*** nada acerca de su novio.
3. Mis padres ***dicen*** que no tienen dinero para un carro nuevo.
4. El pastor ***dice*** el plan de salvación cuando predica.
5. Yo siempre ***digo*** que es bueno comer mucha, mucha pizza.
6. La temperatura está a 20 grados F. Nicolás ***dice que hace frío***.

B. *Read the following passages. Then tell who the speaker is.*

Modelo: I Juan 4:8. Dios es amor. (Juan)
Juan dice que Dios es amor.

1. Mateo 1:21 El nombre del niño es Jesús porque él salvará a su pueblo de sus pecados. (el ángel)
   El ángel dice que el nombre del niño es Jesús.
2. Lucas 2:52 Jesús crecía (*grew*) en gracia para con Dios y los hombres. (Lucas)
   Lucas dice que Jesús crecía en gracia para con Dios y los hombres.
3. Mateo 16:16 Jesús es "el Hijo del Dios viviente". (Pedro)
   Pedro dice que Jesús es el Hijo del Dios viviente.
4. Romanos 6:23 La dádiva (*gift*) de Dios es vida eterna en Cristo Jesús. (Pablo)
   Pablo dice que la dádiva de Dios es vida eterna en Cristo Jesús.
5. Salmo 14:1 El necio (*fool*) dice que no hay Dios. (David)
   David dice que el necio dice que no hay Dios.

VIII. Repaso

A. *Lea la situación. Luego decida qué frase es el comentario más lógico.*

1. Margarita tiene catorce años. Es estudiante del Colegio Bautista de Hato Mayor. Va a hacer un viaje a Nueva York para visitar a sus primos.
   - A. Margarita estudia francés en el colegio.
   - B. Los padres de Margarita tienen un automóvil Yugo.
   - (C.) Margarita va a ir en avión.
2. Los estudiantes de la Academia de la Fe escriben cartas a jóvenes cristianos en muchos países de Latinoamérica.
   - A. Los estudiantes reciben cartas de Inglaterra, Francia y Alemania.
   - (B.) Los estudiantes contestan las cartas que reciben.
   - C. Hace tiempo que los estudiantes conversan en español.
3. Ángela vive en Miami. En enero, va a visitar a sus abuelos que viven en Chicago. Hace frío en Chicago.
   - (A.) Ramona le va a prestar a Ángela un abrigo de invierno.
   - B. Ángela tiene que contestar la carta de Ramona.
   - C. Ángela es cubana.
4. Pablo y Tomás están en la casa de los misioneros en Cuernavaca, México. Están ayudándolos en la iglesia.
   - A. Pablo y Tomás viajan a Sudamérica.
   - B. Pablo y Tomás están haciendo sus maletas.
   - (C.) Pablo y Tomás conversan con los jóvenes y enseñan clases en la escuela dominical.
5. Joanne Jones es misionera en la República Dominicana. Hace cuatro años que vive en San Cristóbal. Unas veinticinco personas están en su clase bíblica los domingos.
   - A. Cristóbal Colón llega a Santo Domingo en 1492.
   - (B.) Dios está bendiciendo las clases.
   - C. Los misioneros escriben muchas cartas.

Lección 17

I. Repaso de los pronombres del objeto directo en la tercera persona

Responda a las preguntas usando los pronombres del objeto directo.

Modelo: ¿Dónde compras las revistas?
Las compro en el almacén.

1. ¿Abres la ventana de tu cuarto por la noche?
   Sí, la abro por la noche.
2. ¿Cuándo haces las tareas de la clase de español?
   Las hago por la noche.
3. ¿Invitas a tus amigos a la iglesia?
   Sí, los invito a la iglesia.
4. ¿A quién espera Pedro después de la clase? ¿Espera a Elisabet?
   Sí, Pedro la espera después de la clase.
5. ¿Llamas por teléfono a tus padres cuando llegas tarde a casa?
   Sí, los llamo cuando llego tarde a casa.
6. ¿A quién vas a invitar a la fiesta? ¿A Roberto?
   Sí, voy a invitarlo. / Sí, lo voy a invitar.
7. ¿Tienes que ayudar a tu papá el sábado?
   Sí, tengo que ayudarlo el sábado. / Sí, lo tengo que ayudar el sábado.
8. ¿Dónde vas a comprar tu boleto de avión?
   Voy a comprarlo en el aeropuerto. / Lo voy a comprar en el aeropuerto.
9. ¿Es verdad que deseas vender tu bicicleta?
   Sí, es verdad que deseo venderla. / Sí, es verdad que la deseo vender.
10. ¿Quién en tu familia va a sacar las fotos durante el viaje?
    Mi padre va a sacarlas durante el viaje. / Mi padre las va a sacar durante el viaje.

II. Los pronombres *le, les*

Fill in each blank with the correct indirect object pronoun. Remember that the indirect object is already named elsewhere in the sentence and will be repeated in the pronoun you add.

Modelo: ___*Le*___ escribo una carta *a mi abuela.*

1. Carlos ___*le*___ presta dinero *a su hermano.*
2. Para su cumpleaños ___*le*___ voy a comprar *a Diana* una Biblia.
3. Mi amigo Timoteo ___*le*___ vende su moto *a Felipe.*
4. ___*Les*___ doy mis novelas *a Laura y Cintia.*
5. Mi familia y yo vamos a enviar ___*-les*___ un paquete *a los misioneros* en España.

III. Los pronombres *me, te, nos*

A. *Escriba el pronombre o el verbo en la forma correcta para completar cada diálogo.*

Modelo: ¿Me escribes una carta?
—Sí, ___te___ escribo mañana.
¿Me das la revista?
—Sí, te ___doy___ la revista en el aeropuerto.

1. ¿Me llamas por teléfono?

   —Sí, ___te___ llamo esta noche.
2. ¿Me vendes tu bicicleta este verano?

   —No, yo no ___te___ vendo mi bicicleta este verano.
3. ¿Dónde me esperan Uds.?

   — ___Te___ esperamos delante del mostrador.
4. ¿Me compras una maleta nueva?

   —Sí, te ___compro___ una maleta porque la necesitas.
5. ¿Me presta Ud. su cámara para el viaje?

   —Sí, te ___presto___ la cámara hoy.
6. ¿Me ayudan Uds. con las tareas?

   —Bueno, te ___ayudamos___ después de la cena.
7. ¿Vas a darme el dinero que necesito?

   —Sí, voy a dar ___-te___ el dinero ahora.
8. ¿Te llama Marcos por teléfono de noche?

   —No, no ___me___ llama por telefono de noche.
9. ¿Te escribe cartas Marcos?

   — Sí, ___me___ escribe cartas.
10. ¿Cuándo vamos a buscarte?

    —Uds. van a buscar ___-me___ a las seis.

B. *Responda a las preguntas usando los pronombres del objeto directo o indirecto.*

1. ¿Quién te presta dinero siempre?

   Mi amigo me presta dinero siempre.
2. ¿Dónde vas a esperarme? ¿en la sala de espera o a la puerta de salida?

   Voy a esperarte . . .
3. ¿Te escriben cartas tus amigos?

   Sí, mis amigos me escriben cartas.
4. ¿Quiénes te dan regalos en Navidad?

   Mis padres me dan regalos en Navidad.

Lección 18

I. Buscapalabras

C A L O I A M S E S Q U I O L R A C R
O D A N O I C I F A I Q L L I M I N O
N A N O S A E N D L E S O J T N E C D
D R E W S B A L O N C E S T O I O L A
Q F Y N O T L E I N A D A N I D Y L G
U U E S A R L R D A H E A E N B A O U
C T N C O S R E E D N C A E T E T B J
L B I E Y T P S I G I M N A S I A I H
D O O E H O T Y D R D E P T E S N E A
N L A D R D N A E E C Y A O J B E L O
M I T T N A S M U S M O R T S O A O L
H A E R A S A L E H C A T R Y L H V O
N A I D D L O B I L O V I N A N N Y L
J H T E O B A Z I L P E D A T L E T A
M A Y B M E R E J E I C O A L L A W E
E S T E N I S B E R U T H A J I M B U
T U E N A J A I N I Q G R I V S I R R
F J D T U B M I J D E P O R T I V O M

A. *Encuentre los siguientes términos del vocabulario relacionados a los deportes:*

aficionado
atleta
baloncesto
béisbol
deporte
deportivo
equipo
esquí
fútbol
fútbol americano
gimnasia
jugador
natación
partido
tenis
voleibol

B. ***¿En qué deporte se usan estas cosas?***

1. *el esquí*

2. *la natación*

3. *el volibol*

4. *el fútbol*

5. *el baloncesto*

6. *el fútbol americano*

7. *la gimnasia*

8. *el tenis*

II. El verbo *gustar*

A. ***Escriba* gusta *o* gustan *en los espacios siguientes.***

1. Me *gusta* el béisbol.
2. ¿No te *gustan* los deportes?
3. ¿Qué jugadores te *gustan* este año?
4. Me *gusta* jugar al baloncesto.
5. Me *gusta* estudiar y escuchar música.
6. ¿Te *gusta* la pizza?

B. ***¿Cuál es su reacción? Usando la forma correcta de* gustar, fascinar *y* molestar *exprese su reacción a las cosas siguientes.***

Modelo: las cucarachas
Me molestan las cucarachas. (o)
¡Me fascinan las cucarachas!

1. comer brócoli

Answers will vary.

2. los carros japoneses

____

3. comprar ropa elegante

____

4. los gatos

____

5. el arte moderno

____

6. los deportes de equipo

____

7. leer el periódico

____

III. Otro uso del artículo definido

Escriba el artículo definido,* el *o* la, *si es necesario.

1. Tenemos clases ___*el*___ lunes.
2. ¿Te gustan ___*las*___ clases grandes?
3. Voy a comprarme ___—___ dulces.
4. ¿Te molestan ___*los*___ perros?
5. ___*Las*___ chicas son complicadas.
6. No tomo ___—___ café.
7. Me fascinan ___*los*___ juegos olímpicos.

IV. El verbo *jugar*

¿Quién juega qué? Usando la forma correcta de* jugar, *identifique el deporte que juegan las personas siguientes.

Modelo: Darryl Strawberry
Darryl Strawberry juega al béisbol.

1. Chris Evert *Chris Evert juega al tenis.*
2. los *Rams* *Los Rams juegan al fútbol americano.*
3. los *Braves* *Los Braves juegan al béisbol.*
4. yo *Yo juego al . . .*
5. mis amigos y yo *Mis amigos y yo jugamos al . . .*
6. los *Globetrotters* *Los Globetrotters juegan al baloncesto.*
7. Pelé *Pelé juega al fútbol.*
8. mi equipo favorito *Mi equipo favorito juega al . . .*

V. El verbo *tocar*

A. *¿Quién toca qué instrumento? Complete las oraciones con la forma correcta de* tocar.

1. James Galway / la flauta ***James Galway toca la flauta.***
2. Midori / el violín ***Midori toca el violín.***
3. Andrés Watts y Van Cliburn / el piano ***Andrés Watts y Van Cliburn tocan el piano.***
4. Yo Yo Ma / el violoncello ***Yo Yo Ma toca el violoncello.***
5. Yo ***Yo toco . . .***
6. Christopher Parkening / la guitarra ***Christopher Parkening toca la guitarra.***
7. Maurice André / la trompeta ***Maurice André toca la trompeta.***

B. *Responda a las preguntas.*

1. ¿Cuál es tu deporte favorito?
   Answers will vary.
2. ¿Qué deportes juegan Uds. en su escuela?
   ____
3. ¿Tocas un instrumento? ¿Cuál?
   ____
4. ¿Quiénes en tu familia tocan un instrumento? ¿Cuál?
   ____
5. ¿Quiénes de tus amigos juegan a un deporte? ¿Cuál?
   ____

VI. El verbo *saber*

A. *Escriba la forma correcta de* saber.

1. Yo no ***sé*** tocar el piano.
2. El profesor ***sabe*** tocar la guitarra.
3. Los alumnos de la clase de español ***saben*** hablar un poco de español.
4. ¿Qué ***sabes*** tocar tú?
5. Pedro y yo no ***sabemos*** jugar al voleibol.
6. ¿Ud. ***sabe*** tocar el trombón?

B. *¿Qué sabe hacer? Relate tres cosas que Ud. sabe hacer. Use tres verbos diferentes.*

Modelo: Yo sé tocar el piano.

1. ***Answers will vary.***
2. ____________________
3. ____________________

C. *Relate tres cosas que Ud. o alguien en su familia no sabe hacer. Use tres verbos diferentes.*

1. ***Answers will vary.*** ____________________
2. ____________________
3. ____________________

Capítulo Ocho

Lección 19

I. Los verbos *salir, poner*

Escriba la forma correcta del verbo entre paréntesis.

1. Yo ___salgo___ de la escuela a las tres y media. (salir)
2. Mis hermanos ___salen___ a las tres. (salir)
3. Cuando llego a casa ___pongo___ mis libros en la mesa. (poner)
4. A las cuatro y media yo ___salgo___ para la tienda de mi papá para ayudarlo. (salir)
5. ¿A qué hora ___sales___ de tu última clase? (salir)
6. ¿Dónde ___pones___ tu dinero? ¿en el banco? (poner)
7. Los domingos a las nueve de la mañana, yo ___salgo___ con mi familia a la iglesia. (salir)
8. Antes de salir de casa, yo ___pongo___ mi cartera en el bolsillo. (poner)
9. En la clase de historia, el maestro ___pone___ las fechas importantes en la pizarra. (poner)
10. Nosotros ___salimos___ de la iglesia al mediodía. (salir)

II. Los verbos *traer, oír*

Escriba la forma correcta del verbo entre paréntesis.

1. Jacinta ___trae___ su cuaderno a la clase, pero yo no lo ___traigo___ porque no lo necesito hoy. (traer)
2. Yo ___oigo___ música de Bach en la radio, pero Ud. no la ___oye___ porque no tiene la estación correcta. (oír)
3. Lisa y Gilberto ___traen___ refrescos a la fiesta, pero yo ___traigo___ helado. (traer)
4. Mario y Santiago ___oyen___ a la profesora explicar la lección, pero tú no la ___oyes___ porque no estás en la clase. (oír)
5. Uds. ___traen___ las pelotas al partido de béisbol. Yo ___traigo___ los bates y los guantes. (traer)

III. Los verbos *conocer, obedecer*

Escriba la forma correcta del verbo indicado en cada sección.

Conocer

1. Yo ___conozco___ a un misionero en Venezuela.

2. Nosotros no ___conocemos___ al nuevo pastor de la iglesia.

3. Los alumnos de la clase ___conocen___ a toda la familia Rodríguez.

4. Pedro ___conoce___ a todos los jóvenes de nuestra clase.

5. Yo no ___conozco___ México, pero ___conozco___ a muchos mexicanos.

Obedecer

1. Nosotros ___obedecemos___ las reglas (*rules*) de la escuela.

2. Yo ___obedezco___ a mis maestros también.

3. Un buen hijo ___obedece___ a sus padres.

4. En la Biblia leemos de hombres que ___obedecen___ a Dios.

5. ¿___Obedeces___ tú a Dios?

IV. Verbos con cambios c→z

Ofrecer

1. A la persona que llega a mi casa le ___ofrezco___ una taza de café.

2. Si ves una persona con problemas, ¿le ___ofreces___ ayuda?

Conducir

1. Yo ___conduzco___ un Buick.

2. Y tú, ¿qué carro ___conduces___ ?

3. Un chófer ___conduce___ al presidente en una limusina.

V. Repaso de los verbos

A. ***Make logical statements using the elements provided. You may add words if you need to, but you must use all the ones provided.***

1. nosotros / dar / a / regalo / el / Enrique

   Nosotros damos el regalo a Enrique.

2. ellos / sobre / llaves / poner / mesa

   Ellos ponen las llaves sobre la mesa.

3. tú / necesitar / a / padres / obedecer

   Tú necesitas obedecer a tus padres.

4. él / traer / sábado / refrescos / fiesta

   El trae refrescos a la fiesta el sábado.

5. yo / hacer planes / para / turistas / grupo / de / el

   Yo hago planes para el grupo de turistas.

6. nosotros / conducir / lecciones / tomar / porque / no saber

   Nosotros tomamos lecciones porque no sabemos conducir.

B. ***Escriba oraciones originales usando los elementos siguientes.***

1. yo / poner

   Yo pongo . . .

2. ustedes / conocer

Uds. conocen . . .

3. ¿tú / ver?

¿ Ves tú . . . ?

4. yo / dar

Yo doy . . .

5. ella / salir de

Ella sale de . . .

6. nosotros / traer

Nosotros traemos . . .

7. yo / salir

Yo salgo . . .

8. yo / conducir

Yo conduzco . . .

C. Situaciones. Después de (after) **leer la situación, decida qué comentario es el más lógico.**

1. Son las siete de la noche. Tomás está haciendo su tarea de matemáticas cuando su amigo lo llama por teléfono. Su amigo le dice que el equipo de baloncesto tiene que practicar a las siete y media. Después de conversar un poco, Tomás le dice:

   a. "Está bien, Rafael. Pongo el libro en mi bolsa".

   (b.) "Está bien, Rafael. Salgo ahora mismo. Te veo en cinco minutos".

   c. "Está bien, Rafael. Es verdad que es una noche bonita".

2. Los alumnos de la clase de español están planeando una visita a un museo. Salen de la escuela el viernes a las ocho y media de la mañana y regresan a las cinco de la tarde. Tienen que llevar dinero para entrar en el museo y para comprar comida.

   a. Marta oye el autobús y pone sus libros en la mesa.

   b. Manuel mira el autobús y sale de la casa.

   (c.) Pedro trae diez dólares al colegio el viernes.

3. Samuel vive en Tegucigalpa. Tiene diecisiete años y tiene una novia que se llama Maricela. Está muy triste porque desea salir con su novia, pero no tiene dinero. Su abuela ve que Samuel está triste y le dice, "¿Qué tienes, muchacho? ¿Por qué estás tan triste?" Samuel le explica que no tiene dinero para una cita *(date)* con Maricela.

   (a.) Samuel le dice a su abuela que va a salir a buscar trabajo.

   b. Samuel dice a su abuela que él va a poner su dinero en la mesa.

   c. Abuela y Samuel oyen música en su casa.

Lección 20

I. Vocabulario

A. *Asociaciones. Escriba el color que se asocia con las cosas siguientes.*

1. los Estados Unidos de Norte América
   rojo, azul y blanco
2. una banana
   amarillo
3. un dólar americano
   verde
4. un vestido de boda *(wedding)*
   blanco
5. una zebra
   blanco y negro
6. el tronco de un árbol (*tree*)
   marrón, café, gris

B. *Responda a las preguntas.*

1. ¿Qué ropa llevas hoy? *(What do you have on today?)* ¿De qué color es?
   Answers will vary.
2. ¿Qué artículo de ropa usamos cuando hace mucho frío?
3. ¿Llevan pantalones todos los estudiantes de tu escuela?
4. ¿De qué color son tus zapatos?
5. ¿De qué color(es) son las paredes (*walls*) de tu salón de clase?
6. ¿Llevan trajes y corbatas los profesores de tu escuela?
7. ¿Usas un suéter cuando tienes calor?

II. Repaso de verbos irregulares en la primera persona

A. *Find out the following information about the members of your class.*

1. ¿Cuántos tíos tienes?
   Answers will vary.

2. ¿Qué número (*size*) de zapato usas?

____

3. ¿Qué instrumento musical tocas?

____

4. ¿Qué deporte juegas?

____

5. ¿Cuál es tu deporte favorito?

____

6. ¿De qué color es tu carro?

____

B. *After you have compiled the information, identify the following people:*

1. las personas que tienen más de (*more than*) diez tíos
2. las chicas que usan número seis de zapato y los chicos que usan número doce de zapato.
3. las personas que tocan el trombón
4. las personas que juegan al tenis
5. las personas que tienen como su deporte favorito al fútbol
6. las personas que tienen un carro amarillo

C. *Escriba el verbo más lógico en la forma correcta. Varios verbos se usan más de una vez.*

conducir
conocer
dar
hacer
obedecer
poner
salir
traer
ver

1. Yo no ___**veo**___ mucha televisión porque tengo que estudiar.
2. Mi hermanita ___**sale**___ de su clase de inglés a las nueve menos cuarto.
3. Mis padres me ___**dan**___ un regalo especial en mi cumpleaños. ¡Es una computadora!
4. Yo sé quién es el presidente de los Estados Unidos, pero no lo ___**conozco**___ personalmente.
5. Yo no ___**conduzco**___ el carro de mi papá porque él no me permite. Dice que no tengo suficiente experiencia.
6. Yo ___**traigo**___ los refrescos a la fiesta. Tú ___**traes**___ los platos y los vasos.
7. Nosotros ___**hacemos**___ un viaje a Costa Rica.
8. Yo amo mucho a mis padres; por eso los ___**obedezco**___ cuando me dan instrucciones.
9. Yo ___**pongo**___ mi dinero en el banco.
10. Yo le ___**doy**___ tratados a la gente los sábados cuando salgo con la sociedad de jóvenes de mi iglesia.

11. ¿ Conoce Ud. a Jesucristo como su Salvador personal?
12. ¡Si tú no obedeces al policía, te va a poner en la prisión!
13. Yo hago la tarea para mi clase de historia.
14. Pablo y Gregorio conducen los autobuses.
15. Rita y Conchita ponen los libros en sus escritorios después de la escuela.

III. Verbos con cambios e→ie

A. *Escriba la forma correcta del verbo entre paréntesis.*

1. Roberto piensa hacer un viaje, pero yo pienso trabajar. (pensar)
2. Él no pierde nada. (perder)
3. ¿Qué piensas tú de mi carro nuevo? Ellos piensan que es muy feo. (pensar)
4. Nosotros entendemos español, pero nuestros padres sólo entienden inglés. (entender)
5. El partido empieza a las seis, pero los conciertos siempre empiezan a las ocho. (empezar)

B. *Escriba oraciones lógicas usando los elementos siguientes.*

1. Tomás / preferir / al / béisbol / jugar Tomás prefiere jugar al béisbol.
2. Elizabet / falda / una / azul / comprar / querer Elizabet quiere comprar una falda azul.
3. Maribel / a Andrés / querer / conocer Maribel quiere conocer a Andrés.
4. Dora y yo / pequeños / los / gatos / preferir Dora y yo preferimos los gatos pequeños.
5. Nicolás y yo / entender / italiano / no Nicolás y yo no entendemos italiano.

C. *¡Qué lástima! El hermano de Pedro está en el hospital. Complete las oraciones para expresar los sentimientos de los jóvenes. Use la forma correcta de* sentir.

1. Rut y Carmen dicen que lo sienten.
2. Yo digo que lo siento.
3. Mateo y Timoteo dicen que lo sienten.
4. Nosotros decimos que lo sentimos.

5. Tú dices que lo ___**sientes**___ .
6. Flora dice que lo ___**siente**___ .

D. *Responda a las preguntas.*

1. ¿Qué quieres para tu cumpleaños?
   Answers will vary.
2. ¿Dónde prefieren Uds. comer?
   ____
3. ¿Qué piensas hacer esta noche?
   ____
4. ¿A qué hora empiezan Uds. a comer el almuerzo?
   ____
5. ¿Qué idiomas entiende tu mamá?
   ____

IV. Verbos con cambios o→*ue*

A. *Escriba la forma correcta del verbo entre paréntesis.*

1. Silvia ___**duerme**___ ocho horas todas las noches. (dormir)
2. ¿Cuánto ___**cuesta**___ tu abrigo nuevo? (costar)
3. Victoria ___**cuenta**___ los zapatos que tiene en su closet. (contar)
4. ¿No ___**recuerdan**___ Uds. el nombre de su profesor? (recordar)
5. Tú no ___**encuentras**___ el libro en la biblioteca porque Ana lo tiene. (encontrar)
6. Cada año muchas personas ___**mueren**___ en accidentes de automóvil. (morir)
7. Filipenses 4:13 "Todo lo ___**puedo**___ en Cristo que me fortalece". (poder)
8. Yo ___**cuento**___ contigo para ayudarme. Gracias. (contar)
9. Miguelina siempre ___**duerme**___ debajo de mi cama. Miguelina es mi gata. (dormir)
10. Mi perro Pepe ___**vuelve**___ del parque con pulgas *(fleas)*. (volver)

B. *Responda a las preguntas.*

1. ¿A qué hora vuelves hoy a casa?
   Answers will vary.
2. ¿Recuerdas tu primera Navidad? ¿Qué recuerdas?
   ____
   ____
3. Uds. no duermen en sus clases, ¿verdad?
   ____

4. ¿Quién en tu familia puede conducir un camión *(truck)*?

____

5. ¿En qué tienda encuentra tu mamá su ropa?

____

6. ¿Vuelven Uds. a la clase de español el sábado?

____

V. Repaso

Escriba oraciones originales con los elementos siguientes.

1. mi hermano / no poder

   Mi hermano no puede . . .

2. yo / recordar

   Yo recuerdo . . .

3. mi familia y yo / preferir

   Mi familia y yo preferimos . . .

4. ¿Ud. / querer?

   ¿Quiere Ud. . . . ?

5. las vacaciones de verano / empezar

   Las vacaciones de verano empiezan . . .

6. nosotros / no volver

   Nosotros no volvemos . . .

Lección 21

I. Vocabulario

A. ***Encuentre los nombres de veinte comidas en el buscapalabras.***

T N E M A R E C O D A C S E P N I S

M A I Z S E D F N O D E S O N O Y E

E E N C U E N L E C H E T R A L A S

A M E L E R B A L A N O I C T U L O

C L E D Z A N N I L O R A P O L L O

S U R O C A E L L I V L N E M E R G

A E N N E T N E L L E I V E A K O H

N N E E T N E A V C E S E E T S S E

T E A N B U N K H E R R L L E I H L

F T H Z G I E U E O E R H T D A O A

I V E Z N E G R O F R I J O L E S D

E N P E R A E G E N B I S T E C O O

R O A S A Y M A S O M A A N G H A M

O R P T N O C E Y D A D I L A U U C

L D A R R O Z E D A D I I A T L A N

E C O M S I M A S L R E V I N E U D

L E S T E A S H I U E E S T E T S A

A T N A N C S M E L E T G N C A F E

N D O G E S O T A N O D S U L C I S

I N O O S N O L U N E U C A N O I C

V A B A N A N A F R O P L E P M A T

Words in the puzzle:

leche
pescado
lechuga
banana
helado
bistec
pastel de manzana
pera
tomate
pollo
café
chuleta
flan
mango
maíz
papa
zanahoria
frijoles
arroz
limón

B. *Responda a las preguntas.*

1. ¿Qué te gustan más, las zanahorias o las bananas?
   Answers will vary.
2. ¿Quién en tu familia es el mejor cocinero?
   ____
3. ¿Cuál es el postre favorito de tu papá o de tu mamá?
   ____
4. ¿Cuál es la carne favorita de un gato típico como *Heathcliff* ?
   ____
5. ¿Toman Uds. agua mineral cuando van a un restaurante elegante?
   ____
6. ¿Sabes qué fruta recomiendan con pescado? ¿Cuál es?
   ____
7. ¿Qué vegetales usas para una ensalada?
   ____

II. Verbos con cambios *e→i*

Escriba la forma correcta del verbo indicado.

1. Roberto ***pide*** leche para el desayuno. (pedir)
2. Yo ***sirvo*** chuletas de cerdo cuando me visitan mis tíos. (servir)
3. El mesero ***repite*** la lista de postres. (repetir)
4. Yo ***pido*** torta de chocolate porque es mi favorita. (pedir)
5. ¿Cuándo ***repites*** el versículo tú? (repetir)
6. En nuestro restaurante (nosotros) ***servimos*** a mucha gente interesante. (servir)
7. Josefina ***pide*** una naranja antes de la cena. (pedir)
8. María Nieves y yo siempre ***pedimos*** arroz con leche en este restaurante. (pedir)
9. La Sra. de Soto ***sirve*** bistec, papas y vegetales verdes. (servir)
10. Yo le ***repito*** al cocinero que estamos muy contentos con su pastel de manzana. Está sabroso. (repetir)
11. (Tú) ***pides*** el plato que quieres y yo pago la cuenta. ¿Está bien? (pedir)
12. Uds. me ***sirven*** una comida verdaderamente inolvidable. Muchísimas gracias por todo, señores. (servir)

III. Saber vs. conocer

***Escriba la forma correcta de* saber *o* conocer.**

1. Mi abuela ***conoce*** al cocinero de este restaurante.

2. Yo ___sé___ cómo se llama, pero no lo ___conozco___ personalmente.
3. El mesero me ___conoce___ , y él ___sabe___ qué mesa prefiero.
4. Comemos aquí frecuentemente. Es por eso que tú ___sabes___ de memoria el menú.
5. Yo ___sé___ cocinar pero no me gusta.
6. ¿___Conoces___ (tú) personalmente al presidente de la nación?
7. ¿___Sabe___ Ud. cuánto va a ser la propina?

IV. Adverbios que terminan en *-mente*

Termine las oraciones con un adverbio apropiado.

1. Mi perro tiene ojos tristes. Me mira ___tristemente___ .
2. La tarea es fácil. La hago ___fácilmente___ .
3. La iglesia es un lugar solemne. Allí hablamos ___solemnemente___ .
4. Los jóvenes están alegres esta noche. Cantan ___alegremente___ .
5. Andrés está muy contento porque su mamá le está preparando su plato favorito. Va a comer su comida muy ___contentamente___ .

V. Repaso

Responda a las preguntas.

1. ¿Sabes cómo se llama el Vice-Presidente?

   Answers will vary.

2. ¿Cómo hablan Uds. con sus amigos, seriamente o alegremente?

   ___

3. ¿Qué pide Ud. cuando va a su restaurante favorito?

   ___

4. Los conejos *(rabbits)* comen vegetales. ¿Qué comen los perros y los gatos?

   ___

5. ¿Quién te quiere locamente?

   ___

Capítulo Nueve

Lección 22

I. Vocabulario

A. *Escriba el antónimo (lo contrario) de cada palabra.*

1. delgado: *gordo*
2. pequeño: *grande*
3. largo: *corto*
4. liso: *rizado*
5. alta: *baja*

B. ***Describe each character in the illustrations below. Include a physical description and the approximate age of the character.***

Modelo: Se llama Susana. Es delgada y tiene el pelo rubio y liso. Tiene la nariz pequeña. Tiene diez años.

Susana

Pepe

Sra. García

Lalo

Dr. Méndez

1. ______________________________
   ____
2. ______________________________
   ____
3. ______________________________
   ____
4. ______________________________
   ____

II. La forma comparativa (I)

A. *Comparativos. Compare los tres jugadores de fútbol americano usando los adjetivos indicados. Siga el modelo.*

Modelo: alto
Tomás es menos alto que Pedro, pero es más alto que Felipe.

1. delgado ______________________

____

____

____

____

Pedro Tomás Felipe

2. fuerte ______________________

____

3. atlético ______________________

____

B. *Escriba comparaciones entre las cosas, personas y lugares siguientes. Use los adjetivos entre paréntesis.*

Modelo: un Honda Accord . . . un Porsche (rápido)
Un Honda Accord es menos rápido que un Porsche.

1. el tenis . . . el fútbol (interesante)
   El tenis es menos interesante que el fútbol.
2. el inglés . . . el chino (difícil)
   El inglés es menos difícil que el chino.
3. un televisor . . . una radio (caro)
   Un televisor es más caro que una radio. / Una radio es menos caro que un televisor.
4. mi papá . . . Sansón (fuerte)
   ¡Mi papá es más fuerte que Sansón!
5. Alberto Einstein . . . mi amigo (intelectual)
   Alberto Einstein es más intelectual que mi amigo.
6. el Cadillac . . . el Chevrolet (elegante)
   El Cadillac es más elegante que el Chevrolet.
7. el monumento Washington . . . la Casa Blanca (alto)
   El monumento Washington es más alto que la Casa Blanca.
8. los Rockefeller . . . yo (rico)
   Los Rockefeller son más ricos que yo.
9. un Honda Civic . . . un Lincoln Continental (económico)
   Un Honda Civic es más económico que un Lincoln Continental.
10. Bill Clinton . . . Ronald Reagan (popular)
    Bill Clinton es menos popular que Ronald Reagan.

III. La forma comparativa (II)

Compare las cosas y personas usando los adjetivos entre paréntesis.

Modelo: la nota A / la nota C (bueno)
La nota A *es mejor que* la nota C.

1. la nota D / la nota B (malo)
   La nota D es peor que la nota B.
2. Juan tiene ocho años. / Paco tiene nueve años. (menor)
   Juan es menor que Paco.
3. Marcos: 5′5″, 140 lbs. / Roberto: 5′3″, 115 lbs. (grande)
   Marcos es más grande que Roberto.
4. las hamburguesas de McDonald's / las hamburguesas de Burger King (bueno)
   Las hamburguesas de McDonald's son mejores que las de Burger King.
5. el Yugo / el Hundai (malo)
   El Yugo es peor que el Hundai.
6. mi papá / mi mamá (mayor)
   Mi papá es mayor que mi mamá.
7. mi ciudad / Nueva York (grande)
   Mi ciudad es menos grande que Nueva York.

IV. La forma superlativa

¿Conoce bien su ciudad? Responda con su opinión.

1. ¿Cuál es el restaurante más caro?
   Answers will vary.
2. ¿Cuál es la escuela más grande?
3. ¿Cuáles son las tiendas más elegantes?
4. ¿Cuáles son las personas más populares o famosas?
5. ¿Dónde están las casas más grandes?
6. ¿Cuál es el supermercado más barato?
7. ¿Cuál es el lugar turístico más popular?

Lección 23

I. Vocabulario

Escriba el pronombre reflexivo correcto.

1. Dolores ___se___ peina frecuentemente.
2. Tú ___te___ despiertas tarde los sábados.
3. Voy a cepillar ___-me___ los dientes antes de salir.
4. ___Me___ levanto a las ocho.
5. Mi abuelo ___se___ afeita y después ___se___ ducha.
6. Nosotros ___nos___ ponemos abrigos cuando hace frío.
7. Yo ___me___ miro en el espejo para peinar ___-me___.
8. Después de comer, nosotros ___nos___ cepillamos los dientes.
9. Marcos ___se___ despierta a las seis y media de la mañana.
10. Uds. no ___se___ peinan nunca durante el día.
11. Yo ___me___ baño antes de acostar ___-me___ .
12. ¿A qué hora ___te___ bañas?
13. Los jugadores ___se___ ponen sus uniformes antes del partido.

II. Los verbos reflexivos: cuidado personal

A. *Escriba la forma correcta de los verbos reflexivos entre paréntesis.*

1. Eunice siempre ___se baña___ por la mañana. (bañarse)
2. Yo ___me acuesto___ temprano durante la semana. (acostarse)
3. José no tiene que ___afeitarse___ todos los días. (afeitarse)
4. ¿Por qué ___te miras___ (tú) tanto en el espejo? (mirarse)
5. Nosotros ___nos levantamos___ a las seis de la mañana. (levantarse)
6. Yo ___me lavo___ las manos antes de comer. (lavarse)
7. ¿Uds. ___se visten___ antes de bañarse? (vestirse)
8. ¿ ___Se levanta___ Ud. con dificultad por las mañanas? (levantarse)
9. ¿(Tú) ___te preparas___ bien para tus clases? (prepararse)
10. Yo ___me visto___ de traje y corbata hoy. (vestirse)

B. *¿Qué hace primero?* *(What do you do first?)* *Siga el modelo.*

Modelo: bañarse / quitarse la ropa
Primero me quito la ropa, después me baño.

1. ducharse *(to shower)* / vestirse

   Answers will vary.

2. lavarse / peinarse

   ____

3. vestirse / afeitarse

____

4. cepillarse los dientes / despertarse

____

5. peinarse / ponerse el perfume

____

C. *Responda a las preguntas.*

1. ¿A qué hora te despiertas los domingos?

   Answers will vary.

2. ¿Quién en tu familia se levanta primero?

   ____

3. ¿Te lavas la cara cuando te acuestas?

   ____

4. ¿Se peina todos los días tu papá?

   ____

5. ¿A qué hora se acuestan Uds. durante la semana?

   ____

D. *¿Reflexivo o no? Escriba el pronombre reflexivo en las frases que lo necesitan.*

Modelo: Carmen ___*se*___ peina delante del espejo.
Raquel ___—___ pone sus libros en la cama.

1. Rafael ___**se**___ cepilla los dientes después de comer.
2. Margarita y Rosita ___**—**___ bañan su perrito.
3. Mamá ___**—**___ despierta a los niños a las ocho.
4. Yo ___**me**___ despierto temprano.
5. La enfermera *(nurse)* ___**—**___ baña a su paciente.
6. Nosotros ___**nos**___ ponemos los zapatos.
7. ¿Tú ___**te**___ quitas el sombrero antes de entrar en la casa?
8. Yo ___**—**___ pongo mi guante de béisbol debajo de la cama.
9. Los jugadores ___**se**___ duchan después del partido de voleibol.
10. Jaime ___**se**___ lava el pelo todos los días.

III. Adjetivos demostrativos

The forms of the demonstrative adjective* este *modify nouns that are very near to, or in the possession of the speaker. The forms of* ese *indicate that the nouns in question are somewhat distant from the speaker, possibly near or in the possession of the person being spoken to. The forms of* aquel *indicate a great distance between the nouns and the speaker. Use the cues in italics to determine the distance of the noun to the speaker of the sentence. Use the correct form of the appropriate demonstrative adjective.

Modelo: ___Esta___ cadena *que tengo en la mano* es de oro.
(*en la mano* indica "cerca de mí".)
Me gusta ___ese___ sombrero nuevo *que llevas.*
(*que llevas* indica "algo lejos de mí".)
___Aquellas___ montañas *en la distancia* son altas.
(*en la distancia* indica "muy lejos de mí".)

1. ___Ese___ cuaderno *que está en la mesa* es de Enrique.
2. ___Este___ vestido *que llevo* no es de mi talla.
3. José vive en ___aquella___ casa *allí* a la derecha.
4. ¿Qué es ___esta___ cosa *que tengo en la mano*?
5. ___Aquellos___ muchachos están *muy lejos* de nosotros.
6. ___Estas___ casas *aquí* son muy elegantes.
7. ¿De quién son ___esos___ libros *que Ud. tiene* en su escritorio?
8. ___Aquel___ perro *al otro lado de la casa* es de Eugenio.
9. ___Estas___ señoras *a mi lado* son españolas.
10. ___Esos___ relojes *en el mostrador* me gustan mucho.

IV. Otros usos del artículo definido

Contradicciones. Cuando su amigo expresa una opinión, Ud. expresa una opuesta. Siga el modelo.

Modelo: Me gustan los carros japoneses. (americanos)
—Yo prefiero los americanos.

1. Me gustan los pantalones negros. (rojos) Yo prefiero los rojos.
2. Me gusta la música de guitarra. (de piano) Yo prefiero la de piano.
3. Me gusta la literatura inglesa. (americana) Yo prefiero la americana.
4. Me gustan las chicas rubias. (de pelo rojo) Yo prefiero las de pelo rojo.
5. Me gusta el abrigo largo. (corto) Yo prefiero el corto.

Lección 24

I. Vocabulario

A. *Escriba la parte del cuerpo asociada con el sustantivo indicado.*

1. el sombrero *la cabeza*
2. los zapatos *los pies*
3. los pantalones *las piernas*
4. los guantes *las manos*
5. la bufanda *el cuello*
6. los lentes *los ojos*
7. el dentista *los dientes*

B. *Termine las oraciones con el nombre de una parte del cuerpo.*

Modelo: Para jugar al béisbol usamos los brazos, las manos y las piernas.

1. Para jugar al baloncesto usamos *los brazos, las manos y las piernas*.
2. Para jugar al fútbol usamos *las piernas* y *los pies*, pero no podemos usar *las manos*.
3. Tenemos dos manos: *la mano* derecha *(right)* y la mano izquierda *(left)*.
4. La mayor parte de los pitchers de béisbol usan *el brazo* derecho, pero algunos usan el brazo *izquierdo*.
5. Para jugar al voleibol usamos *los brazos y las manos*.
6. Para patinar *(to skate)* usamos *las piernas y los pies*.

C. *Encuentre en el buscapalabras quince palabras relacionadas con las partes del cuerpo.*

D	S	E	A	V	O	H	A	Z	E	B	A	C	E	J
E	I	M	A	D	A	N	R	O	T	S	A	P	I	M
C	U	E	L	L	O	T	L	A	S	O	D	E	D	F
S	E	R	N	A	G	R	U	P	I	N	E	A	R	A
P	O	D	A	T	A	C	E	I	I	L	E	D	E	D
I	H	E	R	M	E	S	O	J	T	E	S	A	P	S
E	S	N	I	A	C	S	S	E	A	D	L	A	R	A
R	T	R	Z	O	E	I	P	F	N	O	C	R	O	A
N	A	I	H	O	M	B	R	O	S	M	A	R	J	A
A	P	O	C	I	O	R	M	A	M	M	A	N	O	L
S	A	Z	O	C	B	A	E	R	A	T	S	E	S	A
E	I	C	A	O	D	Z	A	D	L	A	P	S	E	N
L	E	E	T	N	E	O	M	A	N	O	M	A	T	R

boca	cuello	espalda	nariz	piel
brazo	dedos	hombros	ojo	piernas
cabeza	dientes	mano	oreja	pies

II. Otros usos de los verbos reflexivos

A. ¿Reflexivo o no?

1. Yo ___duermo___ en mi cama. (dormir / dormirse)
2. La clase de geometría no es muy interesante, y Álvaro ___se duerme___ porque está aburrido. (dormir / dormirse)
3. ¿Cómo ___se llama___ Ud.? (llamar / llamarse)
4. ___Siento___ mucho oír que su hermano está en el hospital. (sentir / sentirse)
5. ¿Dónde ___queda___ el estadio de fútbol? (quedar / quedarse)
6. Micaela y yo ___vamos___ a la fiesta juntos. (ir / irse)
7. Lola está enferma hoy. ___Se siente___ muy mal. (sentir / sentirse)
8. Mis padres ___se van___ de vacaciones, pero yo ___me quedo___ aquí. (ir / irse) (quedar / quedarse)

B. Responda a las preguntas.

1. ¿Te duermes en una de tus clases?
   Answers will vary.
2. ¿Cómo te sientes en este momento?
   ______
3. ¿Dónde queda la oficina del director?
   ______
4. ¿Cómo se llama tu hermano mayor?
   ______
5. ¿Te pones un sombrero cuando vas a la iglesia?
   ______
6. ¿Por qué se miran Uds. en el espejo?
   ______

III. El infinitivo de los verbos reflexivos

A. Antónimos. Escriba el verbo de sentido contrario.

1. dormirse: ___despertarse___
2. levantarse: ___acostarse___
3. quedarse: ___irse___
4. quitarse: ___ponerse___

B. Escriba la forma correcta de los verbos reflexivos.

1. Voy a ___acostarme___ temprano esta noche. (acostarse)
2. Luis tiene que ___levantarse___ a las seis. (levantarse)
3. No queremos ___quedarnos___ aquí sin Uds. (quedarse)
4. ¿Prefieres ___ducharte___ por la mañana o por la noche? (ducharse)
5. Ud. ___se despierta___ fácilmente, ¿no? (despertarse)

6. Primero yo ___**me levanto**___, y después ___**me baño**___.
(levantarse / bañarse)
7. Fredi no puede hablar contigo ahora porque está ___**duchándose**___.
(ducharse)
8. Pablo ___**se afeita**___ después de ___**bañarse**___. (afeitarse / bañarse)
9. Debes ___**ponerte**___ el sombrero; el sol está muy fuerte hoy. (ponerse)
10. Cuando juego al *Monopolio* yo ___**me divierto**___ mucho. (divertirse)

C. *¿Reflexivo o no?*

1. Lisa ___**acuesta**___ a su hermanito a las ocho. (acostar / acostarse)
2. Mamá siempre ___**prepara**___ una buena comida. (preparar / prepararse)
3. Elena y Maricela van a ___**ponerse**___ los vestidos nuevos para el programa.
(poner / ponerse)
4. Chele ___**se ducha**___ después del partido de fútbol. (duchar / ducharse)
5. ¿Tú ___**te sientes**___ nervioso cuando tomas un examen? (sentir / sentirse)
6. Pues, ¿tú ___**te quedas**___ o te vas? (quedar / quedarse)
7. Voy a ___**mirar**___ la televisión un rato. ¿Está bien? (mirar / mirarse)

IV. Crucigrama

Horizontal

2. otro nombre para una escuela secundaria
4. a, b, c, ch, d, e, f . . .
6. el color que resulta al combinar azul y amarillo
10. el presente de *dormir*, forma "tú"
11. un juego que contiene dos equipos *(teams)* con hombres altos
13. el animal que dice "guau, guau"
14. un adjetivo demostrativo masculino plural que indica mucha distancia
18. un instrumento para escribir
19. el mes después de julio
20. producir música vocal
22. un libro que contiene himnos
23. lo contrario de *detrás de*
24. otra palabra para *pastor*
27. lo contrario de *abrir*
29. el día antes del jueves
30. *80* en español
32. el presente de *estar*, forma "yo"

Vertical

1. "Todo lo puedo en Cristo que me fortalece". ________4:13
3. un artículo de ropa para el cuello cuando hace frío
4. un sínonimo de *carro*
5. la forma "nosotros" del verbo *tener* en el presente
7. la forma "yo" del verbo *servir* en el presente
8. una ropa para mujeres que se usa con una blusa
9. el hermano de tu papá
12. infinitivo para *trabajamos*
13. un objeto que el pítcher usa en el béisbol
15. hablar con Dios
16. el artículo definido plural femenino
17. contrario de *derecha*
20. controlar un carro
21. lo contrario de *vender*
25. un instrumento que indica las horas del día
26. el día después del sábado
27. una ropa para hombres que se usa con corbata
28. la forma "yo" del verbo *abrir* en el presente
31. *Sears, J.C. Penney, Montgomery Ward*

1 Filipenses
2 colegio
3 bufanda
4 alfabeto
4 automóvil
5 tenemos
6 verde
7 sirvo
8 falda
9 tío
10 duermes
11 baloncesto
12 trabaja
13 perro
13 pelota
14 aquellos
15 ora
16 la
17 izquierda
18 lápiz
19 agosto
20 cantar
20 conducir
21 comprar
22 himnario
23 delante de
24 predicador
25 reloj
26 domingo
27 cerrar
27 camisa
28 abro
29 miércoles
30 ochenta
31 almacén
32 estoy

Capítulo Diez

Lección 25

I. Acabar de + infinitivo

Cambie las oraciones para indicar acción completada.

Modelo: Enrique toma su examen.
Enrique *acaba de tomar* su examen.

1. El profesor enseña su clase de álgebra.
   . . . acaba de enseñar . . .
2. Pedro y Tito juegan un partido de tenis.
   . . . acaban de jugar . . .
3. Nuestro equipo gana el campeonato.
   . . . acaba de ganar . . .
4. Yo mando una carta a los Torres en Lima, Perú.
   . . . acabo de mandar . . .
5. Dorina y yo compramos una tarjeta postal en el aeropuerto.
   . . . acabamos de comprar . . .
6. Tú cuelgas el teléfono, ¿no?
   . . . acabas de colgar . . .
7. Elba y yo hablamos por teléfono.
   . . . acabamos de hablar . . .
8. El cartero llega con una carta para Lorenzo.
   . . . acaba de llegar . . .

II. El pretérito: los verbos regulares *-ar*

A. *Ahora escriba el verbo en el pretérito.*

1. El profesor ***enseñó*** su clase de álgebra. (enseñar)
2. Pedro y Tito ***jugaron*** un partido de tenis. (jugar)
3. Nuestro equipo ***ganó*** el campeonato. (ganar)
4. Yo ***mandé*** una carta a los Torres en Lima, Perú. (mandar)
5. Dorina y yo ***compramos*** una tarjeta postal en el aeropuerto. (comprar)
6. Tú ***colgaste*** el teléfono, ¿no? (colgar)
7. Elba y yo ***hablamos*** por teléfono. (hablar)
8. El cartero ***llegó*** con una carta para Lorenzo. (llegar)

B. *Cambie los verbos al pretérito y escriba oraciones originales.*

1. Uds. llegan ***Uds. llegaron . . .***
2. Javier canta ***Javier cantó . . .***
3. Mi mejor amigo(a) y yo hablamos ***Mi mejor amigo(a) y yo hablamos . . .***
4. Tú mandas ***Tú mandaste . . .***
5. Yo preparo ***Yo preparé . . .***
6. Tú cuelgas ***Tú colgaste . . .***
7. Mi equipo juega ***Mi equipo jugó . . .***
8. Mis abuelos cuentan ***Mis abuelos contaron . . .***
9. Yo me acuesto ***Yo me acosté . . .***
10. Mi familia y yo ayudamos ***Mi familia y yo ayudamos . . .***

C. *Responda a las preguntas. Note que algunas están en el pretérito y otras están en el presente.*

1. ¿Pasaste tú la aspiradora el sábado?

   Answers will vary.
2. ¿Quién plancha la ropa en tu casa normalmente? ¿Quién planchó la ropa que tú llevas hoy?
3. ¿Qué número marcas para llamar a casa?
4. ¿No lavó los platos anoche tu mamá? ¿Quién los lavó?

D. *Situaciones. Lea cada situación y decida cuál de los comentarios es el más lógico.*

1. Son las tres y media de la tarde. Tengo mucha hambre. Voy a la cocina y me hago un sandwich. Tomo un vaso de leche y me siento mejor.

   a. Llegó el cartero.

   (b.) Acabo de llegar de la escuela.

   c. Mis amigos me llamaron por teléfono.

2. Pablito no se bañó esta mañana. Se peinó rápidamente. No desayunó pero sí se cepilló los dientes antes de irse de casa. Llegó tarde a la escuela.

   a. No estudió su español anoche.

   b. Está enfermo.

   (c.) Se levantó tarde esta mañana.

3. El cartero está a la puerta de la casa de los misioneros en Iquitos, Perú. Tiene unas cartas y un paquete en la mano. Toca la puerta y contesta la señora Porter. El cartero le da las cartas, pero no le da el paquete.

   a. El paquete es muy grande.

   (b.) El paquete no es para los Porter.

   c. La señora no mandó el paquete.

III. El pretérito: verbos que terminan en *-car, -gar, -zar*

A. *Answer each question as if you were the person in the picture. Write your answers in the spaces provided.*

Modelo: ¿A qué hora llegó Ud. al restaurante, señorita?
Llegué a las doce y media.

1. ¿Cómo jugaste, Rogelio?

   Jugué bien.

2. ¿Qué instrumento tocaste en la competencia, Rebeca?

   Toqué el piano en la competencia.

3. ¿Cuánto pagaste por la camisa, Tomás?

   Pagué quince dólares por la camisa.

4. ¿A qué hora empezaste a estudiar?

   Empecé a estudiar a las siete.

5. ¿De qué sacaste una foto?

   Saqué una foto de mi perro.

B. *Escriba el verbo en el pretérito.*

1. Juegas mucho voleibol. *jugaste*
2. Empiezo a estudiar temprano. *empecé*
3. Pago la cuenta. *pagué*
4. Llegan tarde a la iglesia. *llegaron*
5. Juego en el gimnasio. *jugué*
6. Saco muchas fotos. *saqué*
7. Toco el violín. *toqué*
8. Llego a las ocho. *llegué*
9. Busco un asiento. *busqué*
10. Empezamos el nuevo libro. *empezamos*

IV. La preposición *a* después de ciertos verbos

Escriba la preposición* a *en el espacio si es necesaria.

1. ¿Cuándo empezaste ___a___ estudiar español?
2. Los muchachos quieren ___—___ tomar la clase de cocina.
3. El director del coro nos enseña ___a___ cantar bien.
4. La semana pasada mi hermano empezó ___a___ trabajar allí.
5. En junio yo quiero ___—___ trabajar con mi hermano.
6. La próxima vez, yo voy ___a___ pedir bistec.
7. El pastor y su familia vienen ___a___ cenar con nosotros.
8. Papá quiere ___—___ sacar fotos de los sitios que visitamos.
9. En este momento Rafael sale ___a___ comprar una revista.
10. Yo necesito ___—___ estudiar para mi examen.

V. Repaso

Responda a las preguntas.

1. ¿Qué equipo de béisbol jugó mejor el año pasado?

   ____

2. ¿Qué carro compró su familia la última vez (*last time*)?

   ____

3. ¿Me invitaste a mí a tu fiesta de cumpleaños?

   ____

4. ¿Cuándo empezaron Uds. la lección veinticinco?

   ____

5. ¿A qué hora llegó Ud. a la escuela hoy?

   ____

Lección 26

I. Vocabulario

A. *Responda a las preguntas.*

1. ¿Qué saludo es correcto para empezar una carta al director de la escuela?

   Estimado director:

2. ¿Qué despedida es buena para terminar una carta a tu mejor amigo(a)?

   Con mucho cariño,

3. ¿Qué saludo es bueno para empezar una carta a tus abuelos?

   Queridos abuelos:

4. ¿Qué forma de correspondencia es popular entre los turistas?

   una tarjeta postal

5. ¿Quién trae la correspondencia a tu casa?

   el cartero

6. ¿Qué parte de la carta indica dónde vive el recipiente (la persona que va a recibirla)?

   la dirección

7. Si la carta no lleva esta cosita, el correo no la envía a su destinación.

   la estampilla

B. *Write a letter to a best friend and tell him or her about recent events in the lives of your family. You might tell about a trip you took, a sporting event that you played in or watched, school and church activities, future plans, and so on. Use Maritza's letter as a guide. First start by thinking of the verbs you know, then build your letter around those verbs.*

II. Ejercicio extra: las fechas

En español las abreviaturas para indicar el día y el mes se escriben así:

1 / IV = el primero de abril
4 / VII = el cuatro de julio
25 / XII = el veinticinco de diciembre

¿Cuál es la fecha? Escriba el día y el mes indicados por las abreviaturas.

1. 25 / V *el veinticinco de mayo*
2. 12 / X *el doce de octubre*
3. 6 / I *el seis de enero*
4. 14 / VII *el catorce de julio*
5. 11 / VI *el once de junio*

III. El pretérito: los verbos regulares *-er, -ir*

A. *Escriba el verbo indicado en la forma correcta del pretérito.*

1. Los niños *rompieron* sus juguetes poco después de recibirlos. (romper)
2. Margarita *perdió* la tarea en el autobús. (perder)

3. Yo *recibí* una *A* por mi composición. (recibir)
4. Nosotros *abrimos* los libros a la Lección 26. (abrir)
5. Jorge Washington *nació* el 22 de febrero. (nacer)
6. ¿Cuándo *naciste* tú? (nacer)
7. ¿En qué año Colón *descubrió* América? (descubrir)
8. ¿A qué hora *abriste* (tú) los ojos esta mañana? (abrir)
9. Los niños *aprendieron* canciones en la escuela dominical. (aprender)
10. Ana y yo *recibimos* regalos idénticos el día de Navidad. (recibir)

B. *Cambie el verbo al pretérito.*

1. Aprendo a nadar. *aprendí*
2. Él recibe una carta. *recibió*
3. Rompo el vaso. *rompí*
4. Descubrimos el secreto. *descubrimos*
5. El pierde el dinero. *perdió*
6. Abren la Biblia. *abrieron*
7. Nazco el 14 de marzo. *nací*
8. Aprenden el Salmo 23. *aprendieron*
9. Salgo a las tres y media. *salí*
10. Comes dos hamburguesas. *comiste*

C. *Preguntas.*

1. ¿Qué recibiste en tu cumpleaños?

____

2. ¿Qué comieron Uds. anoche para la cena?

____

3. ¿Abriste tu ventana durante la noche?

____

4. ¿Qué aprendieron Uds. ayer en español?

____

5. ¿A qué hora saliste de casa esta mañana para venir a la escuela?

____

D. *Más preguntas.*

1. ¿Quién descubrió la electricidad?

   Ben Franklin descubrió la electricidad.

2. ¿Qué novela leíste en tu clase de inglés el semestre pasado?

   Leí . . .

3. ¿Quiénes escribieron los cuatro Evangelios (los cuatro primeros libros del Nuevo Testamento)?

   Mateo, Marcos, Lucas y Juan los escribieron.

4. ¿A qué hora empezó la clase de español?

   Answer will vary.

5. ¿Asististe a la iglesia esta mañana?

   Answer will vary.

IV. Crucigrama

Las formas regulares del pretérito

Horizontal

3. entrar (tú)
5. visitar (yo)
7. asistir (yo)
9. entender (yo)
10. aprender (Ud.)
13. jugar (yo)
16. comprar (ellos)
17. contestar (yo)
18. mirar (yo)
19. desear (tú)
20. escribir (Uds.)

Vertical

1. bañar (tú)
2. lavar (yo)
4. salir (yo)
5. vender (Ud.)
6. usar (yo)
8. trabajar (tú)
11. entender (Uds.)
12. terminar (ellos)
14. usar (nosotros)
15. tomar (yo)

1 bañaste
2 lavé
3 entraste
4 salí
5 visité
5 vendió
6 usé
7 asistí
8 trabajaste
9 entendí
10 aprendió
11 entendieron
12 terminaron
13 jugué
14 usamos
15 tomé
16 compraron
17 contesté
18 miré
19 deseaste
20 escribieron

V. Pronombres demostrativos

Al contrario. Tú nunca quieres lo que te quieren dar. Responde según los modelos usando el pronombre demostrativo correcto.

Modelo: ¿Quieres este libro?
—No, no quiero ése.

1. ¿Quieres estas fotos? ***No, no quiero ésas.***
2. ¿Quieres esta pluma? ***No, no quiero ésa.***
3. ¿Quieres este carro? ***No, no quiero ése.***
4. ¿Quieres estos sandwiches? ***No, no quiero ésos.***

Modelo: ¿Deseas ese traje?
—No, ya tengo éste.

1. ¿Deseas esos cepillos? ***No, ya tengo éstos.***
2. ¿Deseas esas faldas? ***No, ya tengo éstas.***
3. ¿Deseas esa camisa? ***No, ya tengo ésta.***
4. ¿Deseas ese sombrero? ***No, ya tengo éste.***

Modelo: ¿Te gustan esos libros?
—Sí, pero me gustan más aquéllos.

1. ¿Te gusta ese restaurante? ***Sí, pero me gusta más aquél.***
2. ¿Te gustan esas tiendas? ***Sí, pero me gustan más aquéllas.***
3. ¿Te gustan esos zapatos? ***Sí, pero me gustan más aquéllos.***
4. ¿Te gusta esa canción? ***Sí, pero me gusta más aquélla.***

Lección 27

I. El pretérito de *ir* y *ser*

A. *¿Adónde fueron para sus vacaciones? Siga el modelo.*

Modelo: España: los señores García
Los señores García fueron a España.

1. Puerto Rico: Tomás Rodríguez *Tomás Rodríguez fue a Puerto Rico.*
2. Venezuela: mi hermano *Mi hermano fue a Venezuela.*
3. México: tú *Tú fuiste a México.*
4. Argentina: Manuel y Roberto *Manuel y Roberto fueron a Argentina.*
5. Perú: Nosotros *Fuimos a Perú.*

B. *Complete cada oración con la forma correcta de* ser *o* ir. *Escriba el infinitivo del verbo correcto al lado del número.*

ir 1. En diciembre Carolina *fue* a Cali para estudiar.
ser 2. Ella *fue* estudiante en Miami antes de ir a Cali.
ir 3. En marzo nuestros padres *fueron* a visitarla.
ir 4. Mis hermanos y yo *fuimos* a vivir con nuestros tíos.
ir 5. Yo *fui* al aeropuerto a recogerlos (*pick them up*).

II. El pretérito de *dar* y *ver*

Cambie los verbos al pretérito.

1. La profesora da un examen hoy. *dio*
2. Las chicas ven sus fotos en el periódico. *vieron*
3. Yo voy al zoológico el sábado. *fui*
4. Los miembros de mi iglesia les dan mucho dinero a los misioneros. *dieron*
5. Yo veo los cuadros en la galería de arte. *vi*
6. Nosotros vamos a la iglesia el miércoles. *fuimos*
7. Tú me das tu dirección. *diste*
8. Pedro ve a Lucrecia en el estadio. *vio*
9. ¿Vas al centro esta tarde? *fuiste*
10. Les damos libros a los niños pobres. *dimos*

III. El pretérito de *leer, oír, caer*

¿Qué pasó? *(What happened?)* ***Escriba una oración en el pretérito para indicar lo qué pasó en cada ilustración. Use la forma correcta de los verbos*** **leer, oír, caer.**

Modelo: Samuel . . .
Samuel leyó un periódico.

1. Marcos

   Marcos oyó al perro.

2. Lalo y Javier

   Lalo y Javier leyeron las novelas españolas.

3. el vaso

   El vaso se cayó de la mesa.

4. las niñas

   Las niñas oyeron a su mamá.

IV. Repaso

A. *Responda a las preguntas.*

1. ¿Qué regalos te dieron tus padres para tu cumpleaños?

   Answers will vary.

2. ¿Adónde fueron Uds. para sus últimas vacaciones?

3. ¿Qué pasaje (*passage*) de la Biblia leyó tu pastor el domingo?

4. ¿Quién fue el último (*the last*) presidente?

5. ¿Qué programas de televisión viste anoche?

B. *Escriba el verbo en el pretérito.*

1. Soy estudiante. ***fui***
2. Le doy una Biblia. ***di***
3. Me caigo. ***caí***
4. Nos creen. ***creyeron***
5. Elena va a la iglesia. ***fue***
6. Lo creo sinceramente. ***creí***
7. ¿Qué le das? ***diste***
8. Me da cinco centavos. ***dio***
9. Uds. leen las noticias. ***leyeron***

C. *Preguntas*

1. ¿Qué pasó con las murallas *(walls)* de Jericó?

   Las murallas se cayeron.

2. ¿Fuiste a un partido de baloncesto el sábado?

   Sí, fui . . . / No, no fui . . .

3. ¿Quiénes fueron contigo a la iglesia?

   Mi familia fue conmigo . . .

4. ¿Qué vieron Uds. cuando fueron de vacaciones?

   Vimos . . .

5. ¿A quiénes vio Ud. esta mañana antes de venir a la escuela?

   Vi . . .

Capítulo Once

Lección 28

I. Repaso: las formas del pretérito

A. *Escriba la forma correcta del verbo en el pretérito.*

1. Yo *comí* una banana y Elsa *comió* una pera. (comer)
2. Enrique y Carlos *encontraron* al profesor en su oficina. Carolina lo *encontró* en la cafetería. (encontrar)
3. Yo *viví* en Cuzco en 1985 y Miguel *vivió* en Lima el mismo año. (vivir)
4. Mi primo *nació* en Nueva York. Yo *nací* en Tempe. (nacer)
5. Francisco *perdió* las llaves del carro de su papá, pero tú *perdiste* el dinero que te dio. (perder)
6. Yo *jugué* al voleibol ayer. Uds. *jugaron* al béisbol. (jugar)
7. Mis padres *fueron* a un restaurante chino anoche. Mis hermanos y yo *fuimos* a una pizzería. (ir)
8. Yo *pensé* en mis vacaciones cuando vi la foto. Ignacio *pensó* en su familia porque él vive allí. (pensar)
9. Nosotros *comimos* pastel en la fiesta, pero Mateo y Tito sólo *comieron* helado. (comer)
10. Dieguito y yo *volvimos* de la escuela a las cuatro, pero Uds. no *volvieron* hasta las cinco. (volver)
11. Evangelina *tocó* el piano para el dúo. Yo lo *toqué* para el coro. (tocar)

B. *Preguntas.*

1. ¿Cuándo conociste por primera vez a tu mejor amigo(a)?
   Conocí . . .
2. ¿Comieron juntos anoche tú y tu familia?
   Sí, comimos . . .
3. ¿Quién te vendió el libro de español?
   Nadie me lo vendió.
4. ¿Dónde compraste tus zapatos favoritos?
   Los compré . . .

5. ¿Quién te contó la primera historia *(story)* de la Biblia?

   Mis padres me contaron . . .

C. *Más preguntas.* *Answers will vary.*

1. ¿Caminaste a la escuela esta mañana?

   Yo caminé . . .

2. ¿Quién te escribió una carta recientemente?

   Mi amigo me escribió . . .

3. ¿Trabajaste o jugaste el sábado?

   Trabajé . . . / Jugué . . .

4. ¿Tomaron Uds. un examen ayer en la clase de español?

   No tomamos . . .

5. ¿Volvieron Uds. a la escuela el domingo pasado?

   No volvimos . . .

II. El pretérito de los verbos *-ir* con cambios de raíz

Cambie los verbos al pretérito.

1. Carlos pide huevos rancheros.

   pidió

2. Alberto y Paco piden bistec.

   pidieron

3. Los camareros nos sirven con elegancia en el restaurante.

   sirvieron

4. Yo pido fruta y nada más.

   pedí

5. La profesora repite las instrucciones a la clase.

   repitió

6. Rafael y yo pedimos café con leche.

   pedimos

7. Yo duermo ocho horas durante el fin de semana.

   dormí

8. Tú pides helado.

   pediste

9. Carola prefiere carne de res, pero yo prefiero pescado.

   prefirió, preferí

10. Carmencita pide pastel de manzana.

    pidió

11. Antes de cantar, los muchachos se sienten nerviosos.

    sintieron

12. Su abuelo muere rápidamente.

    murió

13. Julio y Daniel duermen diez horas durante sus vacaciones.

    durmieron

14. Después del viaje yo me siento cansada, pero Ud. se siente bien.

    me sentí, se sintió

III. Repaso del pretérito

A. *Escriba la forma correcta del verbo en el pretérito.*

1. Yo ___*comencé*___ a leerlo a las ocho. (comenzar)
2. Andrés nos ___*conoció*___ en diciembre. (conocer)
3. ¿Dónde ___*aprendiste*___ (tú) a hablar español? (aprender)
4. ¿Qué les ___*sirvieron*___ (ellos) en el restaurante italiano? (servir)
5. Yo ___*sentí*___ mucho oír de la enfermedad de tu abuela. (sentir)
6. Jesús ___*murió*___ por ti. (morir)
7. Nosotros ___*dormimos*___ bien anoche. (dormir)
8. Mis padres ___*vendieron*___ la casa en febrero. (vender)
9. Yo ___*compré*___ mi reloj en Sears. (comprar)
10. El banco ___*abrió*___ a las ocho. (abrir)
11. Yo ___*oí*___ hablar del Monstruo del lago Ness, pero no lo ___*vi*___ nunca. (oír / ver)
12. Ayer en la cafetería, José ___*pidió*___ una hamburguesa. (pedir)
13. ¿Tú ___*encontraste*___ el dinero perdido? (encontrar)
14. Ellos ___*repitieron*___ muchas veces que no ___*encontraron*___ nada. (repetir / encontrar)

B. ***¿Qué pasó la semana pasada? Escriba un párrafo o una lista de diez oraciones. Use los verbos siguientes.***

Modelo: Mi hermano Rafael estudió una hora entera la semana pasada.
Yo bañé el perro. Fue muy difícil.

estudiar	levantar(se)	visitar	ir
trabajar	lavar(se)	llegar	ser
mirar	preparar(se)	volver	repetir
hablar	servir	pedir	decidir
practicar	llamar	comprar	dar
escribir	leer	ver	sacar
comer	beber	encontrar	
dormir	oír	invitar	
bañar(se)	escuchar	salir	

Lección 29

I. Vocabulario

Identifique la profesión.

Horizontal

2. Él construye edificios grandes, puentes *(bridges),* plantas nucleares, etc.
4. Él hace trabajo manual en una fábrica *(factory).*
5. Él enseña en la escuela primaria o secundaria.
7. Él defiende a sus clientes en la corte.
9. Ella escribe las cartas que el ejecutivo dicta.
10. Ella ayuda a los pacientes que están en el hospital.

Vertical

1. Ella ayuda a los pasajeros de aviones.
3. Él examina a sus pacientes enfermos. mos.
6. Él está a la cabeza de una compañía grande.
8. Él repara carros y máquinas.

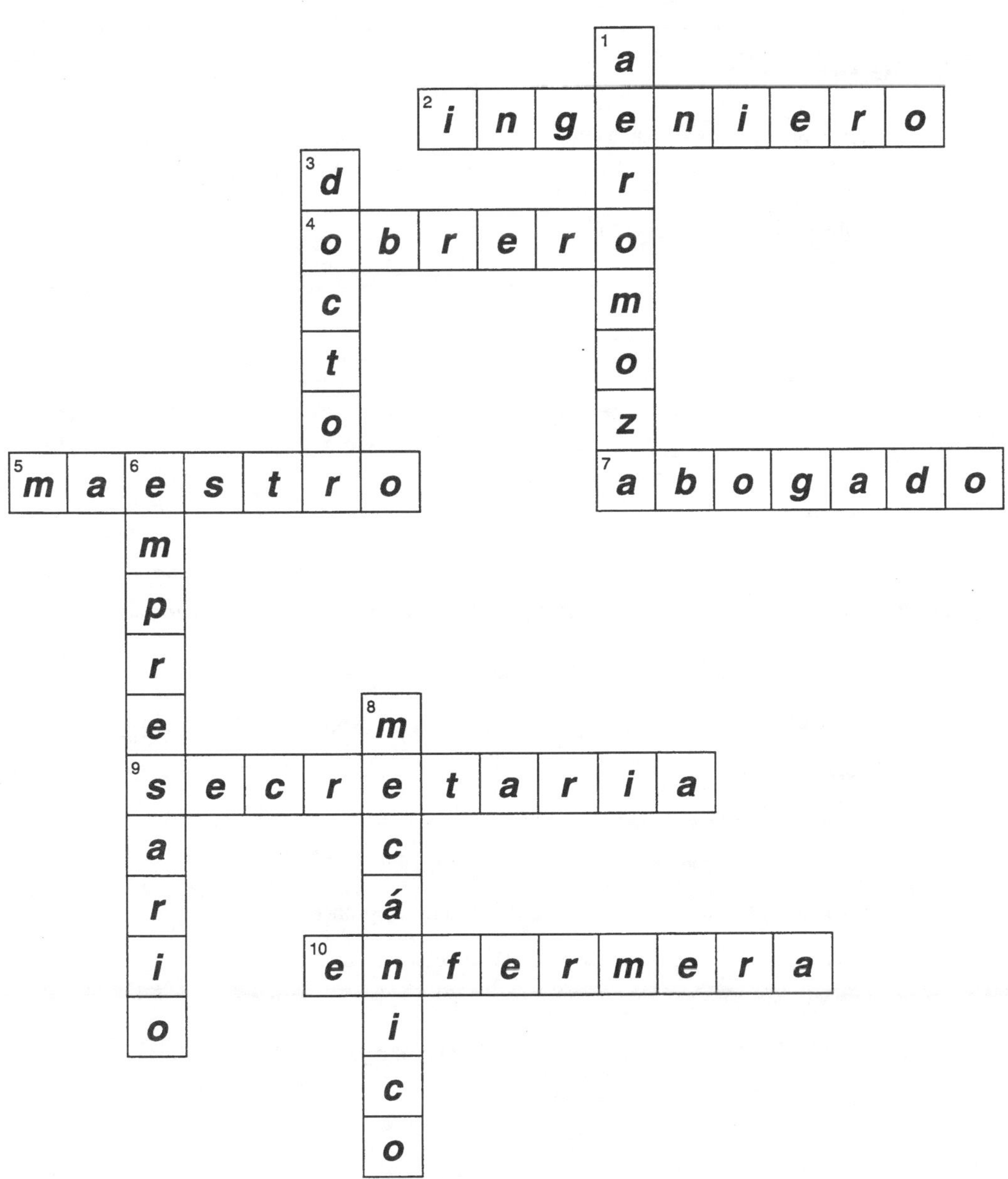

II. Verbo + infinitivo

A. *Complete las oraciones de una manera original usando un infinitivo diferente para cada oración.*

Modelo: A las nueve comenzamos a estudiar historia.

1. Mis amigos(as) van a mi casa a ***Answers will vary.***.
2. Quiero aprender a ______.
3. Ayer mis hermanos salieron a ______.
4. La semana pasada dejé de ______.
5. Roberto siempre se olvida de ______.
6. Esta semana nuestra clase de español empieza a ______.
7. Mi familia y yo tratamos de ______.
8. Mi mejor amigo acaba de ______.
9. El viernes empezamos a ______.
10. Mañana voy a ______.

B. *Preguntas.*

1. ¿Qué deseas comer para la cena esta noche?

   Answers will vary.
2. ¿Qué acaban de practicar Uds.?

   ______
3. ¿Necesitan volver a la clase mañana?

   ______
4. ¿A qué hora vas a comer el almuerzo?

   ______
5. No te vas a olvidar de sacar muchas fotos durantes las vacaciones, ¿verdad?

   ______

C. *Escriba la preposición correcta* (a, de) *en el espacio si es necesaria.*

1. Antes de salir, traté ***de*** llamarte por teléfono.
2. No puedo jugar ahora porque acabo ***de*** llegar ***a*** casa y tengo hambre.
3. A menudo Felipe se olvida ***de*** hacer su tarea.
4. Los misioneros deben ***—*** llegar mañana.
5. Ellos siempre tratan ***de*** levantarse temprano.
6. Pienso ***—*** estudiar para el examen de mañana.
7. Mis amigos empezaron ***a*** estudiar ayer.
8. Rafael y Martín fueron ***a*** Santo Domingo ***a*** visitar la tumba de Cristóbal Cólon.

III. ¿Cuál, cuáles?

***The interrogatives* cuál *and* cuáles *usually preceed a form of the verb* ser *and ask for a choice between two or more items. In this exercise, write questions for the responses below using the correct form of the interrogatives* cuál *or* cuáles.**

Modelo: Mis zapatos favoritos son los negros.
¿Cuáles son tus zapatos favoritos?

1. Mis deportes favoritos son el béisbol y el baloncesto. ***¿Cuáles son tus deportes favoritos?***
2. El Audi es mi carro favorito. ***¿Cuál es tu carro favorito?***
3. Mi número de teléfono es 528-7444. ***¿Cuál es tu número de teléfono?***
4. El carro de mi hermano es el convertible. ***¿Cuál es el carro de tu hermano?***
5. Mis libros favoritos son *Anaconda* y *The Hobbit*. ***¿Cuáles son tus libros favoritos?***
6. Mi postre favorito es el helado de chocolate. ***¿Cuál es tu postre favorito?***
7. Las tiendas que me gustan más son *World Bazaar* y *T.J. Maxx*. ***¿Cuáles son las tiendas que te gustan más?***

IV. Pretéritos irregulares: *decir, traer*

A. *¿Puedes guardar un secreto? Estos jóvenes no pueden hacerlo. Relate cómo pasó el secreto de una persona a otra, usando la forma correcta del verbo* decir *en el pretérito.*

1. Nicolás le ***dijo*** el secreto de Miguel a su hermana.
2. Diana les ***dijo*** el secreto a Sara y Maritza.
3. Ellas nos ***dijeron*** el secreto a nosotros.
4. Nosotros te ***dijimos*** el secreto a ti.
5. Tú le ***dijiste*** el secreto a Javier.
6. Yo le ***dije*** el secreto a Miguel.

B. *El sábado pasado fue el cumpleaños del pastor de los jóvenes. Todos trajeron algún plato que prepararon. Llene el espacio con la forma correcta de* traer *en el pretérito.*

1. Rosa María ***trajo*** lasaña *(lasagna)*.
2. Rafael y Rogelio ***trajeron*** pollo frito (*fried*).
3. Yo ***traje*** el bizcocho de cumpleaños.
4. Los hermanos de Rosa María ***trajeron*** la Pepsi.
5. Marisa ***trajo*** una cacerola de arroz y habichuelas.
6. Tú ***trajiste*** el pan y la ensalada.

V. Composición

¿Cuáles son tus planes para el futuro? Escribe un párrafo para describirlos.

Lección 30

I. La preposición *para*

A. *Los señores Alonzo acaban de volver de vacaciones. Tienen regalos para todos los miembros de la familia: un libro, una cámara, una pluma de plata, unas raquetas de tenis, una caja de chocolates y un disco compacto. ¿Quién va a recibir qué regalo?*

Modelo: A Roberto le gusta leer.
El libro es para él.

1. A Mariana le gusta escribir cartas. La pluma de plata es para ella.
2. A Tito y Toni les gusta jugar al tenis. Las raquetas de tenis son para ellos.
3. A Maritza le gusta sacar fotos. La cámara es para ella.
4. A todos les gusta comer. La caja de chocolates es para todos.
5. A la abuela le gusta la música de guitarra clásica. El disco compacto es para ella.

B. *Termine cada oración de una manera original. Es posible terminar las oraciones con un sustantivo, un pronombre o un infinitivo.*

1. Este verano durante las vacaciones salimos para (destination) ________.
2. El médico se prepara para (goal) ________.
3. Este regalo es para (person) ________.
4. Yo estudio para (goal) ________.
5. Queremos ir al restaurante italiano para (goal) ________.
6. Practicamos los coros para (a point in time) ________.

II. Otros verbos irregulares

A. *Escriba la forma correcta del pretérito de los verbos indicados.*

estar

1. ¿Dónde estuviste tú anoche, Roberto?
2. Yo estuve con Rafael.
3. ¿ Estuvieron Uds. en la casa de Rafael toda la noche?
4. Sí, estuvimos allí con sus padres y sus hermanos.

hacer

5. ¿Qué hicieron ustedes?
6. Nosotros no hicimos nada. Bueno, yo no hice nada. Rafael hizo su tarea; su mamá hizo una torta de chocolate y sus hermanos hicieron planes para el fin de semana.
7. ¿Y tú no hiciste nada, eh?

venir

8. ¿A qué hora viniste tú a casa?

9. Yo ___vine___ a las once y media. Nicolás y Patricio ___vinieron___ conmigo. Nosotros ___vinimos___ para ver una película de *Sherlock Holmes* por televisión.

poder

10. ¿No ___pudieron___ Uds. verla en casa de Rafael?
11. No, nosotros no ___pudimos___ porque su televisor no funciona.
12. ¿___Pudiste___ (tú) encontrar el canal correcto?
13. Sí, Nicolás lo ___pudo___ hacer sin problema.

saber

14. ¿___Supiste___ (tú) cuándo llegué a casa?
15. No, pero mamá lo ___supo___. Mis amigos y yo no ___supimos___ nada porque nos dormimos antes de la medianoche.

B. ***Cambie al pretérito los verbos* invitar *y* querer *en cada oración*.**

Modelo: Le invitan a Ramón a jugar al tenis, pero él no quiere.
Le *invitaron* a Ramón a jugar al tenis, pero él no *quiso*.

1. Le invitan a Pablo a jugar al Monopolio, pero él no quiere.
   invitaron ***quiso***
2. Nos invitan a comer pizza, pero no queremos.
   invitaron ***quisimos***
3. Me invitan a ir al centro, pero no quiero.
   invitaron ***quise***
4. Le invitan a Susana a cantar en el programa, pero no quiere.
   invitaron ***quiso***
5. Te invito a estudiar conmigo, pero no quieres.
   invité ***quisiste***
6. Les invitan a mis padres a viajar a California, pero no quieren.
   invitaron ***quisieron***
7. A Ud. le invitan a tocar el piano, pero no quiere.
   invitaron ***quiso***

C. ***Preguntas personales***

1. ¿Cuándo supiste que el regalo de tu tía nunca llegó?
   Supe . . .
2. ¿Qué tuvieron Uds. que estudiar para hoy?
   Tuvimos que estudiar . . .
3. ¿Quién vino contigo a la escuela hoy?
   Mis hermanos vinieron conmigo . . . / Mi amigo vino . . . / Nadie vino.

4. ¿Hiciste tú el desayuno esta mañana?

   Mi madre lo hizo . . . / Sí, yo lo hice . . .

5. ¿Dónde pusiste tus libros cuando llegaste a casa?

   Los puse . . .

6. ¿Quiénes estuvieron en la clase ayer? ¿todos?

   Estuvieron . . . / Nadie estuvo . . .

7. ¿Pudieron Uds. terminar su examen a tiempo?

   Pudimos . . .

III. La preposición *por*

A. ***Ud. tiene 45 días para viajar por Sudamérica. ¿Por cuántos días va a viajar en cada país?***

Modelo: Colombia
Voy a viajar *por* Colombia *por* siete días.

1. Ecuador *Answers will vary.* __________
2. el Perú __________
3. Bolivia __________
4. Chile __________
5. Argentina __________
6. Venezuela __________

B. ***Tú no tienes dinero, pero tienes algunas cosas que puedes usar para obtener las cosas que quieres. Sigue el modelo.*** *(Do this exercise orally with a friend and then write down your answers.)*

Yo tengo:

Tú tienes:

Modelo: **Tú:** Te cambio (*I will trade you*) mi cámara por tu radio.
Tu amigo: No, pero te cambio mi pelota de fútbol por tu cámara.

1. ______________________________
____
2. ______________________________
____
3. ______________________________
____
4. ______________________________
____
5. ______________________________
____
6. ______________________________
____

C. *¿Por o para?*

1. Te doy cinco dólares ____por____ tu libro de inglés.
2. ____Para____ mañana voy a estar en Tegucigalpa.
3. El regalo es ____para____ mi abuelita.
4. Vamos a vivir en la ciudad de Managua ____por____ seis semanas.
5. Cristo murió en la cruz ____por____ nosotros ____para____ salvarnos de nuestros pecados.
6. *Tom Sawyer* fue escrito (*written*) ____por____ Mark Twain.
7. Salgo ahora ____para____ la biblioteca. Voy a estar allí ____por____ dos o tres horas.
8. No puedes entrar ____por____ la ventana. Tienes que entrar ____por____ la puerta.

IV. Composición: ¿Qué hiciste el verano pasado?

Using the vocabulary from the dialogue on pages 247-48 and from page 249 of your textbook, write a paragraph of at least 50 words about your last vacation. Tell where you went, who went with you, what you did, and what you thought of your trip.

Capítulo Doce

Lección 31

I. Vocabulario

Identifique las cosas en la mesa.

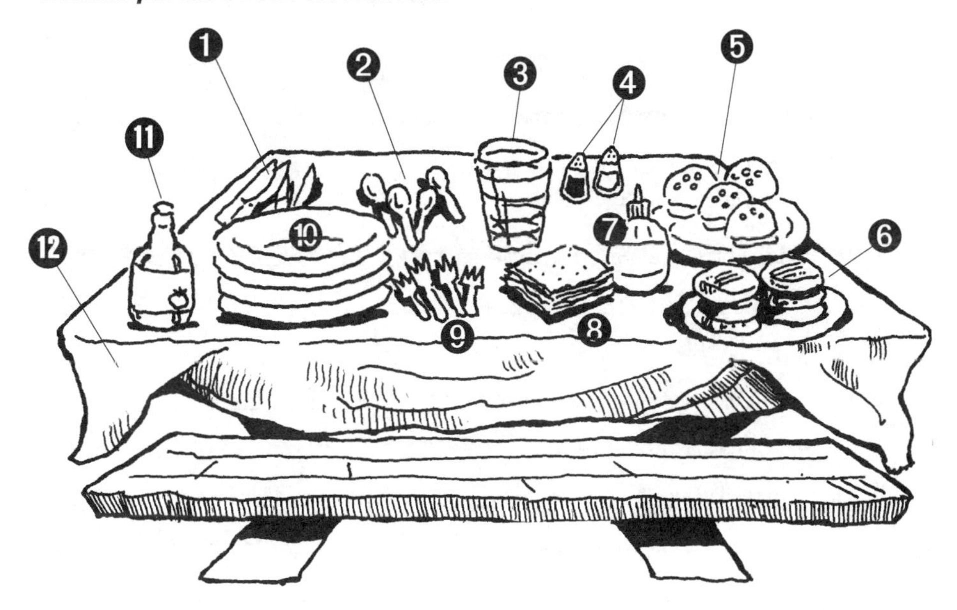

1. *los cuchillos*
2. *las cucharas*
3. *el vaso*
4. *la sal y la pimienta*
5. *el pan para las hamburguesas*
6. *la carne*
7. *la mostaza*
8. *las servilletas*
9. *los tenedores*
10. *los platos*
11. *la salsa de tomate*
12. *el mantel*

II. Repaso: pronombres de objetos directos e indirectos

A. *Responda usando el pronombre del objeto directo. Siga el modelo.*

Modelo: ¿Compraste los refrescos?
Sí, *los* compré.

1. ¿Conoces al presidente de los Estados Unidos? *Sí, lo conozco.*
2. ¿Hiciste la tarea para hoy? *Sí, la hice.*
3. ¿Trajiste el carbón (*charcoal*) para las hamburguesas? *Sí, lo traje.*
4. ¿Quién trajo los platos? ¿Carmen? *Sí, Carmen los trajo.*
5. ¿Quién tiene las servilletas? ¿Tú? *Sí, yo las tengo.*

B. *Responda usando el pronombre del objeto indirecto. Siga el modelo.*

Modelo: ¿Escribiste la carta al senador?
Sí, le escribí la carta.

1. ¿Pediste permiso a tus padres? ***Sí, les pedí permiso.***
2. ¿Escribieron las cartas a las chicas? ***Sí, les escribimos las cartas.***
3. ¿Dijo Ud. la información al director? ***Sí, le dije la información.***
4. ¿Vendieron Uds. la casa a los señores Ruiz? ***Sí, les vendimos la casa.***
5. ¿Te presté el dinero que pediste? ***Sí, me prestaste el dinero que pedí.***

III. La posición de dos complementos

A. *Escriba las oraciones combinando los dos pronombres del complemento.*

Modelo: Me dio el regalo con gran ceremonia.
Me *lo* dio con gran ceremonia.

1. Te vendo la bicicleta por veinticinco dólares. ***Te la vendo por veinticinco dólares.***
2. Me explicaron bien la situación. ***Me la explicaron bien.***
3. Ernesto no te dio el mensaje (*message*). ***Ernesto no te lo dio.***
4. Te compramos la casa en mayo. ***Te la compramos en mayo.***
5. Me preparas las hamburguesas y los perros calientes. ***Me los preparas.***
6. No te digo el secreto porque es personal. ***No te lo digo porque es personal.***

B. *Conteste las preguntas usando dos pronombres del complemento.*

Modelo: ¿Quién te dio los vasos?
Roberto *me los* dio.

1. ¿Quién me prestó el mantel? ***Roberto te lo prestó.***
2. ¿Quién te compró los platos? ***Roberto me los compró.***
3. ¿Me trajiste las fotos? ***Sí, te las traje.***
4. Profesora, ¿me da Ud. permiso para salir temprano? ***Sí, te lo doy.***
5. ¿Te di el dinero para el almuerzo? ***Sí, me lo diste.***

C. *Conteste las preguntas usando el verbo y el infinitivo indicados. Conecte los dos pronombres del complemento al infinitivo.*

Modelo: Papá, ¿puedes prestarme el carro esta noche?
No, no puedo prestártelo.

1. ¿Quieres venderme tu estéreo? ***No, no quiero vendértelo.***
2. ¿Me puedes dar permiso para ir al partido de fútbol con Rafael? ***Sí, puedo dártelo.***
3. Susana, ¿me puedes prestar tu blusa blanca de manga larga? ***Sí, puedo prestártela.***
4. ¿Me puedes prestar tu suéter rojo? ***Sí, puedo prestártelo.***

5. ¿Me quieres vender esos discos compactos que me gustan? ____________

No, no quiero vendértelos.

6. ¿Puedes decirme la fórmula? *No, no puedo decírtela.*

D. *Escriba la forma* yo *del tiempo presente y después la forma* usted *del mandato.*

Modelo: comprar: compro compre

1. hablar: *hablo* *hable*
2. comer: *como* *coma*
3. pedir: *pido* *pida*
4. venir: *vengo* *venga*
5. traer: *traigo* *traiga*
6. llegar: *llego* *llegue*
7. vender: *vendo* *venda*
8. buscar: *busco* *busque*
9. salir: *salgo* *salga*
10. oír: *oigo* *oiga*

E. *Responda a estas situaciones en la forma de mandatos. Use los verbos entre paréntesis.*

Modelo: El Sr. Ramos no quiere ir a la iglesia con su familia. (venir)
Señor, venga Ud. a la iglesia, por favor.

1. Su familia le habla, pero el Sr. Ramos no escucha. (escuchar) ____________

   Señor, por favor, escuche a su familia.

2. El equipo de béisbol de la iglesia necesita otro hombre. Usted invita al pastor de los jóvenes a jugar con ellos el sábado. (venir, jugar) ____________

   Pastor, por favor, venga el sábado. Juegue al béisbol con los jóvenes.

3. El señor Rafael está tan ocupado estos días que no toma tiempo para leer su Biblia ni hablar con Dios en oración. (leer, orar) ____________

   Sr. Rafael, lea su Biblia. Hable con Dios en oración.

4. El pastor de los jóvenes va a ser pastor en otra iglesia en otra ciudad. Analisa quiere tener en su cuaderno la nueva dirección del pastor de los jóvenes. (escribir)

   Pastor, escriba su nueva dirección, por favor.

5. El Sr. Olmos no sabe qué traje comprar, el negro o el azul. (comprar) ____________

   Sr. Olmos, compre el traje negro (azul).

6. La Sra. de Molina quiere traer enchiladas a la fiesta y la Sra. de González piensa que es una buena idea. (traer) ____________

   Sí, Sra. de Molinas, traiga enchiladas a la fiesta, por favor.

7. La Srta. Arias no sabe si debe prestarle a Daniel su máquina de escribir, pero Daniel es una persona responsable. (prestar) ______
Srta. Arias, préstele a Daniel su máquina de escribir.

8. La Sra. de Guzmán no puede decidir si debe hacer un pastel de manzana para sus amigos que vienen a cenar a su casa, pero Ud. sabe que a sus amigos les gustan mucho los pasteles de manzana. (hacer) ______
Sra. de Guzmán, haga un pastel de manzana, por favor.

9. El Sr. Nogales quiere quedarse otro día en la casa de sus amigos antes de volver a España, pero no quiere ser una molestia (*bother*). Ud. sabe que sus amigos lo quieren mucho y no lo consideran una molestia. (quedarse) ______
Sr. Nogales, por favor, quédese otro día.

10. El Dr. Suárez habla con su paciente que necesita descansar más. ¿Qué le dice? (descansar) *Descanse más.*

11. El Dr. Suárez habla con un paciente que trabaja todo el tiempo y que se acuesta tarde todas las noches. ¿Qué le dice? (dormir) *Duerma más.*

F. *Escriba mandatos afirmativos usando la forma usted en su respuesta a cada pregunta. Incluya los pronombres directos e indirectos si es necesario.*

Modelos: ¿Lo hago o no? Hágalo.
¿Te leo el cuento? Léamelo.

1. ¿Lo como? *Cómalo.*
2. ¿Te explico el problema? *Explíquemelo.*
3. ¿Las compro? *Cómprelas.*
4. ¿Te digo la verdad? *Dígamela.*
5. ¿Les escribo a Uds. la carta? *Escríbanosla.*
6. ¿La pongo en la cocina? *Póngala en la cocina.*
7. ¿Lo vendo o no? *Véndalo.*
8. ¿La traigo o no? *Tráigala.*
9. ¿Me levanto temprano? *Levántese temprano.*
10. ¿Te cuento la historia? *Cuéntemela.*
11. ¿Me quedo o no? *Quédese.*
12. ¿Lo repito? *Repítalo.*

IV. Irregular command forms

***The* Ud. *command forms of a few verbs cannot be formed by using the* yo *form of the present tense. These verbs are* dar, estar, ir *and* ser.**

dar → dé	ir → vaya
estar → esté	ser → sea

Make affirmative commands as you answer the following questions. Include object pronouns when necessary.

Modelo: ¿Debo ir al campo con los jóvenes?
Sí, vaya al campo con los jóvenes.

1. ¿Debo darle la bicicleta? ***Sí, déle la bicicleta.***
2. ¿Debo estar en la foto? ***Sí, esté en la foto.***
3. ¿Debo ir a la fiesta? ***Sí, vaya a la fiesta.***
4. ¿Debo ser enfermera? ***Sí, sea enfermera.***
5. ¿Cuándo voy a la capital? ¿el lunes? ***Sí, vaya a la capital el lunes.***
6. ¿Dónde voy a estar en el cuarteto? ¿entre César y Alejandro? ***Sí, esté entre César y Alejandro.***
7. ¿A quién le doy el dinero? ¿al Sr. Espinosa? ***Sí, déle el dinero al Sr. Espinosa.***
8. ¿Debo ser piloto? ***Sí, sea piloto.***

Lección 32

I. Vocabulario

Asociaciones. ¿Qué palabra del vocabulario se asocia con las descripciones o funciones siguientes?

1. el centro de policías: *la comisaría*
2. un lugar para depositar dinero: *el banco*
3. luz roja, amarilla y verde: *el semáforo*
4. donde dos calles se juntan: *la esquina*
5. el equivalente a la luz roja : *un alto*
6. un lugar para enviar cartas y paquetes: *el correo*
7. una tienda pequeña: *el colmado*
8. allí esperas el autobús: *la estación de autobús*
9. allí llevas tu carro cuando no funciona bien: *el taller de mecánica*
10. un lugar para cambiar dinero americano por dinero del país en que estás: *la casa de cambio*
11. las divisiones básicas de una ciudad: *las cuadras*
12. donde compras lo que tu carro necesita para andar: *la gasolinera*

II. Mandatos: forma *nosotros*

Three of the four verbs that have irregular forms in the* Ud. *commands are also irregular in the affirmative* nosotros *commands:

dar → demos
estar → estemos
ser → seamos

Ir(se) ***uses the present tense form*** **vamos** ***or*** **vámonos** ***to form the affirmative command.***

A. *Responda a las siguientes preguntas con mandatos de forma* nosotros.

Modelo: ¿Vamos a comer hamburguesas?
Sí, comamos hamburguesas.

1. ¿Vamos a hacer una fiesta? *Sí, hagamos una fiesta.*
2. ¿Vamos a estudiar juntos? *Sí, estudiemos juntos.*
3. ¿Qué vamos a darle a Benito para su cumpleaños? ¿un reloj? *Sí, démosle un reloj a Benito para su cumpleaños.*
4. ¿Vamos a trabajar el sábado? *Sí, trabajemos el sábado.*
5. ¿Vamos a jugar un partido de fútbol? *Sí, juguemos un partido de fútbol.*
6. ¿Vamos a traer pasteles a la clase? *Sí, traigamos pasteles a la clase.*
7. ¿Qué vamos a ser en el programa de Navidad? ¿los pastores? *Sí, seamos los pastores en el programa de Navidad.*
8. ¿Vamos a pedirle ayuda al policía? *Sí, pidámosle ayuda al policía.*
9. ¿Vamos a servir tamales? *Sí, sirvamos tamales.*
10. ¿Vamos a cantar himnos de alabanza? *Sí, cantemos himnos de alabanza.*

11. ¿Vamos a leer el Salmo 91? ***Sí, leamos el Salmo 91.***

12. ¿Vamos a buscar el mapa? ***Sí, busquemos el mapa.***

13. ¿Vamos a encontrar un buen hotel? ***Sí, encontremos un buen hotel.***

14. ¿Vamos a salir temprano? ***Sí, salgamos temprano.***

15. ¿Vamos a estar preparados para el examen?
Sí, estemos preparados para el examen.

B. *Lea Ud. las situaciones y termínelas con un mandato de forma* nosotros. *Puede usar uno de los verbos siguientes.*

jugar	comer
irse	escribir
salir	

1. Son las tres y media. La clase de español terminó. Los estudiantes tienen que ir al gimnasio para practicar un programa especial que van a presentar a toda la escuela el próximo día. Miguel es el director. Él les dice:
¡Vamos! / ¡Vámonos!

2. Los estudiantes de la clase del Sr. Ruiz y los de la clase del Sr. Pascual van a jugar en el torneo de voleibol. Los dos equipos están en la cancha *(court)*. El señor Ruiz les dice:
¡Juguemos!

3. Los señores Pérez y sus hijos están alrededor de la mesa. Después de orar, el señor Pérez les dice:
¡Comamos!

4. Es la clase de español. La profesora acaba de dar las instrucciones a los estudiantes de cómo deben escribir una composición acerca de su familia. Les dice que tienen quince minutos para hacerla. Cuando termina su explicación la profesora dice:
¡Escribamos!

5. La sociedad de jóvenes decidió repartir tratados el sábado. Están en la iglesia y el director acaba de darles sus instrucciones. El director dice: Bueno, jóvenes,
¡Salgamos!

III. Mandatos negativos: forma *Ud.*

A. *Finish each sentence by supplying the appropriate negative* Ud. *command using one of the following verbs. Use each verb only once.*

guardar	leer
ir	tomar
hacer	jugar
comer	caminar
correr	dormir

1. ***No vaya*** a la tienda sin mí.
2. ***No corra*** cuando hace calor.

3. ___No guarde___ su dinero debajo de la cama.
4. ___No lea___ sin suficiente iluminación.
5. ___No camine___ en el parque por la noche.
6. ___No tome___ el medicamento de otra persona.
7. ___No coma___ antes de jugar al fútbol.
8. ___No haga___ ejercicio en la cocina.
9. ___No juegue___ al béisbol en la sala.
10. ___No duerma___ durante el día.

B. *La Sra. Espina always tries to discourage la Sra. Rosales's ideas and plans. Play the role of la Sra. Espina and make the appropriate discouraging statements in the form of negative commands. Remember to include the appropriate object pronoun in each sentence.*

Modelo: **Sra. Rosales:** Voy a llamarle a Ud. el domingo a las seis de la mañana.
Sra. Espina: No me llame.

1. Voy a traerle a Ud. mi libro favorito. ___No me lo traiga.___
2. Quiero darle un acordeón en su cumpleaños. ___No me lo dé.___
3. Voy a llevar un pastel a la fiesta. ___No lo lleve.___
4. Pienso escribirle al presidente. ___No le escriba.___
5. Voy a invitar a los Méndez al picnic. ___No los invite.___
6. Necesito abrir la ventana porque está lloviendo. ___No la abra.___
7. Voy a preguntarle al pastor cuántos años tiene. ___No le pregunte.___
8. Quiero leer el artículo acerca de los monstruos de Júpiter. ___No lo lea.___

C. *Los amigos del Sr. Fuentes tienen opiniones contradictorias cuando él les pide consejos . El Sr. García siempre responde en afirmativo, pero el Sr. Blanco siempre responde en negativo. Exprese Ud. la opinión de los dos.*

Modelo: **Sr. Fuentes:** ¿Debo vender el carro?
Sr. García: Sí, véndalo.
Sr. Blanco: No, no lo venda .

1. **Sr. Fuentes:** ¿Debo estar presente para la reunión?
   Sr. García: ___Sí, esté presente.___
   Sr. Blanco: ___No, no esté presente.___
2. **Sr. Fuentes:** ¿Compro esa casa?
   Sr. García: ___Sí, cómprela.___
   Sr. Blanco: ___No, no la compre.___
3. **Sr. Fuentes:** ¿Debo escribir un libro?
   Sr. García: ___Sí, escríbalo.___
   Sr. Blanco: ___No, no lo escriba.___
4. **Sr. Fuentes:** ¿Debo ir al partido de béisbol?
   Sr. García: ___Sí, vaya al partido.___
   Sr. Blanco: ___No, no vaya al partido.___

5. **Sr. Fuentes:** ¿Debo estudiar francés?
   Sr. García: *Sí, estúdielo.*
   Sr. Blanco: *No, no lo estudie.*
6. **Sr. Fuentes:** ¿Debo enviar a mis hijos a España?
   Sr. García: *Sí, envíelos.*
   Sr. Blanco: *No, no los envíe.*
7. **Sr. Fuentes:** ¿Debo llamar al Dr. Suárez?
   Sr. García: *Sí, llámelo.*
   Sr. Blanco: *No, no lo llame.*
8. **Sr. Fuentes:** ¿Debo darles mi número de teléfono a mis clientes?
   Sr. García: *Sí, déles su número de teléfono.*
   Sr. Blanco: *No, no les dé su número de teléfono.*

IV. El pronombre se

A. ***The pronoun* se *takes the place of* le *and* les *when followed by another object pronoun that begins with* l (lo, la, los, las). *Rewrite the following sentences using the indirect object pronoun* se *and the appropriate direct object pronoun.***

1. Le doy el regalo a Ernesto. *Se lo doy a Ernesto.*
2. Les prestamos los libros a ellos. *Se los prestamos a ellos.*
3. Le venden la bicicleta a Sara. *Se la venden a Sara.*
4. Les compro las hamburguesas. *Se las compro.*
5. Voy a decirle la información. *Se la voy a decir.*
6. Tengo que explicarles el problema. *Se lo tengo que explicar.*
7. Necesitamos enviarle las cartas. *Se las necesitamos enviar.*
8. Uds. deben comprarle el carro. *Se lo deben comprar.*

B. ***Answer the questions. Remember to include both object pronouns in each answer.***

Modelo: ¿A quiénes les das los regalos?
Se los doy a mis padres.

1. ¿Quién presta dinero a Uds. cuando lo necesitan?
   Nuestros padres nos lo prestan.
2. ¿Cuándo van a dar sus notas finales a Uds. los maestros? (en mayo)
   Ellos nos las van a dar en mayo. / Ellos van a dárnoslas en mayo.
3. ¿Envías las notas a tu abuela? (envío)
   Sí, se las envío.
4. ¿A quién pides información por teléfono? (a la operadora)
   Sí, se la pido a la operadora.

C. *Haga Ud. el papel de la Sra. Ramos para expresar por qué no puede ayudar a sus amigos.*

Modelo: Señora, ¿me presta su radio? (prestar / al Sr. Cáceres)
—Lo siento, pero no lo tengo. *Se lo presté al Sr. Cáceres.*

1. Señora, ¿me presta su Biblia? (regalar / al Sr. Ruiz)

   —Lo siento, pero no la tengo. ***Se la regalé al Sr. Ruiz.***

2. Señora, ¿me presta su lámpara? (dar / a mi hija)

   —Lo siento, pero no la tengo. ***Se la di a mi hija.***

3. Señora, ¿me presta sus revistas? (enviar / a los misioneros)

   —Lo siento, pero no las tengo. ***Se las envié a los misioneros.***

4. Señora, ¿me presta su tractor? (prestar / a Juan y a su hijo)

   —Lo siento, pero no lo tengo. ***Se lo presté a Juan y a su hijo.***

5. Señora, ¿me presta sus discos de música clásica? (regalar / al pastor)

   —Lo siento, pero no los tengo. ***Se los regalé al pastor.***

D. *Responda con un mandato afirmativo o negativo según las indicaciones. Incluya los pronombres del complemento.*

Modelo: ¿Le presto el dinero a mi hermano?
Sí, présteselo. / No, no se lo preste.

1. ¿Les envío los paquetes a los Domínguez?

   Sí, ***envíeselos*** .

2. ¿Le presto mi carro a Rogelio?

   No, ***no se lo preste*** .

3. ¿Le doy la información al pastor?

   Sí, ***désela*** .

4. ¿Les doy el pastel a los señores Olmos?

   Sí, ***déselo*** .

5. ¿Les pido una explicación a los chicos?

   Sí, ***pídasela*** .

6. ¿Le regalo los dulces a Silvia?

   No, ***no se los regale*** .

7. ¿Les envío el dinero a los misioneros por correo?

   No, ***no se lo envíe por correo*** .

8. ¿Le doy la corbata a Nicolás ?

   No, ***no se la dé*** .

Lección 33

I. Mandatos afirmativos: forma *tú*

A. *Complete las instrucciones de la Srta. Muñoz. Escriba mandatos afirmativos de la forma* tú *usando los verbos entre paréntesis.*

Modelo: Pedro, ___*cierra*___ la puerta. (cerrar)

1. María, ___**escribe**___ la fecha en la pizarra. (escribir)
2. Susana, ___**lee**___ las instrucciones. (leer)
3. Roberto, ___**estudia**___ el capítulo quince. (estudiar)
4. Paco, ___**abre**___ la ventana. (abrir)
5. Carolina, ___**contesta**___ la pregunta. (contestar)
6. Felipe, ___**trae**___ tu tarea a mi escritorio. (traer)
7. Samuel, ___**busca**___ los libros en la biblioteca. (buscar)
8. Maritza, ___**practica**___ las palabras en los cassettes. (practicar)

B. *Eres consejero en un campamento de verano. Tus camperos no quieren cooperar contigo. Tienes que decirles qué hacer.*

Modelo: Francisco no quiere levantarse.
Levántate, Francisco.

1. Manuel no quiere acostarse. ***Acuéstate, Manuel.***
2. Juanito no quiere divertirse. ***Diviértete, Juanito.***
3. Carlitos no quiere lavarse la cara. ***Lávate la cara, Carlitos.***
4. Pablo no quiere quedarse en la cama. ***Quédate en la cama, Pablo.***
5. Paco no quiere comer el almuerzo. ***Come el almuerzo, Paco.***

II. Mandatos negativos: forma *tú*

Algunas personas van al extremo en sus acciones. Tú insistes en la moderación.

Modelo: Enrique come demasiado.
No comas tanto, Enrique.

1. César lee demasiado.
   No leas tanto, César.
2. Rosa María duerme demasiado.
   No duermas tanto, Rosa María.
3. Jorge juega demasiado después de la escuela.
   No juegues tanto, Jorge.
4. Pepe trabaja demasiado.
   No trabajes tanto, Pepe.
5. Luisa estudia demasiado.
   No estudies tanto, Luisa.

6. Felipe sale demasiado con su novia.

    No salgas tanto con tu novia, Felipe.

7. Rodrigo trae demasiado a la escuela.

    No traigas tanto a la escuela, Rodrigo.

8. Cintia practica demasiado la trompeta.

    No practiques tanto la trompeta, Cintia.

9. Enriqueta hace demasiado para su novio.

    No hagas tanto para tu novio, Enriqueta.

10. Mamá prepara demasiado para la cena.

    No prepares tanto para la cena, mamá.

III. Mandatos irregulares

A. *¡Pobre de ti! Eres el más pequeño en tu familia. Hoy es día de mandatos porque toda tu familia está de mal humor, y tú estás en medio de todos los malhumorados. Forma mandatos afirmativos o negativos de la forma tú según la situación.*

Modelo: Tu mamá te manda hacer la cama. (*mandar = to order*)
Haz la cama.

1. Tu hermano te manda poner tu ropa en tu propia (*own*) cama.

    Pon tu ropa en tu propia cama.

2. Tu mamá te manda no poner tu ropa en el piso. ***No pongas tu ropa en el piso.***

3. Tu papá te manda salir del garaje. ***Sal del garaje.***

4. Tu hermana te manda no salir sin sacar la basura. ***No salgas sin sacar la basura.***

5. Tu mamá te manda hacer tu tarea. ***Haz tu tarea.***

6. Tu abuelo te manda no hacer tanto ruido. ***No hagas tanto ruido.***

7. Tu papá te manda decir dónde pusiste su reloj. ***Di donde pusiste mi reloj.***

8. Tu hermana mayor te manda no decir su secreto. ***No digas mi secreto.***

9. Tu abuela te manda ir a su casa ahora mismo. (Use *venir.*)

    Ven a mi casa ahora mismo.

10. Tu abuela te manda no ir con tu hermana. (Use *venir.*)

    No vengas con tu hermana.

11. ¡Tu mamá te manda ir a tu cuarto porque tú estás de mal humor!

    Ve a tu cuarto.

B. ***Como Ud. sabe, no recibimos siempre lo que pedimos. Complete los diálogos según el modelo usando los verbos indicados y los pronombres del complemento correctos. Use su imaginación.***

Modelo: (vender)

José: ¿Me vendes tu bicicleta vieja?

Paco: No, no te la vendo.

José: ¿Por qué no puedes vendérmela?

Paco: Porque la vendí ayer.

1. (prestar)

María: ¿Me prestas tus revistas?

Marisol: No, ***no te las presto***.

María: ¿Por qué no puedes **prestármelas**?

Marisol: Porque ***Answer will vary.***.

2. (comprar)

Fabio: Papá, ¿me compras un *Porsche*?

Papá: No, ***no te lo compro***.

Fabio: ¿Por qué ***no puedes comprármelo***?

Papá: Porque ***Answer will vary.***.

3. (dar)

Felipe: ¿Me das tu foto?

Sara: No, ***no te la doy***.

Felipe: ¿Por qué ***no puedes dármela***?

Sara: Porque ***Answer will vary.***.

4. (enseñar)

Rosa: ¿Me enseñas tu vestido nuevo?

Carmen: No, ***no te lo enseño***.

Rosa: ¿Por qué ***no puedes enseñármelo***?

Carmen: Porque ***Answer will vary.***.

CD Script

Capítulo Uno

Introducción

I. Saludos

Follow along on page 2 of your textbook.

- **Morning Greetings**

Pedro: Buenos días, Roberto.

Roberto: Buenos días. ¿Cómo estás?

Pedro: Estoy muy bien, gracias. ¿Y tú?

Roberto: Estoy bien también.

Repeat each phrase in the pause provided.

Pedro: Buenos días, Roberto.

Roberto: Buenos días . . . ¿Cómo estás?

Pedro: Estoy muy bien, gracias . . . ¿Y tú?

Roberto: Estoy bien también.

Listen to the dialogue.

Carmen: ¡Hola, María!

María: ¡Hola, Carmen! ¿Qué tal?

Carmen: Regular, gracias. Y tú, ¿cómo estás?

María: Más o menos, gracias.

Repeat each phrase in the pause provided.

Carmen: ¡Hola, María!

María: ¡Hola, Carmen! . . . ¿Qué tal?

Carmen: Regular, gracias . . . Y tú, ¿cómo estás?

María: Más o menos, gracias.

- **Afternoon Greetings**

Sra. Gómez: Buenas tardes, Rosa. ¿Cómo estás?

Rosa: Muy bien, gracias. ¿Y cómo está usted, señora Gómez?

Sra. Gómez: Bien, gracias. Adiós.

Rosa: Adiós, señora.

Read Rosa's lines in the pauses provided.

Sra. Gómez: Buenas tardes, Rosa. ¿Cómo estás?

Rosa:

Sra. Gómez: Bien, gracias. Adiós.

Rosa:

- **Evening Greetings**

Carlos: Buenas noches, señor Rojas.

Sr. Rojas: Buenas noches, Carlos. ¿Cómo estás?

Carlos: Muy bien, gracias. ¿Y cómo está usted?

Sr. Rojas: Muy bien, gracias. Adiós.

Carlos: Adiós. ¡Hasta mañana!

Read the lines of el Sr. Rojas in the pauses provided.

Carlos: Buenas noches, señor Rojas.

Sr. Rojas:

Carlos: Muy bien, gracias. ¿Y cómo está usted?

Sr. Rojas:

Carlos. Adiós. ¡Hasta mañana!

II. Presentaciones

It is the first day of classes, and Margarita and Felipe get acquainted with each other. Listen to the dialogue.

Margarita: ¡Hola! Soy Margarita. ¿Cómo te llamas?

Felipe: Me llamo Felipe.

Margarita: Mucho gusto, Felipe.

Felipe: ¿Cómo se llama la profesora?

Margarita: Se llama la señorita Rojas.

Read Felipe's lines in the pauses provided.

Margarita: ¡Hola! Soy Margarita. ¿Cómo te llamas?

Felipe:

Margarita: Mucho gusto, Felipe.

Felipe:

Margarita: Se llama la señorita Rojas.

III. Adjetivos

You already know more words in Spanish than you realize. You will be able to recognize most, if not all, of the following words. Listen and repeat.

normal . . . justo . . . posible . . . imposible . . . práctico . . . impráctico . . . probable . . . inteligente . . . terrible . . . maravilloso . . . espléndido . . . interesante . . . brillante . . . importante . . . necesario . . . innecesario . . . estudioso . . . académico . . . común . . . famoso . . . impulsivo . . . cruel . . . sincero . . . generoso . . . nervioso . . . religioso . . . diplomático . . . político . . . económico

IV. Los números

A. ***Listen to the following numbers.***

cero
uno
dos
tres
cuatro
cinco
seis
siete
ocho
nueve
diez

B. ***Repeat the numbers after you hear them on the tape.***

cero . . . uno . . . dos . . . tres . . . cuatro . . . cinco . . . seis . . . siete . . . ocho . . . nueve . . . diez

C. ***Say the number that follows the number you hear.***

uno . . . siete . . . cinco . . . tres . . . nueve

D. ***Listen as the speaker says her telephone number in Spanish.***

Mi número de teléfono es 268-3475.

Repeat.

Mi número de teléfono es . . . 268 . . . 3475.

Now say your telephone number after you hear the question.

¿Cuál es tu número de teléfono?

V. Profesiones

You will be able to recognize most, if not all, of the following professions or occupations. Listen and repeat.

profesor . . . estudiante . . . oficinista . . . secretaria . . . doctor . . . dentista . . . pastor . . . ministro . . . músico . . . violinista . . . guitarrista . . . organista . . . pianista . . . arquitecto . . . ingeniero . . . electricista . . . contratista . . . carpintero . . . plomero . . . aviador . . . piloto . . . general . . . capitán . . . sargento . . . detective . . . policía

VI. La familia

Follow along on page 7 of your textbook.

A. ***Listen and repeat.***

Pedro Sánchez es el abuelo . . .

Carmen Sánchez es la abuela . . .

Juan Sánchez es el padre . . .

Rosa Sánchez es la madre . . .

Anita es la hija . . .

Marcos es el hijo . . .

Anita y Marcos . . . son los hijos . . . de Juan y Rosa Sánchez . . .

Juan y Rosa Sánchez . . . son los padres . . . de Anita y Marcos . . .

Pedro y Carmen Sánchez . . . son los abuelos . . . de Anita y Marcos . . .

Anita es la hermana de Marcos . . .

Marcos es el hermano de Anita . . .

B. ***Now, let's meet your family. Say aloud the names of the people asked for in the following questions.***

1. ¿Cómo se llama tu madre?
2. ¿Cómo se llama tu padre?
3. ¿Cómo se llama tu abuelo?
4. ¿Cómo se llama tu abuela?
5. ¿Cómo se llama tu hermana?
6. ¿Cómo se llama tu hermano?

VII. La clase

Let's see whether you know the names of the following objects. Write the number of the word you hear next to the appropriate picture. The model is marked for you.

Modelo: *You hear:* una silla
You mark the picture as shown.

Let's begin.

1. un bolígrafo
2. un libro
3. una estudiante
4. un pupitre
5. una puerta
6. una tiza
7. una pizarra
8. una ventana
9. un lápiz
10. un borrador

VIII. Los días de la semana

Listen as the speaker names the days of the week. The first day of the week is Monday. Repeat after the speaker.

lunes . . . martes . . . miércoles . . . jueves . . . viernes . . . sábado . . . domingo . . .

Let's say them again.

lunes . . . martes . . . miércoles . . . jueves . . . viernes . . . sábado . . . domingo . . .

Did you have trouble with* miércoles*? It has three syllables. Listen again.

miér-co-les.

Repeat.

miércoles

IX. El alfabeto

A. ***Say each letter after the speaker.***

a . . . b . . . c . . . ch . . . d . . . e . . . f . . . g . . . h . . . i . . . j . . . k . . . l . . . ll . . . m . . . n . . . ñ . . . o . . . p . . . q . . . r . . . rr . . . s . . . t . . . u . . . v . . . w . . . x . . . y . . . z . . .

B. ***There are only five basic vowel sounds in Spanish. Say each vowel after the speaker.***

a . . . e . . . i . . . o . . . u . . .

Did you notice how clear they are? Let's say them again.

a . . . e . . . i . . . o . . . u . . .

C. ***Can you spell your name in Spanish? For example, if your name is* José*, you will say:***

J - o - s - e con acento.

Now spell your name.

X. Dictado

In this section of the lesson, you will hear a sentence three times. The first time you hear the sentence, listen only. The second time through, write the sentence in the space provided. The third time, check your work.

1. Buenos días, Sr. Rojas.
2. ¿Cómo te llamas?
3. Me llamo Ana Gómez.
4. ¿Cómo estás, Ana?
5. Estoy bien, gracias.

Capítulo Dos

Lección 1

I. Versículo

Salmo 23:1 Jehová es mi pastor; nada me faltará.

Repeat each phrase in the pauses provided.

Salmo . . . 23 . . . 1 . . . Salmo 23:1 . . . Jehová . . . es mi pastor . . . nada . . . me faltará.

Try to say each phrase before you hear it on the tape.

. . . Salmo 23:1 . . . Jehová . . . es mi pastor . . . nada me faltará.

Say the entire verse with the reference before and after.

Salmo 23:1 Jehová es mi pastor; nada me faltará. Salmo 23:1

II. Diálogo

Follow along on page 13 of your textbook.

En la iglesia

Felipe is walking down the street on his way to church. He meets Marcos.

Felipe: Buenos días, Marcos.

Marcos: Buenos días, Felipe. ¿Cómo estás?

Felipe: ¡Muy bien! Hoy es domingo. Voy a la iglesia.

Marcos: ¿A la iglesia?

Felipe: Sí. Ven conmigo.

Marcos: O.K.

They walk together for another two blocks, and they reach the church.

Felipe: Es la iglesia.

Marcos: ¿Es la iglesia metodista?

Felipe: No, no es metodista. Es bautista.

Marcos: La congregación es grande.

Felipe: Sí, es grande. Escucha. El coro canta un himno.

After the choir sings, the speaker walks to the pulpit.

El misionero: El Señor les bendiga, hermanos. Abran sus Biblias al libro de los Salmos . . .

Marcos: (Whispers to Felipe) ¿Es el pastor?

Felipe: No, no es el pastor. Es un misionero. Él va a predicar hoy.

They listen to the sermon, and then the service is dismissed.

Felipe: El misionero es mi tío.

Marcos: ¿Verdad?

Felipe: Sí, es mi tío favorito.

Marcos: Es un predicador interesante. Gracias, Felipe, por invitarme a la iglesia.

Felipe: Gracias por acompañarme. ¡Hasta luego!

Repeat each phrase in the pause provided.

Felipe: Buenos días, Marcos.

Marcos: Buenos días, Felipe . . . ¿Cómo estás?

Felipe: ¡Muy bien! Hoy es domingo . . . Voy a la iglesia.

Marcos: ¿A la iglesia?

Felipe: Sí. Ven conmigo.

Marcos: O.K.

Felipe: Es la iglesia.

Marcos: ¿Es la iglesia metodista?

Felipe: No, no es metodista . . . Es bautista.

Marcos: La congregación es grande.

Felipe: Sí, es grande . . . Escucha . . . El coro canta un himno.

III. Vocabulario

Follow along on page 14 of your textbook. Escuche y repita.

una iglesia
un coro
un himnario
un predicador
una oración
una Biblia
un cristiano
una congregación

Vocabulario adicional. Escuche y repita.

un creyente
un himno
un misionero
un Nuevo Testamento

IV. Preguntas y respuestas

To ask a question with the verb form *es,* simply raise the intonation of your voice at the end of the sentence.

¿Es un libro?

To answer in the affirmative, the intonation of your voice should go down at the end of the sentence.

Sí, es un libro.

A. *You will hear a question. Answer affirmatively. Then you will hear the confirmation.*

Modelo: *You hear:* ¿Es una Biblia?
You answer: Sí, es una Biblia.
You hear the confirmation: Sí, es una Biblia.

1. ¿Es un himnario? . . . Sí, es un himnario.
2. ¿Es un misionero? . . . Sí, es un misionero.
3. ¿Es un Nuevo Testamento? . . . Sí, es un Nuevo Testamento.

B. *Decide whether the sentence you hear is a question or a statement. Mark the appropriate space.*

1. ¿Es una iglesia?
2. Es un libro interesante.

3. Sí, el misionero es mi tío.
4. ¿Es el predicador?
5. ¿Es un himno famoso?
6. No, no es una iglesia metodista.

V. El negativo

You will hear a question. Answer negatively by first saying* no *and then making the verb negative.

Modelo: *You hear:* ¿Es una iglesia bautista?
You say: No, no es una iglesia bautista.
You hear the confirmation: No, no es una iglesia bautista.

1. ¿Es una cruz? . . . No, no es una cruz.
2. ¿Es un coro de niños? . . . No, no es un coro de niños.
3. ¿Es un libro cristiano? . . . No, no es un libro cristiano.

VI. El sustantivo y el artículo definido

Substitute the italicized words in each sentence with the word you hear after the speaker reads the sentence.

Modelo: *You hear:* Es *la maestra* de la escuela dominical. (maestro)
You say: Es el maestro de la escuela dominical.

1. Es *el tío* de Felipe. (tía)
   Es la tía de Felipe.
2. Es *la prima* de Marcos. (primo)
   Es el primo de Marcos.
3. Es *el himnario* de la iglesia. (coro)
   Es el coro de la iglesia.
4. Es *el Nuevo Testamento* de María. (Biblia)
   Es la Biblia de María.
5. Es *la tiza* de la maestra. (borrador)
   Es el borrador de la maestra.
6. Es *el padre* de José. (madre)
   Es la madre de José.
7. Es *la puerta* de la clase. (escritorio)
   Es el escritorio de la clase.

VII. Pronunciación

Follow along on page 19 of your textbook.

El sonido de la vocal *a*

The sound of the Spanish vowel *a* is similar to the sound of the English vowel *a in "father,"* but it is said more quickly. The corners of the mouth are drawn back slightly as for a smile.

Modelo: mamá

Practique las palabras: casa . . . lava . . . mata . . . ventana . . . papá . . . Susana . . . Managua

Practique las frases: Papá lava la ventana de la casa.

Susana va a Managua.

Repeat each phrase in the pause provided.

Papá lava . . . la ventana . . . de la casa.

Susana va . . . a Managua.

El sonido de la vocal *e*

The sound of the Spanish vowel *e* is similar to the first *e* of the word "element." A big smile is necessary to pronounce this sound correctly.

Modelo: nene

Practique las palabras: feo . . . es . . . mesa . . . meseta . . . pero

Practique la frase: El nene feo ve la meseta.

Repeat each phrase in the pause provided.

El nene feo . . . ve la meseta.

VIII. Dictado

Escuche y escriba.

1. ¿Es una iglesia?
2. Sí, es una iglesia.
3. Él es pastor de la iglesia.
4. Es una Biblia grande.
5. ¿Cómo está el estudiante?

Lección 2

I. Versículo

I Juan 5:12 El que tiene al Hijo, tiene la vida; el que no tiene al Hijo de Dios no tiene la vida.

Repeat each phrase in the pauses provided.

I Juan . . . 5:12 . . . I Juan 5:12 . . . El que tiene al Hijo . . . tiene la vida . . . el que no tiene . . . al Hijo de Dios . . . no tiene la vida.

Try to say each phrase before you hear it on the tape.

. . . I Juan 5:12 . . . El que tiene al Hijo . . . tiene la vida . . . el que no tiene . . . al Hijo de Dios . . . no tiene la vida.

Say the entire verse with the reference before and after.

I Juan 5:12 El que tiene al Hijo, tiene la vida; el que no tiene al Hijo de Dios no tiene la vida. I Juan 5:12

II. Diálogo

Follow along on page 21 of your textbook.

La casa

La señora Elena de Martínez is calling the office of Rafael Sánchez to see if he has a house available to rent.

Sr. Sánchez: ¡Hola! La oficina del señor Rafael Sánchez.

Sra. de Martínez: ¡Hola, señor! Me llamo Elena de Martinez. ¿Tiene Ud. casas para alquilar?

Sr. Sánchez: Sí, señora.

Sra. de Martínez: Necesito una para mi familia.

Sr. Sánchez: Tengo una casa y un apartamento.

Sra. de Martínez: ¿Cuántos cuartos tiene la casa?

Sr. Sánchez: La primera planta tiene cocina, comedor, sala y baño. La segunda planta tiene tres dormitorios y un baño.

Sra. de Martínez: ¿Tiene garaje?

Sr. Sánchez: Sí, es para dos carros.

Sra. de Martínez: ¡Qué bueno! Mi esposo tiene un carro, y yo tengo un carro también.

Sr. Sánchez: Y tiene un patio grande. ¿Tiene Ud. niños?

Sra. de Martínez: Sí, señor. Tengo dos niños y dos niñas. También tengo un perro y un gato.

Sr. Sánchez: Su familia es grande, señora. Mi casa es perfecta para usted.

Sra. de Martínez: ¿Cuánto cuesta, señor?

Sr. Sánchez: Cuatrocientos al mes. No incluye luz y agua. Está en la calle Cervantes, número seis.

Sra. de Martínez: Muchas gracias, señor. Voy a hablar con mi esposo.

Read the lines of la señora de Martínez in the pauses provided.

Sr. Sánchez: ¡Hola! La oficina del señor Rafael Sánchez.

Sra. de Martínez:

Sr. Sánchez: Sí, señora.

Sra. de Martínez:

Sr. Sánchez: Tengo una casa y un apartamento.

Sra. de Martínez:

Sr. Sánchez: La primera planta tiene cocina, comedor, sala y baño. La segunda planta tiene tres dormitorios y un baño.

Sra. de Martínez:

Sr. Sánchez: Sí, es para dos carros.

Sra. de Martínez:

Sr. Sánchez: Y tiene un patio grande. ¿Tiene Ud. niños?

Sra. de Martínez:

Sr. Sánchez: Su familia es grande, señora. Mi casa es perfecta para usted.

Sra. de Martínez:

Sr. Sánchez: Cuatrocientos al mes. No incluye luz y agua. Está en la calle Cervantes, número seis.

Sra. de Martínez:

III. Vocabulario

Refer to the illustration below to complete this section. Say* verdadero *if the statement you hear is true or say* falso *if the statement is false.

Modelo: *You hear:* La casa tiene dos baños.
You say: falso

1. La casa tiene una cocina en la primera planta.
2. Es una casa de tres dormitorios.
3. La casa tiene un comedor en la primera planta.
4. El televisor está en la sala.
5. La casa está en la calle Ponce de León.

IV. El verbo *tener* (singular)

A. ***Repeat the singular forms of the verb* tener *along with the singular subject pronouns.***

yo tengo

tú tienes

Ud., él, ella tiene

B. ***Give the correct form of the verb* tener.**

Modelo: *You hear:* María
You say: María tiene.

1. ella
   Ella tiene.
2. yo
   Yo tengo.
3. Ud.
   Ud. tiene.
4. el Sr. Gómez
   El Sr. Gómez tiene.

5. tú
   tú tienes.

V. Adjetivos posesivos (singular)

A. ***The following phrases contain the singular forms of the possessive adjectives. Repeat each phrase after the speaker.***

Es mi casa.

Es tu apartamento.

Es su garaje.

B. ***You will hear a question. Answer the question affirmatively, using the appropriate possessive adjective.***

Modelo: *You hear:* ¿Es tu libro?
You say: Sí, es mi libro.
You hear the confirmation: Sí, es mi libro.

1. ¿Es el himnario de Felipe?
   Sí, es su himnario.
2. ¿Es la bolsa de Ud.?
   Sí, es mi bolsa.
3. ¿Es el apartamento de Pablo?
   Sí, es su apartamento.
4. ¿Es tu casa?
   Sí, es mi casa.
5. ¿Es mi Biblia?
   Sí, es tu Biblia.

VI. Repaso de los artículos

You will hear a sentence. In the space provided, write* d *if you hear a definite article used in the sentence; write* i *if you hear an indefinite article used.

Modelo: *You hear:* Ella es la mamá de Elena.
You write: d
You hear the confirmation: d

1. *La* profesora de español es bonita . . . d, definite article
2. Pablo es *un* muchacho grande . . . i, indefinite article
3. Su novia es *la* señorita López . . . d, definite article
4. *El* carro es grande . . . d, definite article
5. María tiene *una* casa pequeña, ¿no? . . . i, indefinite article
6. ¿Quién tiene *un* himnario? . . . i, indefinite article
7. *El* estudiante no tiene clases hoy . . . d, definite article
8. Srta. Rojas, ¿tiene Ud. *un* libro de español? . . . i, indefinite article
9. *La* Srta. Rojas tiene dos libros de español . . . d, definite article
10. Sra. de Martínez, ¿tiene *una* casa grande? . . . i, indefinite article

VII. Pronunciación

Follow along on page 26 of your textbook.

El sonido de la vocal *i*

The sound of the Spanish vowel *i* is that of the sound of the *ee* in "see," but it is more clipped. The lips need to be stretched to form a long slitlike opening as for a big smile.

Modelo: pita

Practique las palabras: Sí . . . silla . . . dice . . . prima . . . maní . . . hijo

Practique la frase: Mi prima dice: Mira mi linda piña.

Repeat each phrase in the pause provided.

Mi prima dice . . . Mira . . . mi linda piña.

VIII. Dictado

Escuche y escriba.

1. Mi casa tiene una sala.
2. Mi cuarto tiene una ventana.
3. Tienes dos baños en tu casa.
4. Mi mamá no tiene un carro.
5. Tienes un perro y un gato.

IX. Let's sing!

Follow along on page 24 of your textbook.

Yo tengo gozo

(1) Yo tengo gozo, gozo en mi corazón (¿dónde?)
En mi corazón, (¿dónde?) en mi corazón,
Yo tengo gozo, gozo en mi corazón,
Porque Cristo me salvó.
(2) Tú tienes paz, paz, paz, paz en tu corazón . . . porque Cristo te salvó.
(3) Él tiene alegría en su corazón . . . porque Cristo le salvó.

Lección 3

I. Versículo

Juan 14:2 En la casa de mi Padre muchas moradas hay.

Repeat each phrase in the pauses provided.

Juan . . . 14:2 . . . Juan 14:2 . . . En la casa de mi Padre . . . muchas moradas hay.

Try to say each phrase before you hear it on the tape.

. . . Juan 14:2 . . . En la casa de mi Padre . . . muchas moradas hay.

Say the entire verse with the reference before and after.

Juan 14:2 En la casa de mi Padre muchas moradas hay. Juan 14:2

II. Dialogo

Follow along on page 27 of your textbook.

En el colegio

Lucía and Juan are students in a high school. They meet in the hallway.

Lucía: ¡Hola, Juan! ¿Qué clases tienes esta mañana?

Juan: Tengo matemáticas en el aula 207 a las ocho. A las nueve tengo literatura, y a las once, historia. ¿Y tú?

Lucía: Tengo biología en el laboratorio ahora. A las nueve tengo historia y a las doce, educación física en el gimnasio.

Juan: ¿Quién es el profesor de biología?

Lucía: El señor Suárez. Es mi profesor favorito.

Juan: ¿Es difícil su clase de biología?

Lucía: No, no es difícil. La clase del Sr. Suárez es muy interesante.

Juan: Es interesante estudiar reptiles en el laboratorio, ¿no?

Lucía: ¡Ay, no, yo detesto los reptiles!

Repeat each phrase in the pause provided.

Lucía: ¡Hola, Juan! . . . ¿Qué clases tienes esta mañana?

Juan: Tengo matemáticas . . . en el aula 207 . . . a las ocho . . . A las nueve tengo literatura . . . y a las once, historia . . . ¿Y tú?

Lucía: Tengo biología . . . en el laboratorio ahora . . . A las nueve tengo historia . . . y a las doce . . . educación física en el gimnasio.

Juan: ¿Quién es el profesor de biología?

Lucía: El señor Suárez . . . Es mi profesor favorito.

Juan: ¿Es difícil su clase de biología?

Lucía: No, no es difícil . . . La clase del Sr. Suárez . . . es muy interesante.

Juan: Es interesante estudiar reptiles . . . en el laboratorio, ¿no?

Lucía: ¡Ay, no, yo detesto . . . los reptiles!

III. Vocabulario

Follow along on page 28 of your textbook. Escuche y repita.

El colegio

el laboratorio
la oficina del director
el gimnasio
la biblioteca
el aula
la cafetería

¿Qué clases tienes hoy?

Tengo . . .

educación física
historia
geografía
matemáticas
geometría
ciencia
biología
química
literatura
español
inglés

IV. Preguntas con respuestas afirmativas/negativas

A. *Change the following statements to questions. Follow the model.*

Modelo: *You see:* El colegio tiene una biblioteca.
You say: ¿Tiene el colegio una biblioteca?
You hear the confirmation: ¿Tiene el colegio una biblioteca?

1. ¿Es difícil la clase de biología?
2. ¿Es interesante el profesor de inglés?
3. ¿Tienes una clase de historia?
4. ¿Es Juan un estudiante bueno?
5. ¿Tiene la escuela una cafetería?

B. *Change the statements in excercise A to questions by using the tag question that you hear.*

Modelo: *You see:* El colegio tiene una biblioteca.
You hear: ¿verdad?
You say: El colegio tiene una biblioteca, ¿verdad?

1. ¿no?
2. ¿verdad?
3. ¿no?
4. ¿verdad?
5. ¿no?

V. La preposición *de* para indicar posesión

Refer to the pictures below to answer the following questions about possession.

Modelo: *You hear:* ¿De quién es la guitarra?
You say: La guitarra es de Pedro.

1. ¿De quién es el perro?
El perro es de Ana.
2. ¿De quién es el libro de matemáticas?
El libro de matemáticas es de Lucía.
3. ¿De quién es el libro de geografía?
El libro de geografía es de Pedro.
4. ¿De quién es el lápiz?
El lápiz es de Lucía.
5. ¿De quién es el libro de español?
El libro de español es de Ana.

VI. La preposición *de* para indicar relación y categoría

Form a complete statement by using the preposition* de *and the noun that you hear.

Modelo: *You see:* libro
You hear: historia
You say: Es el libro de historia.
You hear the confirmation: Es el libro de historia.

1. química . . . Es la clase de química.

2. literatura . . . Es la clase de literatura.
3. matemáticas . . . Es el profesor de matemáticas.
4. ciencia . . . Es el aula de ciencia.
5. educación física . . . Es el gimnasio de educación física.
6. música . . . Es la escuela de música.

VII. Pronunciación

Follow along on page 33 of your textbook.

El sonido de la vocal *o*

The sound of the Spanish vowel *o* is similar to the beginning of the sound of the *o* in "hope." Pucker the lips slightly and pronounce the *o* without moving your jaw or closing your lips, in order to avoid forming the dipththong sound *ou* as in English.

Modelo: como

Practique las palabras: solo . . . loco . . . diplomático . . . Alfonso . . . tío . . . Antonio

Practique la frase: El tío Antonio es loco.

VIII. Dictado

Escuche y escriba.

1. El señor Martínez es profesor de matemáticas.
2. Tengo la clase de historia en el aula número diez
3. ¿Cuál es tu horario?
4. La señorita López está en la biblioteca .
5. Es el gimnasio del colegio.

Capítulo Tres

Lección 4

I. Versículo

Génesis 3:9 Mas Jehová Dios llamó al hombre, y le dijo: ¿Dónde estás tú?

Repeat each phrase in the pauses provided.

Génesis . . . 3:9 . . . Génesis 3:9 . . . Mas Jehová Dios . . . llamó al hombre . . . y le dijo . . . ¿Dónde estás tú?

Try to say each phrase before you hear it on the tape.

. . . Génesis 3:9 . . . Mas Jehová Dios . . . llamó al hombre . . . y le dijo . . . ¿Dónde estás tú?

Say the entire verse with the reference before and after.

Génesis 3:9 Mas Jehová Dios llamó al hombre, y le dijo: ¿Dónde estás tú? Génesis 3:9

II. Diálogo

Follow along on page 35 of your textbook.

Benjamín en problemas

Benjamín has been out all day with his friends. He comes home and greets his mother.

Benjamín: ¡Buenas tardes, mamá! ¿Estás en casa?

Mamá: ¡No, mi hijo! Estoy en la luna.

Benjamín: ¡No es verdad, estás en la sala! ¿Cómo está abuelita? ¿Está mejor?

Mamá: Sí, Benjamín. Está contenta porque tu hermano llega hoy de la Fuerza Aérea.

Benjamín: ¡Sí, es cierto! ¿Dónde está papá? ¿en el aeropuerto?

Mamá: ¡Claro que no! Está de mal humor porque tú tienes la llave de su carro sin permiso.

Repeat each phrase in the pause provided.

Benjamín: ¡Buenas tardes, mamá! . . . ¿Estás en casa?

Mamá: ¡No, mi hijo! . . . Estoy en la luna.

Benjamín: ¡No es verdad . . . estás en la sala! . . . ¿Cómo está abuelita? . . . ¿Está mejor?

Mamá: Sí, Benjamín . . . Está contenta . . . porque tu hermano llega hoy . . . de la Fuerza Aérea.

Benjamín: ¡Sí, es cierto! . . . ¿Dónde está papá? . . . ¿en el aeropuerto?

Mamá: ¡Claro que no! . . . Está de mal humor . . . porque tú tienes . . . la llave de su carro . . . sin permiso.

III. El verbo *estar* (singular)

A. *Repeat the singular forms of* estar.

yo estoy

tú estás

Ud., él, ella está

B. *A student from a Spanish country will ask you a question. Answer the question by referring to the cue provided.*

Modelo: *You hear:* ¿Dónde estoy?
You see: Buenos Aires, Argentina.
You say: Estás en Buenos Aires, Argentina.
You hear the confirmation: Estás en Buenos Aires, Argentina.

1. ¿Dónde está Julia? . . .
Está en Santiago, Chile.
2. ¿Dónde está Andrés? . . .
Está en La Paz, Bolivia.
3. ¿Dónde estoy? . . .
Estás en Caracas, Venezuela.
4. ¿Dónde está Lima? . . .
Está en Perú.
5. ¿Dónde estás? . . .

IV. La frase interrogativa *¿Dónde está?*

You will hear a question followed by two statements. Circle the letter of the statement that correctly describes the picture. The model is marked for you.

Modelo: *You hear:* ¿Dónde está el gato?
a. Está encima de la silla.
b. Está debajo de la silla.
You circle b *and say:* Está debajo de la silla.

1. ¿Dónde está la profesora?
(a.) Está delante de la clase.
b. Está debajo del escritorio.
2. ¿Dónde está la cocina?
a. Está encima de la sala.
(b.) Está al lado de la sala.
3. ¿Dónde está el predicador?
(a.) Está detrás del púlpito.
b. Está delante del púlpito.
4. ¿Dónde está la tarea?
(a.) Está encima del escritorio.
b. Está detrás de la clase.
5. ¿Dónde está el estudiante?
(a.) Está en la biblioteca.
b. Está en la cafetería.
6. ¿Dónde está la muchacha?
a. Está delante del muchacho.
(b.) Está al lado del muchacho.

V. Vocabulario

Follow along on page 38 of your textbook. Escuche y repita.

¿Cómo está?

Está contento . . . Está de mal humor . . . Está triste . . . Está sana . . . Está enfermo . . . Está nervioso . . . Está tranquila.

VI. Adjetivos con *estar*

You will hear an incorrect statement about the condition of the person or thing in the picture. Correct the statement so that it matches the picture.

Modelo: *You hear:* Marcos está sano.
You say: No, Marcos está enfermo.
You hear the confirmation: No, Marcos está enfermo.

1. Ana está tranquila . . . No, Ana está nerviosa.
2. José está triste . . . No, José está contento.
3. Felipe está limpio . . . No, Felipe está sucio.
4. Margarita está de buen humor . . . No, Margarita está de mal humor.
5. La puerta está cerrada . . . No, la puerta está abierta.

VII. Pronunciación

A. *Follow along on page 41 of your textbook.*

El sonido de la vocal *u*

The sound of the Spanish vowel *u* is similar to the sound of the *u* in "flu" or the sound /oo/ in "boot." The lips should be rounded into a small oval and puckered more than for the *o*.

Modelo: cuna

Practique las palabras: tú . . . luna . . . mula . . . mundo . . . Perú . . . azul

Practique las frases: Tú pusiste la mula sobre el baúl.
La luz de la luna alumbra en Perú.

Repeat each phrase in the pause provided.

Tú pusiste la mula . . . sobre el baúl.

La luz . . . de la luna . . . alumbra en Perú.

B. *Listen to the following English words:*

loose, Sue, two, loop

Now listen to the Spanish words:

luz, su, tu, lupa

Do you hear the contrast?

loose	luz
Sue	su
Two	tu
loop	lupa

VIII. Dictado

Escuche y escriba.

1. El cuaderno está encima del escritorio.
2. La profesora está en la cafetería.
3. Mi tarea está debajo del libro.
4. Susana está triste hoy.
5. La amiga de María está de mal humor.

Lección 5

I. Versículo

Salmo 27:1 Jehová es mi luz y mi salvación; ¿de quién temeré?

Repeat each phrase in the pauses provided.

Salmo . . . 27:1 . . . Salmo 27:1 . . . Jehová es mi luz . . . y mi salvación . . . ¿de quién . . . temeré?

Try to say each phrase before you hear it on the tape.

. . . Salmo 27:1 . . . Jehová es mi luz . . . y mi salvación . . . ¿de quién . . . temeré?

Say the entire verse with the reference before and after.

Salmo 27:1 Jehová es mi luz y mi salvación; ¿de quién temeré? Salmo 27:1

II. Lectura

Follow along on page 43 of your textbook.

La familia Cáceres

La familia Cáceres es una familia dominicana que ama a Dios. El padre se llama César. Su esposa se llama María. El señor Cáceres es pastor de la Iglesia Bautista Dominicana en Hato Mayor, República Dominicana. Tiene una iglesia grande.

Hay seis hijos en la familia. El hijo mayor, Amós, es médico. Su esposa es doctora también. La hija mayor, Betania, está casada. Trabaja en un banco. Ana Bel es arquitecta; está casada también.

El otro hijo, Benoni, es grande, guapo, y muy inteligente. Él está en la Academia de las Fuerzas Aéreas. Belize, una joven simpática, quiere ser misionera. El hijo menor se llama Benjamín. Es alto y guapo. Él está en casa con sus padres. Abuelita también vive ahora con su hijo César y su familia. Es una familia interesante, ¿no es verdad?

III. Vocabulario

Contradict the statements made by the speaker by replacing the adjective you hear with one indicating an opposite trait.

Modelo: *You hear:* Adolfo es bueno.
You say: No, no es bueno. Es malo.
You hear the confirmation: No, no es bueno. Es malo.

1. Miguel es loco.
No, no es loco. Es inteligente.
2. Rut es aburrida.
No, no es aburrida. Es interesante.
3. Marta es joven.
No, no es joven. Es vieja.
4. José es gordo.
No, no es gordo. Es delgado.
5. Ana es baja.
No, no es baja. Es alta.
6. Paco es generoso.
No, no es generoso. Es tacaño.

IV. El verbo *ser* (singular)

A. *Repeat the singular forms of the verb* ser.

yo soy

tú eres

Ud., él, ella es

B. ***Use the cues provided to make a complete sentence using the verb* ser.**

Modelo: *You see:* yo / pequeño
You say: Yo soy pequeño.
You hear the confirmation: Yo soy pequeño.

1. Yo soy rico.
2. Él es generoso.
3. Ella es simpática.
4. Tú eres bonita.
5. Tomás es aburrido.
6. Raquel es inteligente.
7. Yo soy viejo.
8. Tú eres guapo.
9. Ud. es bueno.
10. El profesor es interesante.

V. Posición del adjetivo descriptivo

***Restate the sentence that you hear so that it begins with the verb form* es.**

Modelo: *You hear:* El carro es bonito.
You say: Es un carro bonito.
You hear the confirmation: Es un carro bonito.

1. El estudiante es inteligente . . . Es un estudiante inteligente.
2. El libro es grande . . . Es un libro grande.
3. La clase es interesante . . . Es una clase interesante.
4. El hombre es tacaño . . . Es un hombre tacaño.
5. El muchacho es guapo . . . Es un muchacho guapo.
6. La profesora es simpática . . . Es una profesora simpática.
7. La señora es seria . . . Es una señora seria.
8. El programa es aburrido . . . Es un programa aburrido.

VI. El uso de *ser* para expresar profesión, nacionalidad y religión

Reword the statement that you hear, according to the new subject given.

Modelo: *You hear:* Pablo es español.
You see: Paulina
You say: Paulina es española.
You hear the confirmation: Paulina es española.

1. Manuela es cubana . . . Manuel es cubano.
2. Kurt es alemán . . . Katrina es alemana.
3. Juana es mexicana . . . Juan es mexicano.
4. Silvio es puertorriqueño . . . Silvia es puertorriqueña.
5. Francisco es francés . . . Francisca es francesa.
6. Carla es estadounidense . . . Charlie es estadounidense.
7. José es argentino . . . Josefina es argentina.
8. Víctor es dominicano . . . Victoria es dominicana.

VII. Pronunciación

La vocal *a* (unión)

A. ***When words ending in* a *are followed by words also beginning with* a*, Spanish speakers generally pronounce only one* a.**

Practique las palabras: capa azul . . . puerta abierta . . . avenida ancha

Practique la frase: Una amiga de la abuela de María vive en la avenida La amistad.

Repeat each phrase in the pause provided.

Una amiga . . . de la abuela de María . . . vive en la avenida . . . La amistad.

B. ***Listen to the following sentences. After the first reading, mark where the words are linked together. Pronounce the sentences after the second reading. The first item serves as a model.***

Modelo: Tengo una‿abuela en la‿Argentina.

1. Se usa la‿aguja para‿arreglar la‿alforja.
2. La‿almendra‿amarga la‿ama‿Alicia.
3. La‿angélica‿amiga de Dorita la‿anima.

VIII. Comprensión

Listen to the reading and then complete the verification section.

Pablo es un dominicano guapo. Es alto, moreno, y muy simpático. Tiene una amiga bonita que se llama Carmen. Ella es inteligente y siempre está de buen humor. Es dominicana también.

Lección 6

I. Versículo

Hebreos 13:8 Jesucristo es el mismo ayer, y hoy, y por los siglos.

Repeat each phrase in the pauses provided.

Hebreos . . . 13:8 . . . Hebreos 13:8 . . . Jesucristo es el mismo ayer . . . y hoy . . . y por los siglos.

Try to say each phrase before you hear it on the tape.

. . . Hebreos 13:8 . . . Jesucristo es el mismo ayer . . . y hoy . . . y por los siglos.

Say the entire verse with the reference before and after.

Hebreos 13:8 Jesucristo es el mismo ayer, y hoy, y por los siglos. Hebreos 13:8

II. Diálogo

Follow along on page 52 of your textbook.

Belize pregunta

Belize Cáceres likes to ask questions. She sees a new girl in the school hallway and introduces herself.

Belize: Hola, me llamo Belize. Y tú, ¿cómo te llamas?

Gloria: Me llamo Gloria. Mucho gusto.

Belize: ¿De dónde eres, Gloria?

Gloria: Soy de los Estados Unidos.

Belize: ¿De qué ciudad?

Gloria: De Miami.

Belize: ¿Tus padres también son de Miami?

Gloria: No. Mi papá es de Santo Domingo, y mi mamá es de Hato Mayor.

Belize: Me gusta tu bolsa. Es de cuero, ¿no?

Gloria: Sí, es de cuero. Es dominicana.

Belize: Oye, Gloria, el reloj que tienes es muy bonito.

Gloria: Gracias, pero no es mi reloj. Es de mi hermana.

Belize: (The bell rings.) Bueno, Gloria, tengo clase. ¡Nos vemos!

Gloria: Adiós, Belize. Hasta mañana.

Read Gloria's lines in the pauses provided.

Belize: Hola, me llamo Belize. Y tú, ¿cómo te llamas?

Gloria:

Belize: ¿De dónde eres, Gloria?

Gloria:

Belize: ¿De qué ciudad?

Gloria:

Belize: ¿Tus padres también son de Miami?

Gloria:

Belize: Me gusta tu bolsa. Es de cuero, ¿no?

Gloria:

Belize: Oye, Gloria, el reloj que tienes es muy bonito.

Gloria:

Belize: (The bell rings.) Bueno, Gloria, tengo clase. ¡Nos vemos!

Gloria:

III. Vocabulario

Follow along on page 53 of your textbook. Escuche y repita.

Accesorios

el paraguas
el reloj
el sombrero
la mochila
el portafolio
el collar
la bolsa

Materiales

el algodón
el cuero
el plástico
la lana
el oro
la plata
la madera
el acero

IV. El uso de la preposición *de* con *ser*

A. *You will hear a question. Choose the answer that best fits the question and then make a complete statement.*

Modelo: *You hear:* ¿De qué es la camisa?
You see: a. algodón b. el señor Blanco
You choose a *and say:* Es de algodón.
You hear the confirmation: Es de algodón.

Comience:

1. ¿De qué es el suéter? . . . Es de poliéster.
2. ¿De quién es el sombrero? . . . Es de Paco.
3. ¿De dónde es el doctor? . . . Es de España.
4. ¿De qué es el reloj? . . . Es de oro.
5. ¿De qué es el portafolio? . . . Es de cuero.
6. ¿De dónde es el pastor? . . . Es de Perú.
7. ¿De qué es la bolsa? . . . Es de plástico.
8. ¿De qué es el bolígrafo? . . . Es de plata.

B. *Choose the question that best represents the answer given.*

Modelo: *You hear:* El reloj es de oro.
You see: a. ¿De quién es el reloj? b. ¿De qué es el reloj?
You choose b *and say:* ¿De qué es el reloj?

1. El profesor es interesante.
¿Cómo es el profesor?
2. La corbata es de Pablo.
¿De quién es la corbata?
3. Jorge Washington es de los Estados Unidos.
¿De dónde es Jorge Washington?
4. El señor es simpático.
¿Cómo es el señor?
5. El misionero está en Colombia.
¿Dónde está el misionero?
6. La mesa es grande.
¿Cómo es la mesa?

V. Resumen de *ser y estar*

A. *Complete the following sentences by inserting the correct form of the verb* ser *or* estar.

Modelo: *You see:* La muchacha ___________ bonita.
You write: La muchacha ___*es*___ bonita.
You hear the confirmation: La muchacha es bonita.

1. El libro *es* grande.
2. El lápiz *está* en mi bolsillo.
3. El director de la escuela *está* en su oficina.
4. La escuela *está* al lado de la iglesia.
5. La profesora de inglés *es* mi madre.
6. El himnario *es* del director de música.
7. Roberto *está* detrás de su amiga Felipa.
8. La casa de Maritza *es* grande.

B. *Listen to each sentence and determine whether it contains a form of* estar *or* ser. *Fill in the space with the verb you hear.*

Modelo: La mesa ___*está*___ sucia.

1. Él *es* moreno.
2. Mi tío *es* tacaño.
3. El profesor *está* de buen humor hoy.
4. Yo *estoy* nervioso esta mañana.
5. Tú *eres* muy delgado.
6. Yo *soy* bastante inteligente.
7. ¿Tú *estás* cansado?
8. El muchacho *es* muy simpático.
9. La señorita *está* nerviosa.
10. Tú *eres* muy inteligente.

VI. El pronombre relativo *que*

You will hear a sentence. Use the cue given to enlarge the sentence. Follow the model.

Modelo: *You hear:* El gato es de mi hermana.
You see: El gato está debajo de la silla.
You say: El gato que está debajo de la silla es de mi hermana.
You hear the confirmation: El gato que está debajo de la silla es de mi hermana.

1. El muchacho es mi amigo.

   El muchacho que es muy alto es mi amigo.
2. El hombre es el pastor.

   El hombre que tiene la Biblia es el pastor.
3. El carro es de mi papá.

   El carro que está detrás de la casa es de mi papá.
4. La señorita es mi hermana.

   La señorita que está en el carro es mi hermana.
5. El muchacho es Pedro.

   El muchacho que es un poco loco es Pedro.
6. La señora es mi tía.

   La señora que está al lado de mi mamá es mi tía.

VII. Pronunciación

A. *Follow along on page 56 of your textbook.*

El diptongo

The vowels *a, e,* and *o* are strong vowels. The vowels *i* and *u* are weak vowels. Any combination of weak vowels or strong and weak vowels forms a diphthong. The two vowels in a diphthong are pronounced with a gliding sound.

Modelo: bue-no

Practique las palabras: fuen-te . . . cui-da-do . . . Dios . . . cie-lo . . . fa-mi-lia . . . Bi-blia

Practique las frases: La Biblia habla del Dios de los cielos.

La familia de Luisa viaja a Suiza.

B. *Repeat each phrase in the pause provided.*

La Biblia habla . . . del Dios de los cielos.

La familia . . . de Luisa . . . viaja a Suiza.

Any combination of *a, e,* or *o* is pronounced as two separate syllables.

Practique las palabras: pa-e-lla . . . vi-de-o . . . Ma-te-o

Practique la frase: Mateo el feo tiene juegos de video.

VIII. Dictado

Escuche y escriba.

1. La señorita Matos es muy delgada.
2. La clase de español es interesante.
3. El maestro es divertido.
4. Siempre está de buen humor.
5. Es de México. Es mexicano.

Capítulo Cuatro

Lección 7

I. Versículo

Proverbios 15:3 Los ojos de Jehová están en todo lugar, mirando a los malos y a los buenos.

Repeat each phrase in the pauses provided.

Proverbios . . . 15:3 . . . Proverbios 15:3 . . . Los ojos de Jehová . . . están en todo lugar . . . mirando a los malos . . . y a los buenos.

Try to say each phrase before you hear it on the tape.

. . . Proverbios 15:3 . . . Los ojos de Jehová . . . están en todo lugar . . . mirando a los malos . . . y a los buenos.

Say the entire verse with the reference before and after.

Proverbios 15:3 Los ojos de Jehová están en todo lugar, mirando a los malos y a los buenos. Proverbios 15:3

II. Diálogo

Follow along on page 59 of your textbook.

En el centro

Pablo y Roberto, dos jóvenes de Ohio, están en San Juan con el misionero, el Sr. Martin.

Sr. Martin: Buenos días, muchachos. ¿Están bien esta mañana?

Roberto: Yo estoy bien.

Pablo: Y yo más o menos.

Sr. Martin: ¿Están listos para repartir tratados en el centro?

Roberto: No sé. Estamos un poco nerviosos.

Pablo: Nuestro español es muy malo.

Sr. Martin: Muchachos, no se preocupen. Es bastante fácil. Además, hay muchas personas en el parque, en las tiendas, en el hospital y en las calles que no tienen la salvación.

Roberto: Sí, es verdad. Y en Puerto Rico se habla inglés.

Sr. Martin: Especialmente los jóvenes.

Pablo: Bueno, ¡vamos al centro!

Within two hours all the tracts are gone. Pablo and Roberto are eager to return the next day with more.

Roberto: Es bueno repartir tratados. Estamos contentos.

Sr. Martin: Muchachos, al lado de la estación de autobús hay una heladería fabulosa.

Pablo: ¡El que llegue de último es feo!

Answer the following questions about the dialogue. You will hear the confirmation. Your answers, however, may vary from the ones given.

1. ¿Dónde están Pablo y Roberto?
   Están en San Juan.
2. ¿Cómo están esta mañana?
   Roberto está bien y Pablo más o menos.
3. ¿Están nerviosos?
   Sí, están un poco nerviosos.
4. ¿Dónde reparten los tratados?
   Reparten los tratados en el parque, en las tiendas, en el hospital y en las calles.
5. ¿Dónde está la heladería?
   Está al lado de la estación de autobús.

III. Los pronombres personales

A. *The chart below contains the complete listing of the subject pronouns. Repeat each pronoun after you hear it on the tape.*

yo
tú
usted
él, ella
nosotros, nosotras
vosotros, vosotras
ustedes
ellos, ellas

B. *Give the pronoun that refers to each noun you hear.*

Modelo: *You hear:* María y Carmen
You say: ellas
You hear the confirmation: ellas

1. Tomás . . . él
2. Tomás y Mateo . . . ellos
3. Luisa . . . ella
4. Tú y yo . . . nosotros
5. Diana y Francisco . . . ellos
6. Diana y Margarita . . . ellas
7. Luis y Clara . . . ellos
8. Luis y Andrés . . . ellos

C. *Repeat each statement you hear, replacing the names in italics with the correct pronouns.*

Modelo: *You see and hear*: *Marta y José* están en el museo.
You say: Ellos están en el museo.
You hear the confirmation: Ellos están en el museo.

1. *Raúl y Daniel* están en la estación de autobús . . . Ellos están en la estación de autobús.
2. *Melisa y Doris* están detrás del carro . . . Ellas están detrás del carro.
3. *Felipe y yo* estamos en la calle . . . Nosotros estamos en la calle.
4. *Ud., Juan, y Carmen* están en Puerto Rico . . . Uds. están en Puerto Rico.
5. *Uds. y yo estamos* delante de la clase . . . Nosotros estamos delante de la clase.
6. *Ignacio* está al lado de Isabel . . . Él está al lado de Isabel.
7. *Mis amigos* están en la iglesia . . . Ellos están en la iglesia.
8. *Yolanda* está en el parque . . . Ella está en el parque.
9. *Miguel, Diana y Uds.* están en el teatro . . . Uds. están en el teatro.
10. *Josefa, Carmen y Anita* están en la tienda . . . Ellas están en la tienda.

IV. El verbo *estar*

A. *Say the conjugation of the verb* estar *after the speaker.*

yo estoy
tú estás
Ud. está
él está
nosotros estamos
vosotros estáis
Uds. están
ellos están

B. *Sara has sent a page of her photo album. It shows all the places her youth group visited when they went to San Juan. Refer to the illustrations to tell where the people in the photos are. Be sure to use the correct form of* estar.

Modelo: *You hear:* Jaime y Raúl
You say: Jaime y Raúl están en el restaurante.
You hear the confirmation: Jaime y Raúl están en el restaurante.

1. Rosa y Maribel . . .
Rosa y Maribel están en el teatro.
2. Paco, José, y Doris . . .
Paco, José y Doris están en la heladería.
3. Miguel y yo . . .
Miguel y yo estamos en el museo.
4. yo . . . Yo estoy en la tienda.
5. tú . . . Tú estás en la estación de autobús.

V. El plural de los adjetivos

A. *Replace the subjects in italics with the names you hear. Make sure the adjectives in the sentences agree with the new subjects.*

Modelo: *You see: Diana y Carmen* están contentas.
You hear: Juan y Carlos
You say: Juan y Carlos están contentos.
You hear the confirmation: Juan y Carlos están contentos.

1. Margarita y Tomás . . . Margarita y Tomás están enfermos.
2. Pedro y Paco . . . Pedro y Paco están cansados.
3. Teresa y Sara . . . Teresa y Sara están nerviosas.
4. Francisco y Roberto . . . Francisco y Roberto están de buen humor.
5. Rosita y Raquel . . . Rosita y Raquel están tristes.

B. *Answer each question using the correct form of the adjective provided.*

Modelo: *You see:* contento
You hear: ¿Cómo están Diana y Carola?
You say: Están contentas.
You hear the confirmation: Están contentas.

1. ¿Cómo están las señoritas?
Están cansadas.
2. ¿Cómo están Uds.?
Estamos entusiasmados.
3. ¿Cómo están María y Susana?
Están alegres.
4. ¿Cómo están Eduardo y Samuel?
Están nerviosos.
5. ¿Cómo están Uds.?
Estamos tristes.
6. ¿Cómo están los abuelos?
Están muy ocupados.
7. ¿Cómo están Juanita y Magdalena?
Están furiosas.
8. ¿Cómo están los profesores?
Están felices.
9. ¿Cómo están las niñas?
Están de buen humor.
10. ¿Cómo está tu mamá?
Está enferma.

VI. Repaso del verbo *estar*

***For each statement that you hear, supply an appropriate question using the question words* ¿dónde? *or* ¿cómo? *plus the proper form of* estar.**

Modelo: *You hear:* Yo estoy en la escuela.
You ask: ¿Dónde estás?
You hear the confirmation: ¿Dónde estás? *or*
You hear: Marcos está aburrido.

You ask: ¿Cómo está Marcos?
You hear the confirmation: ¿Cómo está Marcos?

1. Diego y Luis están enfermos . . . ¿Cómo están Diego y Luis?
2. Estamos de mal humor . . . ¿Cómo están Uds.?
3. Uds. están en el aeropuerto . . . ¿Dónde estamos?
4. Manolo y Rafael están entusiasmados . . . ¿Cómo están Manolo y Rafael?
5. Yo estoy delante de un teléfono público . . . ¿Dónde está Ud.?
6. Enrique está en su cuarto . . . ¿Dónde está Enrique?

VII. Pronunciación

Follow along on page 65 of your textbook.

Unión de las palabras

As a beginning student, you may have difficulty detecting where one word ends and another begins in spoken Spanish. Sentences seem to sound like strings of syllables. The tips below should help you pronounce sentences in Spanish.

- Words ending in a vowel link to the following word if that word begins with a vowel. *su abuelo*
- Words ending in a consonant also link to words beginning with a vowel. *el ejercicio* (Note: The *h* is a silent letter. *un hombre*)
- Words ending with either a consonant or a vowel link to the following word if that word begins with the same letter. *camión nuevo*

Practique las frases: ¿Cómo estás?

Los amigos son fieles los unos a los otros.

Los ojos de Jehová están en todo lugar.

VIII. Dictado

Escuche y escriba.

1. Papá está en el hospital.
2. María y Ana están en el parque.
3. La estación de autobús está detrás del museo.
4. Ellos están en una tienda en el centro.
5. La iglesia está al lado del museo.

Lección 8

I. Versículo

Romanos 5:1 Justificados, pues, por la fe, tenemos paz para con Dios por medio de nuestro Señor Jesucristo.

Repeat each phrase in the pauses provided.

Romanos . . . 5:1 . . . Romanos 5:1 . . . Justificados, pues, por la fe . . . tenemos paz para con Dios . . . por medio de nuestro Señor Jesucristo.

Try to say each phrase before you hear it on the tape.

. . . Romanos 5:1 . . . Justificados, pues, por la fe . . . tenemos paz para con Dios . . . por medio de nuestro Señor Jesucristo.

Say the entire verse with the reference before and after.

Romanos 5:1 Justificados, pues, por la fe, tenemos paz para con Dios por medio de nuestro Señor Jesucristo. Romanos 5:1

II. Diálogo

Feliz cumpleaños

Débora and Rebeca bring a cake to their grandfather for his birthday.

Débora y Rebeca: ¡Fcliz cumpleaños!

Abuelo: Gracias, niñas. Estoy muy contento. El pastel es bonito.

Rebeca: ¿Cuántos años tienes, abuelo?

Abuelo: Muchos años.

Rebeca: Pero, ¿cuántos?

Abuelo: Tengo sesenta años.

Rebeca: ¿Verdad? ¡Sesenta! Eres viejo, abuelo.

Débora: ¡Rebeca, más respeto!

Abuelo: Y tú, ¿cuántos años tienes, jovencita?

Rebeca: Tengo ocho años.

Débora: Y yo tengo casi quince años.

Abuelo: ¡Quince años! Ahora sí me siento viejo.
Vamos, señoritas, es hora de comer el pastel.

Answer the following questions about the dialogue. You will hear the confirmation. Your answers, however, may vary from the ones given.

1. ¿Cuántos años tiene abuelo?

   Tiene sesenta años.

2. ¿Cuántos años tiene Rebeca?

   Tiene ocho años.

3. ¿Cuántos años tiene Débora?

   Tiene casi quince años.

III. Vocabulario

A. *Say the numbers after the speaker.*

once
doce
trece
catorce
quince
dieciséis
diecisiete
dieciocho
diecinueve
veinte
treinta
cuarenta
cincuenta
sesenta
setenta
ochenta
noventa
cien
mil
millón

B. *Say the number that follows the number you hear.*

doce
dieciocho
dieciséis
catorce
siete
nueve
tres
seis
once
trece
quince
diecisiete

C. *Cover your manual and count by 2s from* cero *to* veinte. *When you finish, you will hear the confirmation.*

cero
dos
cuatro
seis
ocho
diez
doce
catorce
dieciséis
dieciocho
veinte

D. *Solve the following subtraction problems.*

Modelo: *You hear:* Veinte menos diez son . . .
You say: Veinte menos diez son diez.

1. Diecisiete menos cinco son . . .
2. Quince menos dos son . . .
3. Diecinueve menos diez son . . .
4. Dieciséis menos ocho son . . .
5. Diecinueve menos cinco son . . .

IV. El verbo *tener*

A. *Repeat the conjugation of the verb* tener *after the speaker.*

yo tengo
tú tienes
Ud. tiene
él tiene
nosotros tenemos
vosotros tenéis
Uds. tienen
ellos tienen

B. *The speaker will give you the subject for each of the following sentences. Read the complete sentence supplying the correct form of the verb* tener.

Modelo: *You hear:* Pablo y Marcos
You say: <u>*Pablo y Marcos tienen*</u> carros grandes.
You hear the confirmation: Pablo y Marcos tienen carros grandes.

1. Rosa y María . . . Rosa y María tienen bolsas nuevas.
2. Tú y yo . . . Tú y yo tenemos una clase de español a las tres.
3. Mis padres . . . Mis padres tienen una familia grande.
4. Los estudiantes . . . Los estudiantes tienen tareas todos los días.
5. Mi amigo y yo . . . Mi amigo y yo tenemos guitarras españolas.

V. *Tener* para indicar edad

Answer the questions according to the picture cues.

Modelo: *You hear:* ¿Cuántos años tiene María?
You say: María tiene veinte años.

1. ¿Cuántos años tiene Carlos?
Tiene trece años.
2. ¿Cuántos años tienen Federico y Fernando?
Tienen diecisiete años.
3. ¿Cuántos años tiene Alicia?
Tiene quince años.
4. ¿Cuántos años tiene Ana?
Tiene catorce años.
5. ¿Cuántos años tiene Beto?
Tiene once años.

VI. Los números del 20 al 29

A. *Say the numbers after the speaker.*

veinte
veintiuno
veintidós
veintitrés
veinticuatro
veinticinco
veintiséis
veintisiete
veintiocho
veintinueve

B. *Say the number that precedes the number you hear.*

veintiuno . . . veinte
veintitrés . . . ventidós
veintiocho . . . veintisiete
veintinueve . . . veitiocho
veinticinco . . . veinticuatro

VII. Los artículos definidos

Make the nouns you hear plural.

Modelo: *You hear:* la oficina
You say: las oficinas *or*
You hear: el hospital
You say: los hospitales

1. el libro . . . los libros
2. la tienda . . . las tiendas
3. el teléfono . . . los teléfonos
4. la heladería . . . las heladerías
5. la estación . . . las estaciones
6. el escritorio . . . los escritorios
7. la profesora . . . las profesoras
8. la tiza . . . las tizas
9. el pupitre . . . los pupitres

VIII. Los números del 30 al 99

A. *Repeat the numbers after me.*

treinta
treinta y uno
treinta y dos
cuarenta
cuarenta y uno
cincuenta
cincuenta y uno
sesenta
sesenta y uno
setenta
setenta y uno
ochenta
ochenta y uno
noventa
noventa y uno
noventa y dos
noventa y tres
noventa y nueve

B. *The baseball team is taking the field. The announcer is calling out their names and numbers. As each one is announced, write down his number in the space provided.*

Modelo: *You hear:* Pedro González, número treinta y tres.
You write the numeral 33.

1. Santiago Pérez, número cuarenta y ocho. 48
2. Felipe Rojas, número veintiseís. 26
3. Andrés Vázquez, número diecinueve. 19
4. Tomás Romero, número treinta y siete. 37
5. Armando Contreras, número once. 11
6. Mateo Domínguez, número veintiuno. 21
7. Luis Antonio Vargas, número veinticinco. 25
8. Omar Martínez, número treinta y dos. 32
9. Héctor Lazardo, número cuarenta y tres. 43

IX. Pronunciación

A. *Follow along on page 70 of your textbook.*

División en sílabas

It is easy to divide Spanish words into syllables. Review the three rules below.

1. A word will have as many syllables as there are vowels in that word. But remember that diphthongs are considered one vowel sound, thus representing only one syllable. (*puer-ta, es-cue-la, su-cio*)
2. If a consonant comes between two vowels, divide after the first vowel. (The letters *ch, ll,* and *rr* are single consonants.)

   Practique las palabras: ta-co . . . pe-rro . . . ga-to . . . re-pi-ta

   Practique la frase: El mu-cha-cho lla-ma a su pe-rro.
3. Always divide between two consonants unless the second one is *l* or *r.*

   Practique las palabras: ten-go, ven-ta-na, tris-te, ta-bla, Bi-blia, sor-pre-sa

   Practique las frases: Pa-blo es-tá tris-te. No tie-ne su Bi-blia.

B. *Repeat the following words after the speaker.*

1. jus-ti-fi-ca-dos
2. te-ne-mos
3. ha-blo
4. Je-su-cris-to
5. Sal-va-dor

X. Dictado

Escuche y escriba.

1. ¿Tus hermanos tienen amigos en México?
2. Ellos tienen sus carros limpios.
3. ¿Cuántos años tiene tu abuelo?
4. Yo tengo quince años.
5. Papá tiene cuarenta y dos años.

Lección 9

I. Versículo

I Juan 1:9 Si confesamos nuestros pecados, él es fiel y justo para perdonar nuestros pecados, y limpiarnos de toda maldad.

Repeat each phrase in the pauses provided.

I Juan . . . 1:9 . . . I Juan 1:9 . . . Si confesamos nuestros pecados . . . él es fiel y justo . . . para perdonar nuestros pecados . . . y limpiarnos de toda maldad.

Try to say each phrase before you hear it on the tape.

. . . I Juan 1:9 . . . Si confesamos nuestros pecados . . . él es fiel y justo . . . para perdonar nuestros pecados . . . y limpiarnos de toda maldad.

Say the entire verse with the reference before and after.

I Juan 1:9 Si confesamos nuestros pecados, él es fiel y justo para perdonar nuestros pecados, y limpiarnos de toda maldad. I Juan 1:9

II. Lectura

Follow along on page 72 of your textbook.

Noemí, una puertorriqueña

Me llamo Noemí. Soy puertorriqueña. Soy de San Juan, la capital de Puerto Rico. Somos seis personas en mi familia. Mi papá se llama Omego; es contador. Mi mamá se llama Rut. Ella es secretaria. Mi hermano se llama Jonatán. Tiene dieciocho años. Tengo dos hermanas menores que se llaman Débora y Rebeca. Son simpáticas.

Durante el día nosotros los hijos estamos en la escuela y mis padres están en la oficina. Al mediodía toda la familia está en casa para el almuerzo. Por la noche, tenemos un tiempo devocional a las ocho. Cerca de las once, toda mi familia se acuesta.

Repeat each phrase in the pause provided.

Me llamo Noemí . . . Soy puertorriqueña . . . Soy de San Juan, . . . la capital de Puerto Rico . . . Somos seis personas en mi familia . . . Mi papá se llama Omego; . . . es contador . . . Mi mamá se llama Rut. . . . Ella es secretaria . . . Mi hermano se llama Jonatán. . . . Tiene dieciocho años . . . Tengo dos hermanas menores . . . que se llaman Débora y Rebeca . . . Son simpáticas.

Durante el día . . . nosotros los hijos . . . estamos en la escuela . . . y mis padres están en la oficina . . . Al mediodía . . . toda la familia está en casa . . . para el almuerzo . . . Por la noche, . . . tenemos un tiempo devocional a las ocho . . . Cerca de las once, . . . toda mi familia se acuesta.

III. El verbo *ser*

A. *Say the conjugation of the verb* ser *after the speaker.*

yo soy	nosotros somos
tú eres	vosotros sois
Ud. es	Uds. son
él es	ellos son

B. *For each statement you hear, supply the appropriate question. Use the question words* ¿de dónde? *or* ¿quién? *or* ¿quiénes?

Modelo: *You hear:* Alberto es de Puerto Rico.
You ask: ¿De dónde es Alberto? *or*
You hear: Alicia y Rut son mis hermanas.
You ask: ¿Quiénes son Alicia y Rut?

1. Bárbara es de México . . . ¿De dónde es Bárbara?
2. David y Carlos son norteamericanos . . . ¿De dónde son David y Carlos?

3. Los señores Ruiz son mis abuelos . . . ¿Quiénes son los señores Ruiz?
4. Somos del Brasil . . . ¿De dónde son Uds.?
5. El Sr. Marín es mi pastor . . . ¿Quién es el Sr. Marín?
6. Somos los padres de Gregorio . . . ¿Quiénes son Uds.?
7. Horacio y Anastasio son de Colombia . . . ¿De dónde son Horacio y Anastasio?
8. Ricardo es de Bolivia . . . ¿De dónde es Ricardo?
9. María y Marta son las hermanas de Lázaro . . . ¿Quiénes son María y Marta?
10. Berta es la chica alta . . . ¿Quién es Berta?

C. *Describe the item or person you hear, according to the cue provided. Be sure to use the correct form of the verb and adjective in each case.*

Modelo: *You hear:* los sombreros
You see: grande
You say: Los sombreros son grandes.
You hear the confirmation: Los sombreros son grandes.

1. las casas . . . Las casas son nuevas.
2. los niños . . . Los niños son pequeños.
3. nosotros . . . Nosotros somos cristianos.
4. tus padres . . . Tus padres son bondadosos.
5. las chicas . . . Las chicas son bonitas.
6. los estudiantes . . . Los estudiantes son inteligentes.
7. tú y yo . . . Tú y yo somos felices.
8. los muchachos de tu clase . . . Los muchachos de mi clase son guapos.

IV. La hora y los minutos

A. *Draw hands on the clock to portray the time you hear.*

1. Son las tres.
2. Son las cinco.
3. Es mediodía.
4. Son las seis y cuarto.
5. Son las ocho menos cuarto.

B. *Answer the question according to the clock provided.*

Modelo: *You hear:* ¿Qué hora es?
You say: Son las dos y cuarto.

1. ¿Qué hora es? . . . Son las tres y media.
2. ¿Qué hora es? . . . Es la una y diez.
3. ¿Qué hora es? . . . Son las doce menos veinte.
4. ¿Qué hora es? . . . Son las nueve y veinticinco.
5. ¿Qué hora es? . . . Es medianoche o mediodía.
6. ¿Qué hora es? . . . Son las cuatro menos cinco.
7. ¿Qué hora es? . . . Son las seis y cuarto.
8. ¿Qué hora es? . . . Son las ocho menos diez.

C. *Refer to the schedule of services and activities of the First Baptist Church of Levittown, Puerto Rico to answer the questions that you hear.*

Modelo: *You hear:* ¿A qué hora es el servicio de adoración?
You answer: Es a las diez y media de la mañana.
You hear the confirmation: Es a las diez y media de la mañana.

1. ¿A qué hora es el servicio evangelístico los domingos? . . . Es a las siete de la noche.
2. ¿A qué hora es la escuela dominical? . . . Es a las nueve y media de la mañana.
3. ¿A qué hora es la visitación? . . . Es a las dos y cuarto de la tarde.
4. ¿A qué hora es el servicio de oración y estudio bíblico los miércoles? . . . Es a las siete y media de la noche.
5. ¿El ensayo de coro es por la noche o por la mañana? . . . Es por la noche.
6. ¿A qué hora es el servicio de jóvenes los sábados? . . . Es a las ocho menos cuarto.

V. Pronunciación

A. *Follow along on page 79 of your textbook.*

La acentuación de las sílabas

In Spanish there are three simple rules that will help you to know which syllables to stress.

1. The stress falls on the next to the last syllable if the word ends in a vowel, or in *n* or *s*.

   Practique las palabras: gato . . . vaca . . . rosas . . . camino . . . ventana . . . amigo . . . cocina . . . meseta . . . respuestas.

2. The stress falls on the last syllable if the word ends in any consonant except *n* or *s*.

   Practique las palabras: amor . . . cantar . . . abril . . . doctor . . . azul . . . salud

3. Any word that is an exception to the two rules above contains an accent mark; thus, the stress falls on the syllable containing the accented vowel.

   Practique las palabras: lápiz . . . nación . . . capítulo . . . bolígrafo . . . África . . . sílaba

B. *Listen to the following words and circle the syllable that receives the stress.*

1. comida *comida*
2. América *América*
3. palabra *palabra*
4. verdad *verdad*
5. amor *amor*
6. feliz *feliz*
7. literatura *literatura*
8. geografía *geografía*
9. restaurante *restaurante*
10. abril *abril*
11. amén *amén*
12. rosas *rosas*

VI. Dictado

Escuche y escriba.

1. ¿A qué hora es tu clase?
2. Son las cinco y cuarto de la tarde.
3. La clase es a las diez menos veinte.
4. Miguel tiene sus clases por la tarde.
5. Nuestros días son buenos.

Capítulo Cinco

Lección 10

I. Versículo

Juan 3:7b Os es necesario nacer de nuevo.

Repeat each phrase in the pauses provided.

Juan . . . 3:7b . . . Juan 3:7b . . . Os es necesario . . . nacer de nuevo.

Try to say each phrase before you hear it on the tape.

. . . Juan 3:7b . . . Os es necesario . . . nacer de nuevo.

Say the entire verse with the reference before and after.

Juan 3:7b Os es necesario nacer de nuevo. Juan 3:7b

II. Diálogo

Follow along on page 82 of your textbook.

Una familia activa

La familia Hernández es una familia boliviana muy activa. Los padres son Pedro Hernández y su esposa Rosa Gómez de Hernández. Tienen cuatro hijos: José Luis de dieciséis años, Mayra de catorce años, Conchita de trece años y Andrés de siete años.

Los hijos están en la escuela durante el día, y el padre está en su oficina. La señora de Hernández está en casa.
(Al mediodía llega Andrés.)

Andrés: ¡Hola, mamá! ¡Aquí estoy!

Sra. Hernández: ¡Hola, mi hijo! ¿Cómo estás?

Andrés: Bien. Deseo un vaso de leche.

Sra. Hernández: Está bien.

(A las doce y cuarto llega Conchita.)

Conchita: ¡Hola, mamá! Tengo que estudiar para la clase de historia.

Sra. Hernández: Está bien.

(A las doce y media llegan José Luis y Mayra.)

Mayra: ¡Hola! Llegamos de la escuela, mamá.

Sra. Hernández: ¡Hola, hijos!

José Luis: Cantamos en el coro de la iglesia el domingo. Necesitamos practicar con los muchachos esta noche.

Sra. Hernández: ¿Desean algo?

José Luis: Sí, deseo una Coca-cola, un sandwich, un . . .

Sra. Hernández: ¡Ah, no! La comida es a la una.

José Luis: Está bien. Sólo el sandwich entonces.

Mayra: ¿Es para mí esta Coca o es de José Luis?

Sra. Hernández: Es de él. Aquí tienes una para ti.

José Luis: Oye, Mayra, ¿practicas los cantos conmigo?

Mayra: Sí, ensayo contigo hasta el almuerzo.

(A la una llega el Sr. Hernández.)

Sr. Hernández: ¡Hola, familia!

Andrés: ¡Hola, papá!

Sr. Hernández: ¿Dónde están todos?

Andrés: Mayra y José Luis ensayan unos cantos. Conchita está en su cuarto. Estudia la historia. Y mamá está en la cocina.

Sr. Hernández: ¿Y el almuerzo?

Sra. Hernández: El almuerzo está casi listo.

Sr. Hernández: ¡Qué bueno! ¡Tengo mucha hambre!

Answer the following questions about the dialogue. You will hear the confirmation. Your answers, however, may vary from the ones given.

1. ¿Dónde está la familia durante el día? . . . Los hijos están en la escuela, el padre está en la oficina y la madre está en casa.
2. ¿Qué desea Andrés al llegar a casa? . . . Desea un vaso de leche.
3. ¿Qué estudia Conchita en su cuarto? . . . Estudia la historia.
4. ¿A qué hora llegan José Luis y Mayra? . . . Llegan a las doce y media.
5. ¿Por qué practican con los muchachos esta noche? . . . Cantan en el coro de la iglesia el domingo.
6. ¿Está listo el almuerzo? . . . Sí, el almuerzo está casi listo.

III. Vocabulario

Look at the picture; then listen as the speaker makes three statements. Circle* a, b, *or* c *to indicate which statement best describes the picture.

1. a. Hablo con mi profesor.
   b. Canto un himno.
   c. Estudio el español.
2. a. Llegamos a la iglesia.
   b. Cantamos en la iglesia.
   c. Ganamos a la iglesia.
3. a. Trabajamos para el pastor.
   b. Escuchamos al pastor.
   c. Practicamos con el pastor.
4. a. Camino todas las mañanas.
   b. Compro el pan.
   c. Deseo estudiar temprano.

IV. Los verbos *-ar*

A. ***Say the conjugation of the verb* cantar *after the speaker.***

yo canto
tú cantas
Ud. canta
él canta

nosotros cantamos
vosotros cantáis
Uds. cantan
ellos cantan

B. *Give the correct form of the verb* cantar *according to each subject provided. You will hear the confirmation.*

1. Mayra . . . canta
2. Conchita y José Luis . . . cantan
3. yo . . . canto
4. Uds. . . . cantan
5. nosotros . . . cantamos
6. ellas . . . cantan
7. Ud. . . . canta

C. *Fill in each blank with the correct form of the verb that you hear.*

Modelo: *You see:* Yo _________ la trompeta.
You hear: practicar
You say: Yo _practico_ la trompeta.
You hear the confirmation: Yo practico la trompeta.

1. comprar . . . Ella compra un carro nuevo.
2. entrar en . . . Nosotros entramos en la oficina.
3. escuchar . . . Manuel escucha música clásica.
4. ganar . . . Uds. ganan el partido de tenis.
5. practicar . . . Yo practico el himno en el piano.
6. estudiar . . . Los estudiantes estudian la Biblia todos los días.
7. caminar . . . Tú caminas por dos horas.

V. Pronombres con las preposiciones

Answer the questions affirmatively. Replace the words in italics with the appropriate pronouns.

Modelo: *You see and hear:* ¿Cantas para *tu novia*?
You say: Sí, canto para ella.
You hear the confirmation: Sí, canto para ella.

1. ¿Practicas con los muchachos?
Sí, practico con ellos.
2. María estudia contigo, ¿verdad?
Sí, María estudia conmigo.
3. José Luis practica los cantos con Mayra, ¿no?
Sí, practica los cantos con ella.
4. ¿Trabajas con tu papá?
Sí, trabajo con él.
5. La muchacha habla con sus amigas, ¿verdad?
Sí, la muchacha habla con ellas.
6. Pedro está al lado de sus padres, ¿no?
Sí, Pedro está al lado de ellos.
7. Marta tiene algo para ti, ¿verdad?
Sí, Marta tiene algo para mí.

VI. Pronunciación

Follow along on page 87 of your textbook.

Los acentos

The accent mark indicates that the stress falls on a syllable that is an exception to the rules you learned on page 79 of your textbook.

árbol . . . congregación . . . café

An accent mark is also used over an *i* or *u* in a diphthong to make the *i* or *u* the strongest vowel in the word. The accent eliminates the diphthong and puts the two vowels in separate syllables.

Vía . . . baúl . . . reír . . . oído

VII. Dictado

Escuche y escriba.

1. Conchita llega a su casa a las doce.
2. Rafael y Pablo estudian español conmigo.
3. Practicamos los himnos nuevos para el domingo.
4. Deseo hablar con ella.
5. Yo camino todos los días.

Lección 11 ▲▲▲

I. Versículo

Romanos 6:23 Porque la paga del pecado es muerte, mas la dádiva de Dios es vida eterna en Cristo Jesús Señor nuestro.

Repeat each phrase in the pauses provided.

Romanos . . . 6:23 . . . Romanos 6:23 . . . Porque la paga del pecado . . . es muerte . . . mas la dádiva de Dios . . . es vida eterna . . . en Cristo Jesús . . . Señor nuestro.

Try to say each phrase before you hear it on the tape.

. . . Romanos 6:23 . . . Porque la paga del pecado . . . es muerte . . . mas la dádiva de Dios . . . es vida eterna . . . en Cristo Jesús . . . Señor nuestro.

Say the entire verse with the reference before and after.

Romanos 6:23 Porque la paga del pecado es muerte, mas la dádiva de Dios es vida eterna en Cristo Jesús Señor nuestro. Romanos 6:23

II. Diálogo

Follow along on page 88 of your textbook.

El ensayo

Toda la familia Hernández asiste a la Iglesia de la Fe. Los jóvenes de la iglesia desean presentar un programa de música. Hablan con el pastor. Él está contento porque ellos desean preparar un programa.

Todos los viernes los jóvenes ensayan. Varios chicos trabajan los viernes por la tarde y nunca pueden practicar con los otros jóvenes. El pastor escucha a los jóvenes cantar. José Luis toca unos cantos en la guitarra, y luego todos ensayan los cantos. También ensayan algunos de sus himnos favoritos.

José Luis y tres de sus amigos ensayan un cuarteto. José Luis canta el primer tenor, Felipe canta el segundo tenor, Marcos canta el barítono y Pedro el bajo. Cantan el himno "Hay un nombre nuevo en la gloria". Mayra ensaya un solo. Su himno favorito es "Oh, amor de Dios".

Repeat each phrase in the pause provided.

El ensayo

Toda la familia Hernández asiste a la Iglesia de la Fe . . . Los jóvenes de la iglesia . . . desean presentar un programa de música . . . Hablan con el pastor . . . Él está contento . . . porque ellos desean preparar un programa.

Todos los viernes los jóvenes ensayan . . . Varios chicos trabajan . . . los viernes por la tarde . . . y nunca pueden practicar . . . con los otros jóvenes . . . El pastor escucha a los jóvenes cantar . . . José Luis toca unos cantos en la guitarra . . . y luego todos ensayan los cantos . . . También ensayan algunos de sus himnos favoritos.

José Luis y tres de sus amigos ensayan un cuarteto . . . José Luis canta el primer tenor, Felipe canta el segundo tenor . . . Marcos canta el barítono y Pedro el bajo . . . Cantan el himno "Hay un nombre nuevo en la gloria". . . Mayra ensaya un solo . . . Su himno favorito es "Oh, amor de Dios".

III. Vocabulario

Choose the correct word from the list provided to complete each sentence. You will hear the confirmation.

Modelo: *You see:* El señor Hernández ________ un solo.
You hear: canta, camina
You say: El señor Hernández ___*canta*___ un solo.
You hear the confirmation: El señor Hernández canta un solo.

1. cuarteto, dúo . . . Rosa y Carmen cantan un dúo.
2. ensayan, predican . . . Los jóvenes ensayan un cuarteto para cantar esta noche.
3. espera, toca . . . Raúl toca la trompeta muy bien.
4. saca, reserva . . . José Luis saca fotos de sus amigos.
5. busca, predica . . . El pastor predica los domingos en la iglesia.

IV. Resumen: El presente de los verbos que terminan en *-ar*

A. *Underline the correct form of the verb used in each sentence that you hear.*

Modelo: *You hear:* Roberto ensaya un solo.
You see: ensayan, ensayo, ensaya
You underline ensaya.

1. Los pastores predican muchos sermones . . . predican
2. Rafael practica la trompeta todos los días . . . practica
3. Yo ensayo un himno para el domingo . . . ensayo
4. Ud. canta el himno muy bien. . . . canta
5. Pepe y yo tocamos la guitarra. . . . tocamos

B. *Fill in each blank with the correct form of the verb you hear.*

Modelo: *You see:* Jesucristo ________ a sus discípulos.
You hear: llamar
You say: Jesucristo ___*llama*___ a sus discípulos.
You hear the confirmation: Jesucristo llama a sus discípulos.

1. estudiar . . . Nosotros estudiamos español todos los días.
2. escuchar . . . Santiago y Pablo escuchan la radio.
3. tocar . . . Mi hermano toca el violín.
4. trabajar . . . Yo trabajo en un restaurante todos los sábados.
5. sacar . . . Tú sacas fotos de los animales.
6. hablar . . . Nosotros hablamos español en la clase.
7. mirar . . . Mayra mira a los chicos en la iglesia.
8. invitar . . . Usted siempre invita a Marta a las fiestas.
9. cantar . . . El trío canta en la iglesia el domingo.
10. esperar . . . Las señoritas esperan a sus amigos delante de la iglesia.

V. El plural del artículo indefinido

Answer each of the following questions using the cue given and the correct indefinite article.

Modelo: *You hear:* ¿Qué hay en el escritorio?
You see: libros
You say: Hay unos libros en el escritorio.
You hear the confirmation: Hay unos libros en el escritorio.

1. ¿Qué hay en tu mochila?
Hay unos lápices en mi mochila.
2. ¿Quién está en tu casa?
Unos amigos están en mi casa.
3. ¿Qué compran Marcos y Juan?
Compran unos sombreros.
4. ¿Qué toman las chicas?
Toman unas sodas.
5. ¿Qué está en la mesa?
Unos violines están en la mesa.

VI. El *a* personal

A. *Construct sentences using the information given and the verbs you hear. Use the personal a when necessary.*

Modelo: *You see:* nosotros / nuestros amigos
You hear: esperar
You say: Nosotros esperamos a nuestros amigos.
You hear the confirmation: Nosotros esperamos a nuestros amigos.

1. invitar . . . Los jóvenes invitan a sus padres.
2. tener . . . Todos los estudiantes tienen muchas tareas.
3. mirar . . . Los chicos miran a las chicas.
4. escuchar . . . Nosotros escuchamos a nuestros padres.
5. ser . . . El señor alto es profesor de historia.
6. tocar . . . Maritza toca la flauta muy bien.
7. buscar . . . La familia nueva busca una casa.
8. esperar . . . Yo espero a Carlos.
9. mirar . . . Tú miras la televisión.
10. señalar . . . La estudiante señala Bolivia en el mapa.

B. *Look at each statement. Then form a question to which the statement could be the answer.*

Modelo: *You see:* Juan espera a María.
You say: ¿A quién espera Juan?
You hear the confirmation: ¿A quién espera Juan?

1. . . . ¿A quién invita Mario?
2. . . . ¿Qué mira Pablo?
3. . . . ¿A quiénes esperan Sara y Raquel?
4. . . . ¿Qué buscan sus padres?
5. . . . ¿Qué ensaya el cuarteto?
6. . . . ¿A quién escuchan los estudiantes?
7. . . . ¿Qué enseña el doctor Santos?
8. . . . ¿A quién buscan José y María en el templo?
9. . . . ¿A quién escuchan los doctores en el templo?
10. . . . ¿Quién es Jesús?

VII. Pronunciación

Follow along on page 93 of your textbook.

La entonación

Intonation refers to the rise and fall of the voice in speaking. For statements, exclamations, commands, and information questions (questions that begin with interrogative words such as *¿dónde?, ¿quién?,* or *¿cómo?*), a falling intonation pattern is used. Listen to the following examples.

Statement: Me llamo Pedro.

Exclamation: ¡Qué bonita eres!

Command: ¡Abra la puerta!

Information questions: ¿Dónde está el libro?

¿Cómo está tu hermana?

For yes/no questions (questions that can be answered with *sí* or *no*), a rising intonation pattern is normally used.

Yes/no questions: ¿Eres de Puerto Rico?

¿Estudias español?

Escuche y repita.

1. Me llamo Pedro.
2. ¿Eres de Santa Ana?
3. ¡Abran los libros!
4. ¿Quién está en la oficina?
5. Tengo mi cuaderno en la bolsa.
6. ¡Qué inteligente eres!
7. ¿De dónde es tu profesor de español?

VIII. Dictado

Escuche y escriba.

1. Roberto predica el domingo por la noche.
2. Invitamos a todos nuestros amigos a los programas.
3. Pablo nunca mira a Rosita en la clase de español.
4. Tomo el autobús para llegar a la escuela.
5. ¿Cuántas personas cantan en el coro?

Lección 12 ▲▲▲▲▲▲▲▲▲▲▲▲▲▲▲▲▲▲▲▲▲▲▲▲▲▲▲▲▲▲▲▲▲▲▲▲▲▲

I. Versículo

Juan 6:37b Al que a mí viene, no le echo fuera.

Repeat each phrase in the pauses provided.

Juan . . . 6:37b . . . Juan 6:37b . . . Al que a mí viene . . . no le echo fuera.

Try to say each phrase before you hear it on the tape.

. . . Juan 6:37b . . . Al que a mí viene . . . no le echo fuera.

Say the entire verse with the reference before and after.

Juan 6:37b Al que a mí viene, no le echo fuera. Juan 6:37b

II. Diálogo

Follow along on page 95 of your textbook.

El programa

La noche que los jóvenes presentan el programa, la iglesia está llena. Muchos amigos de los jóvenes y algunos de sus padres están en la iglesia. Son casi las siete.

Felipe: José Luis, siempre estoy nervioso cuando canto delante de la congregación. ¡Y hay mucha gente esta noche!

José Luis: Sí, todos estamos nerviosos, pero es importante no olvidar nunca que cantamos para el Señor y no para nosotros.

Felipe: Claro, tienes razón.

Mayra: Felipe, ¡hay alguien especial aquí esta noche! Es Anita.

Felipe: ¿Sí? Pues . . . pues . . .

José Luis: Felipe, ¿qué tienes? Siempre te pones raro cuando alguien menciona a Anita.

Pedro: Es que cuando Felipe mira a Anita, él tiene problemas no sólo en cantar pero también en hablar.

Felipe: No es na - na - na - nada, muchachos. Estoy per - per - per - perfectamente bien.

Pedro: (laughing)¡Ah, sí! ¡Por eso estás tan pálido!

José Luis: Muchachos, en serio. Felipe y yo tenemos que practicar un poco más antes del programa.

José Luis y Felipe practican su himno y luego es hora de comenzar el servicio. Después del programa de música que los jóvenes presentan, todos escuchan el mensaje del pastor de la iglesia. Cuando termina el servicio, todos felicitan a los jóvenes por su buen trabajo. Los jóvenes están contentos porque tienen parte en predicar el evangelio.

Answer the following questions about the dialogue. You will hear the confirmation. Your answers, however, may vary from the ones given.

1. ¿Para quién cantan los jóvenes?

   Cantan para el Señor.

2. ¿Por qué está nervioso Felipe?

   Anita está en el servicio.

3. Después del servicio, ¿cuál es la reacción de todos los presentes?

   Todos felicitan a los jóvenes.

4. ¿Presentan programas los jóvenes de tu iglesia?

   Los jóvenes de mi iglesia sí presentan / no presentan programas.

III. Vocabulario

Look at each picture. The speaker will make three statements about each one. Circle the letter of the statement that best describes the picture.

1. a. Raquel compra un regalo.
   b. Raquel prepara un regalo.
   c. Raquel saca un regalo.
2. a. Pedro y Marcos compran un taxi.
   b. Pedro y Marcos ganan un taxi.
   c. Pedro y Marcos esperan un taxi.
3. a. Las chicas miran fotos.
   b. Las chicas sacan fotos.
   c. Las chicas llevan fotos.
4. a. El profesor felicita al estudiante.
   b. El profesor olvida al estudiante.
   c. El profesor prepara al estudiante.

IV. Usos del infinitivo

Answer each question affirmatively.

Modelo: *You hear:* ¿Te gusta hablar español?
You say: Sí, me gusta hablar español.
You hear the confirmation: Sí, me gusta hablar español.

1. ¿Te gusta cantar?
   . . . Sí, me gusta cantar.
2. ¿Te gusta practicar el piano?
   . . . Sí, me gusta practicar el piano.
3. ¿Es posible entrar en la casa?
   . . . Sí, es posible entrar en la casa.
4. ¿Es necesario estudiar esta noche?
   . . . Sí, es necesario estudiar esta noche.
5. ¿Es bueno llegar temprano?
   . . . Sí, es bueno llegar temprano.
6. ¿Deseas entrar en la oficina?
   . . . Sí, deseo entrar en la oficina.
7. ¿Tienes que comprar libros?
   . . . Sí, tengo que comprar libros.
8. ¿Necesitas hablar con la señora?
   . . . Sí, necesito hablar con la señora.

V. Palabras afirmativas y negativas

Answer each question in the negative.

Modelo: *You hear:* ¿Hay alguien en el carro?
You say: No, no hay nadie en el carro.
You hear the confirmation: No, no hay nadie en el carro.

1. ¿Hay algo en la mesa?
   . . . No, no hay nada en la mesa.
2. ¿Siempre compras regalos para tu mamá?
   . . . No, nunca compro regalos para mi mamá.
3. ¿Hay alguien en la oficina?
   . . . No, no hay nadie en la oficina.
4. ¿Hay algunas señoritas en la clase de mecánica?
   . . . No, no hay ninguna señorita en la clase de mecánica.
5. ¿Siempre tocas la guitarra en la iglesia?
   . . . No, nunca toco la guitarra en la iglesia.

6. ¿Tienes algún regalo para María? . . . No, no tengo ningún regalo para María.
7. ¿Tienes algunos libros en tu bolsa? . . . No, no tengo ningún libro en mi bolsa.

VI. Pronunciación

Follow along on page 100 of your textbook.

Las consonantes *s, c, z*

The Spanish *s* is just like the English *s*. The *z* in Spanish also represents the *s* sound (never the *z* sound as in "zebra"). When the *c* comes before *e* or *i* (ce, ci), it is soft and thus sounds like the *s*. (In some parts of Spain, the *z* and the *c* before *e* or *i* are pronounced like the *th* of "with.")

Practique las palabras: serio . . . casa . . . zapato . . . marzo . . . trece . . . cinta . . . doce . . . mesa

Practique la frase: La clase de la civilización de España está en el aula doscientos cinco del segundo piso.

Repeat each phrase in the pause provided.

La clase de la civilización de España . . . está en el aula doscientos cinco . . . del segundo piso.

VII. Dictado

Escuche y escriba.

1. La señora no compra nada para su casa.
2. ¿Te gusta escuchar los cantos de las niñas?
3. Es bueno llegar a tiempo a la clase de español.
4. Trabajo hasta las cinco todos los días.
5. Siempre tomo leche por la mañana.

Capítulo Seis

Lección 13

I. Versículo

Juan 10:11 Yo soy el buen pastor; el buen pastor su vida da por las ovejas.

Repeat each phrase in the pauses provided.

Juan . . . 10:11 . . . Juan 10:11 . . . Yo soy el buen pastor . . . el buen pastor su vida da . . . por las ovejas.

Try to say each phrase before you hear it on the tape.

. . . Juan 10:11 . . . Yo soy el buen pastor . . . el buen pastor su vida da . . . por las ovejas.

Say the entire verse with the reference before and after.

Juan 10:11 Yo soy el buen pastor; el buen pastor su vida da por las ovejas. Juan 10:11

II. Diálogo

Follow along on page 102 of your textbook.

El regalo

Andrés: Raúl, tengo que comprar un regalo para Susana. El domingo es su cumpleaños.

Raúl: Papá va al centro en el carro ahora mismo. Hay una venta especial hoy. Vamos con él.

Llegan al centro. Raúl y Andrés van al almacén "El Palacio". Van al departamento de joyería.

Raúl: Los collares son bonitos.

Andrés: (Pregunta a una dependiente.) Señorita, ¿cuánto cuesta el collar de oro?

dependiente: Cuesta 50,000 pesos.

Andrés: ¡Qué caro! No, gracias.

Van al departamento de perfumería.

Raúl: ¿Qué te parece un perfume? A las mujeres les encanta el perfume.

Andrés: Vamos a ver. ¿Señorita, qué marca de perfume recomienda para una muchacha de 17 años?

dependiente: Tengo perfumes franceses muy sofisticados. ¿Le gusta este perfume?

Andrés: ¡Achís! Es demasiado fuerte. No, gracias.

Los muchachos caminan a otra parte del almacén. Están cerca de la cafetería.

Andrés: Necesito un refresco, ¿y tú?

Raúl: Yo también.

Andrés: Es difícil encontrar el regalo apropiado para Susana.

Raúl: Es cierto. A mi hermana en su cumpleaños, le doy una tarjeta bonita con una invitación a cenar en un restaurante, y eso es todo.

Andrés: ¡Qué idea más magnífica! ¿Dónde está el departamento de tarjetas? Voy a comprar una tarjeta para Susana ahora mismo. ¡Vamos!

Raúl: ¡Tranquilo, hombre! ¿Y mi refresco?

Answer the following questions about the dialogue. You will hear the confirmation. Your answers may vary from the ones given.

1. ¿Por qué tiene que comprar un regalo Andrés?

   El domingo es el cumpleaños de Susana.
2. ¿Cómo llegan Andrés y Raúl al centro?

   Llegan en carro.
3. ¿A qué almacén van Andrés y Raúl?

   Van al almacén "El Palacio".
4. ¿En qué departamento están los collares?

   Están en el departamento de joyería.
5. ¿Cuánto cuesta el collar de oro?

   Cuesta cincuenta mil pesos.
6. ¿En qué departamento están los perfumes?

   Están en el departamento de perfumería.
7. ¿Qué regalo le va a dar Andrés a Susana?

   Le va a dar una tarjeta bonita con una invitación a cenar.

III. Vocabulario

A. *Write the number of the statement you hear beside the appropriate illustration.*

1. Maritza va de compras.
2. La dependiente está detrás del mostrador.
3. "El Palacio" está en el centro comercial.
4. La tienda tiene una venta especial.
5. El señor Gómez va a pie a la iglesia.
6. Los jóvenes están en el autobús.
7. La chica va a la escuela en motocicleta.

B. *Form a complete statement using the subject that you hear and the infinitive and phrase provided in your manual.*

Modelo: *You see:* ir a pie a la escuela
You hear: Pedro y Marcos
You say: Pedro y Marcos van a pie a la escuela.
You hear the confirmation: Pedro y Marcos van a pie a la escuela.

1. La señorita . . . La señorita va al museo en taxi.
2. Margarita y yo . . . Margarita y yo vamos al centro en el metro.
3. Roberto . . . Roberto va al parque en motocicleta.
4. la familia González . . . La familia González va a Tucson en autobús.
5. tú . . . Tú vas a pie a la iglesia.
6. el profesor . . . El profesor da tareas a los estudiantes.

7. nosotros . . . Nosotros damos regalos el veinticinco de diciembre.

IV. El verbo *ir*

A. ***Say the conjugation of the verb* ir *after the speaker.***

yo voy	nosotros vamos
tú vas	vosotros vais
Ud. va	Uds. van
él va	ellos van

B. ***You will hear a subject and a destination. Form a complete sentence by connecting the phrases you hear with the correct form of the verb* ir.**

Modelo: *You hear:* Mi padre / Nueva York.
You say: Mi padre va a Nueva York.
You hear the confirmation: Mi padre va a Nueva York.

1. Pedro y Marcos / la casa de su amigo.
   Pedro y Marcos van a la casa de su amigo.
2. Yo / el centro comercial.
   Yo voy al centro comercial.
3. Marisol / el Colegio del Buen Pastor.
   Marisol va al Colegio del Buen Pastor.
4. Ustedes / España.
   Ustedes van a España.
5. Tú / la clase del profesor Méndez
   Tú vas a la clase del profesor Méndez
6. Carmen y yo / la Iglesia de la Fe.
   Carmen y yo vamos a la Iglesia de la Fe.
7. Felipe / el almacén para comprar un regalo.
   Felipe va al almacén para comprar un regalo.
8. Nosotros / el restaurante después del servicio.
   Nosotros vamos al restaurante después del servicio.

V. Estar + participio

Restate the following sentences to indicate that the subject is performing the action right now.

Modelo: *You see and hear:* David y Mario compran un regalo.
You say: David y Mario están comprando un regalo.
You hear the confirmation: David y Mario están comprando un regalo.

1. Santiago estudia en la biblioteca . . . Santiago está estudiando en la biblioteca.
2. Mis hermanos practican los himnos para el domingo . . . Mis hermanos están practicando los himnos para el domingo.
3. Nosotros miramos la televisión . . . Nosotros estamos mirando la televisión.
4. Yo hablo por teléfono con Raquel . . . Yo estoy hablando por teléfono con Raquel.
5. Tú trabajas demasiado . . . Tú estás trabajando demasiado.
6. Ustedes tocan el piano muy bien . . . Ustedes están tocando el piano muy bien.

VI. Pronunciación

Follow along on page 107 of your textbook.

El sonido de la *rr*

The sound of the *rr* (*erre*) is the trilled *r* in Spanish. The sound is also represented by *r* at the beginning of a word. To produce this sound, the tongue rapidly taps against the gum ridge behind the teeth, much the same way some children do to make an engine sound for their toy cars.

Practique las palabras: carro . . . perro . . . torre . . . guitarra . . . regalo . . . ratón . . . reír . . . cerro . . . Rut

Practique las frases: Rut regala flores rosadas.
El ratón corre al perro.

Repeat each phrase in the pause provided.

Rut regala . . . flores rosadas.

VII. Dictado

Escuche y escriba.

1. El dependiente está detrás del mostrador.
2. La cliente mira el precio del reloj.
3. Los jóvenes van al centro comercial en el metro.
4. ¿Cuánto cuestan los collares que están en venta especial?
5. El profesor da exámenes difíciles.

Lección 14

I. Versículo

Hechos 16:31 Cree en el Señor Jesucristo, y serás salvo, tú y tu casa.

Repeat each phrase in the pauses provided.

Hechos . . . 16:31 . . . Hechos 16:31 . . . Cree en el Señor Jesucristo . . . y serás salvo . . . tú y tu casa.

Try to say each phrase before you hear it on the tape.

. . . Hechos 16:31 . . . Cree en el Señor Jesucristo . . . y serás salvo . . . tú y tu casa.

Say the entire verse with the reference before and after.

Hechos 16:31 Cree en el Señor Jesucristo, y serás salvo, tú y tu casa. Hechos 16:31

II. Diálogo

Follow along on page 109 of your textbook.

La siesta de papá

Papá está tomando una siesta con el periódico sobre la cara.

Mamá: Raúl, Julio, silencio, por favor. Papá está tomando una siesta.

Papá: No tomo una siesta. Leo el periódico.

Raúl: No comprendo cómo puedes leer el periódico tan de cerca.

Papá: Hace muchos años que leo el periódico así. Veo mejor las páginas.

Raúl: Vamos a ver. ¿Qué sabes del artículo que está en la página nueve?

Papá: El artículo es acerca de la polución.

Raúl: No puedo creerlo. ¿Y qué sabes del artículo en la página once acerca de las noticias internacionales?

Papá: Bueno, el artículo es acerca de la guerra en el Golfo.

Raúl: Papá, eres excepcional, aprendes todo de una vez.

Papá: No es nada. (Pone el periódico sobre la cara otra vez y empieza a roncar.)

Julio: ¡A comer!

Raúl: ¡No estorbes a papá! Está leyendo el periódico.

Now pretend you are Raúl and read his lines in the pauses provided.

Papá está tomando una siesta con el periódico sobre la cara.

Mamá: Raúl, Julio, silencio, por favor. Papá está tomando una siesta.

Papá: No tomo una siesta. Leo el periódico.

Raúl:

Papá: Hace muchos años que leo el periódico así. Veo mejor las páginas.

Raúl:

Papá: El artículo es acerca de la polución.

Raúl:

Papá: Bueno, el artículo es acerca de la guerra en el Golfo.

Raúl:

Papá: No es nada. (Pone el periódico sobre la cara otra vez y empieza a roncar.)

Julio: ¡A comer!

Raúl:

III. Vocabulario

You will hear a statement that contains one incorrect word. Choose the correct word from the list provided. Then you will hear the confirmation.

Modelo: *You hear:* El señor Rodríguez come periódicos.
You see: aprende, vende, bebe
You say: El señor Rodríguez vende periódicos.
You hear the confirmation: El señor Rodríguez vende periódicos.

1. Los estudiantes beben novelas . . . Los estudiantes leen novelas.
2. La profesora de español cree francés también . . . La profesora de español comprende francés también.
3. El *New York Times* es un libro . . . El *New York Times* es un periódico.
4. El *Reader's Digest* es una página . . . El *Reader's Digest* es una revista.
5. Me gusta comer agua . . . Me gusta beber agua.

IV. Verbos que terminan en *-er*

A. Comer *is a regular* -er *verb. Say the conjugation of* comer *after the speaker.*

yo como	nosotros comemos
tú comes	vosotros coméis
Ud. come	Uds. comen
él come	ellos comen

B. *Replace the words in italics with the new subject given.*

Modelo: *You see: Tomás y Pedro* beben leche.
You hear: él
You say: Él bebe leche.
You hear the confirmation: Él bebe leche.

1. Margarita . . . Margarita come tortillas.
2. Miguel y Paco . . . Miguel y Paco comen pizza.
3. tú . . . Tú comprendes español.
4. nosotros . . . Nosotros leemos novelas de misterio.
5. Rosa . . . Rosa cree en Dios.
6. ustedes . . . Ustedes venden periódicos.

C. *The Santana family is very busy. You will hear the names of some of the family members. You are to make a statement about what they are doing right now.*

Modelo: *You see:* vender periódicos
You hear: Andrés
You say: Andrés está vendiendo periódicos.
You hear the confirmation: Andrés está vendiendo periódicos.

1. Marta y María . . . Marta y María están leyendo revistas.
2. El señor Santana . . . El señor Santana está vendiendo la casa.
3. La señora Santana . . . La señora Santana está aprendiendo francés.

4. Tomás y Rolando . . .
   Tomás y Rolando están comiendo un helado.
5. Los hijos . . .
   Los hijos están leyendo novelas de misterio.

V. Hace + tiempo + que

Answer the questions according to the cues provided.

Modelo: *You hear:* ¿Cuánto tiempo hace que estudias español?
You see: tres meses
You say: Hace tres meses que estudio español.
You hear the confirmation: Hace tres meses que estudio español.

1. ¿Cuánto tiempo hace que vendes revistas?
   Hace dos semanas que vendo revistas.
2. ¿Cuánto tiempo hace que tienes un carro?
   Hace dos días que tengo un carro.
3. ¿Cuánto tiempo hace que estás en América?
   Hace cinco años que estoy en América.
4. ¿Cuánto tiempo hace que tocas el piano?
   Hace diez años que toco el piano.
5. ¿Cuánto tiempo hace que hablas español?
   Hace poco tiempo que hablo español.
6. ¿Cuánto tiempo hace que comes en la cafetería?
   Hace dos años que como en la cafetería.

VI. Pronunciación

Follow along on page 115 of your textbook.

El sonido de la *r* medial

When the letter *r* occurs between two vowels, its sound resembles that of the double *t* in "batter" or the double *d* in "ladder."

Practique las palabras: Gloria . . . feria . . . hora . . . cara . . . claro . . . toro

Practique las frases: Gloria irá a la feria en enero.
Ahora quiero que el toro me tire.

Say each phrase in the pauses provided.

Gloria irá . . . a la feria . . . en enero.

Ahora quiero . . . que el toro . . . me tire.

VII. Dictado

Escuche y escriba.

1. Los estudiantes no comprenden la lección nueva.
2. Estamos leyendo una novela interesante en nuestra clase.
3. Siempre leo el periódico cuando llego a casa.
4. Vamos a ver cuánto cuesta la revista.
5. Hace tres meses que estamos aprendiendo español.

Lección 15

I. Versículo

Lucas 2:14 ¡Gloria a Dios en las alturas, y en la tierra paz, buena voluntad para con los hombres!

Repeat each phrase in the pauses provided.

Lucas . . . 2:14 . . . Lucas 2:14 . . . Gloria a Dios en las alturas . . . y en la tierra paz . . . buena voluntad para con los hombres!

Try to say each phrase before you hear it on the tape.

. . . Lucas 2:14 . . . Gloria a Dios en las alturas . . . y en la tierra paz . . . buena voluntad para con los hombres!

Say the entire verse with the reference before and after.

Lucas 2:14 ¡Gloria a Dios en las alturas, y en la tierra paz, buena voluntad para con los hombres! Lucas 2:14

II. Diálogo

Follow along on page 117 of your textbook.

La Navidad

Ofelia Torres vive en Sudamérica. Deseamos escuchar cómo celebra la Nochebuena. Ofelia habla:

Muchas personas asisten al programa de Navidad en mi iglesia. El coro de niños y de adultos canta himnos de Navidad. Después hay un drama. Un bebé real está en el pesebre. Siempre es un bebé varón. Algunos de los niños de la iglesia hacen el papel de los pastores, y los adultos hacen el papel de los ángeles. Los ángeles anuncian que ha nacido el Señor Jesucristo. Los reyes magos vienen al pesebre con su incienso, oro y mirra.

Después del servicio toda la congregación come pavo y pan dulce y toma chocolate caliente. A las 10:30 volvemos a casa para esperar la medianoche.

A la medianoche las campanas de las iglesias suenan y todos salen a las calles para saludar y repartir dulces a los vecinos. Finalmente, abrimos los regalos que están debajo del árbol de Navidad.

Repeat each phrase in the pause provided.

Muchas personas asisten al programa de Navidad en mi iglesia . . . El coro de niños y de adultos canta himnos de Navidad . . . Después hay un drama . . . Un bebé real está en el pesebre . . . Siempre es un bebé varón . . . Algunos de los niños de la iglesia . . . hacen el papel de los pastores . . . y los adultos hacen el papel de los ángeles . . . Los ángeles anuncian que ha nacido el Señor Jesucristo . . . Los reyes magos vienen al pesebre . . . con su incienso, oro y mirra.

Después del servicio . . . toda la congregación come pavo y pan dulce . . . y toma chocolate caliente . . . A las 10:30 volvemos a casa para esperar la medianoche.

A la medianoche las campanas de las iglesias suenan . . . y todos salen a las calles para saludar y repartir dulces a los vecinos . . . Finalmente, abrimos los regalos que están debajo del árbol de Navidad.

III. Vocabulario

A. *Listen to the speaker; then underline the word that best represents the description she gives.*

1. Es el veinticinco de diciembre.
   la Navidad
2. Está encima del árbol de Navidad.
   la estrella
3. Son las personas que vienen con regalos para el niño Jesús.
   los reyes magos

4. Tiene muchas luces.
   el árbol de Navidad
5. Cantan a los pastores, "Gloria a Dios en las alturas".
   los ángeles

B. *Write the number of the statement that you hear beside the appropriate picture.*

1. La señorita escribe una carta.
2. La señora sube al avión.
3. La profesora abre la ventana.
4. El avión viene de España.
5. La familia Gómez asiste a la Primera Iglesia Bautista.
6. Juan vive en el apartamento #7.

IV. Los verbos *-ir*

A. Vivir *is a regular* -ir *verb. Repeat the conjugation of* vivir *after the speaker.*

yo vivo	nosotros vivimos
tú vives	vosotros vivís
Ud. vive	Uds. viven
él vive	ellos viven

B. *Listen for the speaker to tell you the subject of each sentence; then repeat the sentence with the appropriate form of the verb provided for you in your manual.*

Modelo: *You see:* (escribir) un libro
You hear: yo
You say: Escribo un libro.
You hear the confirmation: Escribo un libro.

1. La familia Gómez
   La familia Gómez vive en Bogotá, Colombia.
2. Nosotros
   Nosotros asistimos a la iglesia los domingos.
3. Tú
   Tú abres las ventanas de la casa.
4. Manuel y Carlos
   Manuel y Carlos escriben poemas para el periódico.
5. Anita y yo
   Anita y yo subimos al autobús para ir al centro.
6. El doctor Ramírez
   El doctor Ramírez no permite animales en la oficina.

V. El verbo *venir*

A. *Say the conjugation of* venir *after the speaker.*

yo vengo	nosotros venimos
tú vienes	vosotros venís
Ud. viene	Uds. vienen
él viene	ellos vienen

B. *Tell where each person is coming from, according to the cues given by the speaker.*

Modelo: *You see:* los señores Fernández
You hear: de la iglesia
You say: Los señores Fernández vienen de la iglesia.
You hear the confirmation: Los señores Fernández vienen de la iglesia.

1. de mi casa . . . Yo vengo de mi casa.
2. de su clase de español . . . Rafael y María vienen de su clase de español.
3. del centro . . . Ustedes vienen del centro.

4. de la iglesia . . . Tú vienes de la iglesia.
5. de la casa de mis abuelos . . . Pedro y yo venimos de la casa de mis abuelos.
6. del trabajo . . . Él viene del trabajo.
7. del oriente . . . Los reyes magos vienen del oriente.
8. del museo . . . Nosotros venimos del museo.

VI. Los pronombres *lo, la, los, las*

A. *Listen carefully to each sentence; then name the direct object in the sentence.*

Modelo: *You see and hear:* La señorita lee una carta.
You say: una carta
You hear the confirmation: una carta.

1. Roberto tiene un carro . . . un carro
2. Marisol abre su libro . . . su libro
3. Mi hermano toca la guitarra muy bien . . . la guitarra
4. Mi padre no escribe cartas . . . cartas
5. Los estudiantes toman un examen . . . un examen
6. Los niños abren los regalos . . . los regalos
7. El estudiante busca su libro . . . su libro
8. Yo invito a Rosa a la fiesta . . . Rosa

B. *Replace the direct object in each sentence with the correct direct object pronoun.*

Modelo: *You hear:* La señorita lee una carta.
You say: La señorita la lee.
You hear the confirmation: La señorita la lee.

1. Roberto tiene un carro . . . Roberto lo tiene.
2. Marisol abre su libro . . . Marisol lo abre.
3. Mi hermano toca la guitarra muy bien . . . Mi hermano la toca muy bien.
4. Mi padre no escribe cartas . . . Mi padre no las escribe.
5. Los estudiantes toman un examen . . . Los estudiantes lo toman.
6. Los niños abren los regalos . . . Los niños los abren.
7. El estudiante busca su libro . . . El estudiante lo busca.
8. Yo invito a Rosa a la fiesta . . . Yo la invito a la fiesta.

C. *The speaker will give the direct objects for the following sentences. Complete the sentences by writing the correct object pronouns in the blanks.*

Modelo: *You see:* Los estudiantes ______ leen.
You hear: los libros
You write: los

1. los jóvenes
2. la música
3. los himnos
4. la guitarra
5. el periódico
6. sus amigas
7. Rafael
8. Ana María
9. los señores Fernández
10. las cartas

VII. Los pronombres con el infinitivo y el progresivo

A. *Answer each question affirmatively. Place the object pronoun before the verb.*

Modelo: *You hear:* ¿Estás estudiando el español?
You answer: Sí, *lo* estoy estudiando.
You hear the confirmation: Sí, lo estoy estudiando.

1. ¿Estás escribiendo una carta? . . . Sí, la estoy escribiendo.
2. ¿Tienes que comprar una cámara nueva? . . . Sí, la tengo que comprar.
3. ¿Tienes que practicar el himno? . . . Sí, lo tengo que practicar.
4. ¿Estás ayudando a los otros estudiantes? . . . Sí, los estoy ayudando.
5. ¿Estás vendiendo los libros viejos? . . . Sí, los estoy vendiendo.
6. ¿Tienes que leer todo el libro? . . . Sí, lo tengo que leer.

B. *You will hear the questions again. This time answer by attaching the object pronoun to the infinitive or present participle.*

Modelo: *You hear:* ¿Estás estudiando el español?
You answer: Sí, estoy estudiándolo.
You hear the confirmation: Sí, estoy estudiándolo.

1. ¿Estás escribiendo una carta?
   Sí, estoy escribiéndola.
2. ¿Tienes que comprar una cámara nueva?
   Sí, tengo que comprarla.
3. ¿Tienes que practicar el himno?
   Sí, tengo que practicarlo.
4. ¿Estás ayudando a los otros estudiantes?
   Sí, estoy ayudándolos.
5. ¿Estás vendiendo los libros viejos?
   Sí, estoy vendiéndolos.
6. ¿Tienes que leer todo el libro?
   Sí, tengo que leerlo.

VIII. Pronunciación

El sonido de la consonante *d*

The letter *d* (*de*) is pronounced in two ways in Spanish. Let's review.

1. When it occurs at the beginning of a sentence or phrase or after *l* or *n,* the *d* is pronounced like the English *d* in "dough." (Make sure that your tongue touches the back of your upper front teeth.)

   Practique las palabras: día . . . dientes . . . débiles . . . molde . . . caldo . . . banda

   Practique las frases: El día es lindo.

   El decano le da un diploma al director aldeano.

2. When it occurs between vowels or after any other consonants, the letter *d* is pronounced like the *th* in "though." (Make sure your tongue touches rapidly and very lightly against the lower edge of your front teeth without completely blocking the stream of air.)

   Practique las palabras: Estados Unidos . . . Madrid . . . vida . . . verdad

   Practique las frases: Soy de Madrid. Pero es verdad que vivo en los Estados Unidos.

Repeat each phrase in the pause provided.

Soy de Madrid . . . Pero es verdad . . . que vivo en los Estados Unidos.

Adela tiene dos dientes débiles.

IX. Dictado

Escuche y escriba.

1. El veinticinco de diciembre es el día de Navidad.
2. Mamá siempre compra regalos para toda la familia.
3. Tenemos un árbol de Navidad en nuestra casa.
4. Tiene una estrella encima y muchas luces.
5. A la medianoche, todos salen a las calles para saludar y repartir dulces.

Capítulo Siete

Lección 16

I. Versículo

Lucas 23:34 Padre, perdónalos, porque no saben lo que hacen.

Repeat each phrase in the pauses provided.

Lucas . . . 23:34 . . . Lucas 23:34 . . . Padre, perdónalos, . . . porque no saben . . . lo que hacen.

Try to say each phrase before you hear it on the tape.

. . . Lucas 23:34 . . . Padre, perdónalos . . . porque no saben . . . lo que hacen.

Say the entire verse with the reference before and after.

Lucas 23:34 Padre, perdónalos, porque no saben lo que hacen. Lucas 23:34

II. Diálogo

Follow along on page 127 of your textbook.

Un cambio de planes

Es viernes. Blanca, Rosa y Manuela hacen planes para este fin de semana.

Manuela: ¿Adónde van, muchachas?

Rosa: Vamos a invitar a los muchachos de la sociedad de jóvenes a un partido de voleibol. Blanca va a usar su nuevo balón volea.

Manuela: ¿Puedo ir con ustedes?

Blanca: ¡Uy, no, miren! Está lloviendo.

Manuela: . . . Y hace viento.

Rosa: . . . Y no tenemos ni paraguas.

Manuela: Bueno, el periódico dice que mañana va a hacer buen tiempo. ¿Quieren jugar mañana?

Blanca: Está bien. Vamos a invitar a los muchachos para las cuatro de la tarde.

Rosa y Manuela: De acuerdo.

Repeat each phrase in the pause provided.

Un cambio de planes

Es viernes . . . Blanca, Rosa y Manuela hacen planes para este fin de semana.

Manuela: ¿Adónde van, muchachas?

Rosa: Vamos a invitar a los muchachos de la sociedad de jóvenes . . . a un partido de voleibol . . . Blanca va a usar su nuevo balón volea.

Manuela: ¿Puedo ir con ustedes?

Blanca: ¡Uy, no, miren! . . . Está lloviendo.

Manuela: Y hace viento.

Rosa: Y no tenemos ni paraguas.

Manuela: Bueno, el periódico dice que mañana va a hacer buen tiempo . . . ¿Quieren jugar mañana?

Blanca: Está bien . . . Vamos a invitar a los muchachos . . . para las cuatro de la tarde.

Rosa y Manuela: De acuerdo.

III. Vocabulario

A. *Say the months of the year after the speaker.*

enero
febrero
marzo
abril
mayo
junio
julio
agosto
septiembre
octubre
noviembre
diciembre

B. *Say the four seasons after the speaker. She will begin with* winter.

el invierno
la primavera
el verano
el otoño

C. *Listen as the speaker tells you her favorite season and asks you a question.*

Mi estación favorita es la primavera. ¿Cuál es tu estación favorita?

D. *List the three months that belong to the season you hear. You will then hear the correct answer.*

la primavera . . . marzo, abril y mayo

el verano . . . junio, julio y agosto

el otoño . . . septiembre, octubre y noviembre

el invierno . . . diciembre, enero y febrero

E. *Circle the letter of the sentence that goes best with the statement you hear.*

Modelo: *You hear:* Juan está en su casa. Tiene ganas de ir de compras, pero está nevando.
You see: a. Hace frío. b. Hace calor. c. Hace buen tiempo.
You circle a *and say*: Hace frío.

1. Es verano . . . b. Hace calor.
2. Carmen está estudiando. Tiene que aprender los verbos nuevos . . . c. Está haciendo las tareas.
3. Pedro y Rafael dicen que van a Venezuela. Van a ver a su amigo Armando . . . c. Van a hacer un viaje.
4. Son las diez de la noche. No voy a estudiar. Tengo ganas de ir a la cama . . . b. Tengo sueño.
5. Es verano. Hace mucho calor. Voy a tomar una soda fría . . . a. Tengo sed.
6. Jorge dice que va al restaurante . . . c. Tiene hambre.

IV. El verbo *hacer*

A. *Repeat the conjugation of* hacer *after the speaker.*

yo hago	nosotros hacemos
tú haces	vosotros hacéis
Ud. hace	Uds. hacen
él hace	ellos hacen

B. *Complete the sentences with the form of the verb you hear.*

1. Yo hago mis tareas por la noche.
2. Mi profesor hace un viaje a España.
3. La señora Carmen hace su maleta ahora.
4. Mi hermano y yo hacemos muchos planes.
5. ¿Por qué tú no haces nada?
6. Roberto y Pedro hacen todo el trabajo.

V. Ir + a + infinitivo

A. *Change the following sentences from the present to the near future.*

Modelo: *You hear:* Yo como en la cafetería.
You say: Yo voy a comer en la cafetería.
You hear the confirmation: Yo voy a comer en la cafetería.

1. Hacemos el viaje en junio.
Vamos a hacer el viaje en junio.
2. Busco el libro en la biblioteca.
Voy a buscar el libro en la biblioteca.
3. Tienen una casa colonial.
Van a tener una casa colonial.
4. Ud. no invita a los chicos.
Ud. no va a invitar a los chicos.
5. Hace frío esta semana.
Va a hacer frío esta semana.
6. Voy a la librería el martes.
Voy a ir a la librería el martes.
7. Tú no recibes más información.
Tú no vas a recibir más información.

B. *Answer the questions you hear by using the cues provided.*

Modelo: *You hear:* ¿Cuándo haces el viaje?
You see: en mayo
You say: Voy a hacer el viaje en mayo.
You hear the confirmation: Voy a hacer el viaje en mayo.

1. ¿Cuándo venden Uds. la casa?
Vamos a vender la casa en la primavera.
2. ¿Cuándo estudias tú la lección?
Voy a estudiar la lección esta noche.
3. ¿Cuándo digo mi versículo?
Vas a decir tu versículo después de Rita.
4. ¿Cuándo recibimos los libros nuevos?
Vamos a recibir los libros nuevos en el otoño.
5. ¿Cuándo hace mucho calor?
Va a hacer mucho calor aquí en agosto.

VI. El verbo *decir*

A. *Repeat the conjugation of* decir *after the speaker.*

yo digo	nosotros decimos
tú dices	vosotros decís
Ud. dice	Uds. dicen
él dice	ellos dicen

B. *Report what each person named says. Follow the model.*

Modelo: *You see:* "No hay tarea para mañana."
You hear: el profesor de español
You say: El profesor de español dice que no hay tarea para mañana.
You hear the confirmation: El profesor de español dice que no hay tarea para mañana.

1. los chicos . . . Los chicos dicen que las chicas de nuestra clase son bonitas.
2. las chicas . . . Las chicas dicen que los chicos de nuestra clase son interesantes.
3. nosotros . . . Nosotros decimos que la clase de español es bastante difícil.
4. él . . . Él dice que los objetos directos no son nada fáciles.
5. yo . . . Yo digo que los objetos indirectos son muy fáciles.
6. tú . . . Tú dices que España es un país grande.
7. el señor García El señor García dice que Madrid es una ciudad cosmopolita.
8. María y yo . . . María y yo decimos que vamos a viajar a Madrid el año próximo.

VII. Pronunciación

Follow along on page 133 of your textbook.

El sonido de la consonante *ñ*

The sound of the Spanish consonant *ñ (eñe)* resembles that of the *ni* in "communion."

Practique las palabras: español . . . señor . . . ñandú . . . mañana

Practique la frase: El señor español cazará el ñandú mañana.

Repeat each phrase in the pauses provided.

El señor español . . . cazará el ñandú mañana.

VIII. Dictado

Escuche y escriba.

1. Los estudiantes hacen sus tareas en la clase.
2. En el verano voy a hacer un viaje a España.
3. En diciembre hace mucho frío en Nueva York.
4. Mi hermano tiene catorce años y siempre tiene hambre.
5. Mis amigos y yo tenemos sed. Vamos a tomar un refresco.

IX. Comprensión

Listen to the weather report* (el informe del tiempo) *and the forecast* (el pronóstico del tiempo). *Then complete the true-false section.

Buenas tardes, amigos. Hoy es un día hermoso. Tenemos sol, y no hace calor. La temperatura es de 25 grados y hay un poco de viento. Así que, hace fresco hoy.

Pero esta noche va a estar nublado, y en el pronóstico tenemos lluvias para mañana. Tienen que buscar sus paraguas. Mañana la temperatura va a ser de 20 grados. Muchas gracias, amigos. ¡Hasta mañana!

Lección 17 ▲▲▲▲▲▲▲▲▲▲▲▲▲▲▲▲▲▲▲▲▲▲▲▲▲▲▲▲▲▲▲▲▲▲▲▲▲▲▲

I. Versículo

Josué 1:9 Mira que te mando que te esfuerces y seas valiente; no temas ni desmayes, porque Jehová tu Dios estará contigo en dondequiera que vayas.

Repeat each phrase in the pauses provided.

Josué . . . 1:9 . . . Josué 1:9 . . . Mira que te mando . . . que te esfuerces y seas valiente . . . no temas ni desmayes . . . porque Jehová tu Dios estará contigo . . . en dondequiera que vayas.

Try to say each phrase before you hear it on the tape.

. . . Josué 1:9 . . . Mira que te mando . . . que te esfuerces y seas valiente . . . no temas ni desmayes . . . porque Jehová tu Dios estará contigo . . . en dondequiera que vayas.

Say the entire verse with the reference before and after.

Josué 1:9 Mira que te mando que te esfuerces y seas valiente; no temas ni desmayes, porque Jehová tu Dios estará contigo en dondequiera que vayas. Josué 1:9

II. Diálogo

Follow along on pages 134-35 of your textbook.

Un viaje a Madrid

Después de la cena, la familia Fernández conversa antes de leer la Biblia y orar.

Sr. Fernández: Tengo noticias muy buenas. Su mamá y yo estamos haciendo planes para visitar a nuestros amigos misioneros en Madrid.

Rocío: ¡Qué bueno! ¡Un viaje a España! ¿Y nosotros?

Sra. Fernández: Abuela viene para estar con ustedes. Ella les va a preparar la comida y los va a cuidar.

Pepe: ¿Cuándo viene abuela, mamá?

Sra. Fernández: Viene el próximo domingo. ¿Vas a portarte bien?

Pepe: Sí, mamá. ¿Me vas a traer regalos de España?

Sra. Fernández: Vamos a ver.

Jorge: ¿Van a visitar el Prado, la Puerta del Sol y el Escorial?

Sr. Fernández: Espero que sí. Voy a usar tu cámara para sacar fotos de España.

Pepe: ¿Es grande Madrid?

Rocío: Sí, es grande. Mi maestra dice que es del tamaño de Chicago.

Sr. Fernández Ya es hora de leer la Biblia y orar. Después, ustedes tienen que hacer las tareas. Mañana voy a comprar los pasajes.

Al día siguiente . . .

El señor Fernández va al mostrador de la línea aérea Iberia para comprar los pasajes.

Sr. Fernández: Señor agente, ¿cuánto vale el pasaje de ida y vuelta a Madrid, España?

Agente: ¿Quiere viajar primera clase o clase económica?

Sr. Fernández: La económica, por favor.

Agente: Si viaja antes del día cuatro de febrero, cuesta ochocientos cuarenta dólares.

Sr. Fernández: Quisiera dos pasajes por favor; uno para mí y uno para mi esposa.

Agente: ¿Cómo los va a pagar?

Sr. Fernández: Con mi tarjeta de crédito.

Agente: Aquí los tiene, Sr. Fernández. El número de vuelo es el 420 y el avión sale a las ocho y media de la mañana. Es necesario estar en el aeropuerto a las seis y media. Su puerta de salida es la diecinueve. Sus asientos están en la sección de no fumar. ¡Buen viaje!

Sr. Fernández: Muchas gracias, señor.

Pretend that you are el Sr. Fernández and that you wish to purchase two round-trip tickets to Spain. Read his lines in the pauses provided.

Al día siguiente . . .

El señor Fernández va al mostrador de la línea aérea Iberia para comprar los pasajes.

Sr. Fernández:

Agente: ¿Quiere viajar primera clase o clase económica?

Sr. Fernández:

Agente: Si viaja antes del día cuatro de febrero, cuesta ochocientos cuarenta dólares.

Sr. Fernández:

Agente: ¿Cómo los va a pagar?

Sr. Fernández:

Agente: Aquí los tiene, Sr. Fernández. El número de vuelo es el 420 y el avión sale a las ocho y media de la mañana. Es necesario estar en el aeropuerto a las seis y media. Su puerta de salida es la diecinueve. Sus asientos están en la sección de no fumar. ¡Buen viaje!

Sr. Fernández:

III. Repaso de los pronombres del objeto directo en la tercera persona

Replace the direct object noun in each sentence with its corresponding direct object pronoun.

Modelo: *You hear:* El profesor ayuda a los estudiantes.
You say: El profesor los ayuda.
You hear the confirmation: El profesor los ayuda.

1. Timoteo espera a su novia.
   Timoteo la espera.
2. La enfermera llama al doctor.
   La enfermera lo llama.
3. Todos los días recibo el periódico a las ocho.
   Todos los días lo recibo a las ocho.
4. Pablo invita a las chicas a la fiesta.
   Pablo las invita a la fiesta.
5. El Sr. Sánchez busca los boletos en el escritorio.
   El Sr. Sánchez los busca en el escritorio.

IV. Los pronombres *le, les*

A. *Miguel is a very generous person. He lends many of his things to his friends. Below you see the list of things he lends. Listen carefully as the speaker tells you to whom he lends each thing. Then make a statement.*

Modelo: *You see:* el libro de español
You hear: a Rafael
You say: Miguel le presta el libro de español a Rafael.
You hear the confirmation: Miguel le presta el libro de español a Rafael.

1. al profesor de biología . . . Miguel le presta el microscopio al profesor de biología.
2. a Roberto y Tomás . . . Miguel les presta los discos a Roberto y Tomás.
3. a Carmen . . . Miguel le presta la cámara a Carmen.
4. a su primo . . . Miguel le presta los zapatos negros a su primo.
5. a las chicas de su clase . . . Miguel les presta el cuaderno a las chicas de su clase.

B. *Supply the correct indirect object pronoun.*

Modelo: *You see:* Yo ________ doy la tarea.
You hear: a la maestra
You say: Yo __*le*__ doy la tarea a la maestra.
You hear the confirmation: Yo le doy la tarea a la maestra.

1. a mis abuelos . . . Les escribo una carta a mis abuelos.
2. al chico . . . Le presto mi Biblia al chico.
3. a la señorita . . . Le compro un refresco a la señorita.
4. a mis padres . . . Les doy un regalo a mis padres.
5. a mi amigo enfermo . . . Le envío flores a mi amigo enfermo.
6. al chico nuevo . . . Le doy los libros al chico nuevo.

V. Los pronombres *me, te, nos*

A. *Change the direct object pronouns according to the cues provided after each sentence is read.*

Modelo: *You see and hear:* Martín me va a llamar. (a ti)
You say: Martín te va a llamar.
You hear the confirmation: Martín te va a llamar.

1. El Sr. López los va a llamar. (a nosotros)
El Sr. López nos va a llamar.
2. La doctora Blanco la va a llamar. (a mí)
La doctora Blanco me va a llamar.
3. Santiago te va a llamar. (a nosotros)
Santiago nos va a llamar.
4. La señorita Robles las va a llamar. (a ti)
La señorita Robles te va a llamar.
5. El reverendo García lo va a llamar. (a mí)
El reverendo García me va a llamar.

B. *Below are listed some activities and the name of the person who does each one. Listen as the speaker tells you for whom (or to whom) the activities are done. Then make a complete statement using the indirect object pronoun. Finally, you will hear the confirmation.*

Modelo: *You see:* Marcos / comprar un regalo
You hear: a mí

You say: Marcos me compra un regalo.
You hear the confirmation: Marcos me compra un regalo.

1. a nosotros . . . El director nos presta su cámara.
2. a ti . . . Tu padre te compra el carro.
3. a nosotras . . . Los chicos nos escriben cartas.
4. a mí . . . Mi novio me da un perfume.
5. a ti . . . Tu amigo te envía una camisa de México.
6. a nosotros . . . El profesor nos dice que vamos a tener un examen mañana.

C. *Answer the questions according to the cues provided. Change the verb tense from the present to the near future. Remember to replace the direct object noun with its corresponding pronoun.*

Modelo: *You hear:* ¿Escribes la composición hoy?
You see: mañana
You say: No, la voy a escribir mañana.
You hear the confirmation: No, la voy a escribir mañana.

1. ¿Comes el almuerzo ahora? . . . No, lo voy a comer a la una.
2. ¿Me visitan ellos esta mañana? . . . No, te van a visitar el jueves próximo.
3. María compra el periódico hoy, ¿no? . . . No, lo va a comprar el domingo.
4. ¿Aprendes el versículo en este momento? . . . No, lo voy a aprender esta tarde.
5. ¿Haces la tarea esta noche? . . . No, la voy a hacer mañana.

D. *Change the following sentences from the present to the near future. This time, place the indirect object pronoun at the end of the infinitive.*

Modelo: *You hear:* Te doy un regalo.
You say: Voy a darte un regalo.
You hear the confirmation: Voy a darte un regalo.

1. Ud. nos compra ropa nueva.
   Ud. va a comprarnos ropa nueva.
2. Yo le presto la cámara a Enrique.
   Yo voy a prestarle la cámara a Enrique.
3. Ud. me escribe cartas durante el verano, ¿no? . . . Ud. va a escribirme cartas durante el verano, ¿no?
4. Nosotros le enviamos toda la información.
   Nosotros vamos a enviarle toda la información.
5. Tú no me dices la verdad.
   Tú no vas a decirme la verdad.

VI. Pronunciación

Follow along on page 141 of your textbook.

El sonido de las sílabas *ga, go, gu*

The sound of the *g* (ge) in the syllables *ga, go, gu* is hard as in the English word "goat."

Practique las palabras: ganar . . . amigo . . . golpe . . . gusto . . . algo . . . mango

Practique las frases: Gustavo se gasta mucho en su buen gusto.
Este domingo, el grupo de la gorra blanca va a ganar.
Digo que voy al lago contigo.
A García le gustan las gangas en Galicia.

Repeat each phrase in the pause provided.

Gustavo se gasta mucho . . . en su buen gusto.
Este domingo . . . el grupo . . . de la gorra blanca . . . va a ganar.
Digo que voy . . . al lago contigo.
A García . . . le gustan las gangas . . . en Galicia.

VII. Dictado

Escuche y escriba.

1. La familia va a hacer un viaje a Madrid el próximo mes.
2. Todavía no tienen los pasajes, pero van a comprarlos mañana.
3. Los abuelos que viven en Madrid nos llaman por teléfono.
4. Todas las semanas les enviamos una carta.
5. Cuando la reciben, la leen con mucho interés.

Lección 18

I. Versículo

Romanos 8:28 Y sabemos que a los que aman a Dios, todas las cosas les ayudan a bien, esto es, a los que conforme a su propósito son llamados.

Repeat each phrase in the pauses provided.

Romanos . . . 8:28 . . . Romanos 8:28 . . . Y sabemos que a los que aman a Dios . . . todas las cosas les ayudan a bien, . . . esto es, a los que conforme . . . a su propósito son llamados.

Try to say each phrase before you hear it on the tape.

Romanos 8:28 . . . Y sabemos que a los que aman a Dios . . . todas las cosas les ayudan a bien, . . . esto es, a los que conforme . . . a su propósito son llamados.

Say the entire verse with the reference before and after.

Romanos 8:28 Y sabemos que a los que aman a Dios, todas las cosas les ayudan a bien, esto es, a los que conforme a su propósito son llamados. Romanos 8:28

II. Lectura

Follow along on page 143 of your textbook.

Los deportes

Aunque el fútbol es el deporte más popular en casi toda Latinoamérica, cada país tiene su deporte favorito. Algunos jóvenes hablan de los deportes de sus países.

Soy Francisco de la República Dominicana. Toda mi familia es aficionada del béisbol. Muchos de los jugadores de las grandes ligas del béisbol en los Estados Unidos son dominicanos: Rafael Santana, Pedro Guerrero y Jorge Bell son de San Pedro de Macoris, República Dominicana.

Me llamo Samuel. Soy de Chile, donde el deporte favorito de invierno es el esquí. Las montañas de los Andes son fantásticas para este deporte. En el verano juego en un equipo de voleibol en mi pueblo.

Soy Margarita y vivo en San Juan, Puerto Rico. Me gusta jugar al tenis. Mi amiga Andrea juega en competencias internacionales. Mi hermana no es deportista pero le gusta jugar conmigo de vez en cuando.

Mi nombre es Pedro y vivo en México. Mi deporte favorito es la natación. Participo en las competencias de mi país. A veces gano y otras veces no gano.

Me llamo Carlos. Soy de España, donde casi todo el mundo es aficionado del fútbol. Hay buenos atletas en mi escuela, y tenemos el mejor equipo de fútbol en nuestra región. Un día quiero jugar con el equipo nacional de España y participar en la Copa Mundial.

Soy Susana de Filadelfia, Pennsylvania. Mi deporte favorito es el fútbol americano. Yo voy a todos los partidos de nuestra escuela. Toco el clarinete en la banda.

III. Vocabulario

Listen to each sentence and then write its number beside the corresponding picture.

Modelo: *You hear:* David juega con el equipo de voleibol.
You mark the picture as shown.

1. Matos juega con el equipo de baloncesto.
2. A Ramona le fascina el tenis.
3. En el invierno me encanta esquiar.
4. Roberto es un buen jugador de béisbol.
5. La novia de Roberto es aficionada del béisbol.
6. Tiene que ser un buen atleta para jugar al fútbol americano.
7. Felipe juega con el equipo de fútbol de su colegio.
8. A Carmen le gusta la natación.

IV. El verbo *gustar*

Below are listed some people who like certain things. After you hear the speaker tell you what each one likes, make a complete statement about it. Then you will hear the confirmation.

Modelo: *You see:* a nosotros
You hear: los tacos
You say: Nos gustan los tacos.
You hear the confirmation: Nos gustan los tacos.

1. la escuela . . . Les gusta la escuela.
2. los muchachos delgados . . . Le gustan los muchachos delgados.
3. jugar al tenis . . . Me gusta jugar al tenis.
4. las hamburguesas . . . Les gustan las hamburguesas.
5. hablar mucho . . . Te gusta hablar mucho.
6. los animales . . . Les gustan los animales.
7. los deportes . . . Nos gustan los deportes.
8. las chicas rubias . . . Le gustan las chicas rubias.

V. El verbo *jugar*

A. *Repeat the conjugation of the verb* jugar *after you hear it on the tape.*

yo juego	nosotros jugamos
tú juegas	vosotros jugáis
Ud. juega	Uds. juegan
él juega	ellos juegan

B. *Everyone in the Méndez family loves sports. Many of them are active players. Listen as the speaker tells you what each one plays, then say the complete sentence.*

Modelo: *You see:* Tomás
You hear: fútbol
You say: Tomás juega al fútbol.
You hear the confirmation: Tomás juega al fútbol.

1. tenis
Ana María juega al tenis.
2. béisbol
Los tíos Ramón y Pablo juegan al béisbol.
3. baloncesto
El Sr. Méndez y su hermano juegan al baloncesto.
4. voleibol
Mamá y yo jugamos al voleibol.

VI. El verbo *tocar*

The Méndez family is also musical. Again you will see some of their names, and the speaker will tell you which instruments they play. You will then make a complete statement about each person.

Modelo: *You see:* Tomás
You hear: el piano
You say: Tomás toca el piano.
You hear the confirmation: Tomás toca el piano.

1. el órgano
Ana María toca el órgano.
2. el trombón
Los tíos Ramón y Pablo tocan el trombón.
3. la trompeta
El Sr. Méndez y su hermano tocan la trompeta.
4. el clarinete
Mamá y yo tocamos el clarinete.

VII. El verbo *saber*

A. *Repeat the conjugation of* saber *after the speaker.*

yo sé	nosotros sabemos
tú sabes	vosotros sabéis
Ud. sabe	Uds. saben
él sabe	ellos saben

B. *Below are the names of some students who are good at either sports or music. After the speaker tells you in what they excel, make a complete statement about each one. Use the correct form of the verb* saber *and the infinitive of* tocar *or* jugar.

Modelo: *You see:* Rafael
You hear: el baloncesto
You say: Rafael sabe jugar al baloncesto.
You hear the confirmation: Rafael sabe jugar al baloncesto.

1. el órgano . . . Tomás sabe tocar el órgano.
2. el béisbol . . . Pedro sabe jugar al béisbol.
3. el voleibol . . . Marcos y Felipe saben jugar al voleibol.
4. el piano . . . Tú sabes tocar el piano.
5. el tenis . . . Nosotros sabemos jugar al tenis.
6. la guitarra . . . Yo sé tocar la guitarra.
7. el fútbol . . . Samuel y yo sabemos jugar al fútbol.
8. la trompeta . . . Usted sabe tocar la trompeta.

VIII. Pronunciación

Follow along on page 149 of your textbook.

El sonido de la consonante *ll*

In many Spanish countries, the sound of the *ll* (*elle*) is similar to the sound of the *y* in the English word "yes." However, not all Spanish-speaking countries pronounce this *ll* alike. In Mexico and in Cuba, the *ll* is pronounced like the English letter *j*. For example, *llama* is pronounced *jama*.

Practice the following words, first with the *y* sound, then with the *j*:

Practique las palabras: sello . . . paella . . . villa . . . llamar

Practique la frase: La lluvia en Sevilla es una maravilla.

Otra vez:
Practique las palabras: sello . . . paella . . . villa . . . llamar

Practique la frase: La lluvia en Sevilla es una maravilla.

IX. Dictado

Escuche y escriba.

1. Mi hermana es aficionada del béisbol.
2. Mis hermanos juegan en el equipo de voleibol de mi escuela.
3. Voy a verlos jugar en el partido de esta tarde.
4. Me gusta la guitarra, pero no sé tocarla.
5. Alicia de Sevilla sabe tocar el piano muy bien.

Capítulo Ocho

Lección 19

I. Versículo

I Samuel 15:22b Ciertamente el obedecer es mejor que los sacrificios, y el prestar atención que la grosura de los carneros.

Repeat each phrase in the pauses provided.

I Samuel . . . 15:22b . . . I Samuel 15:22b . . . Ciertamente el obedecer . . . es mejor que los sacrificios . . . y el prestar atención . . . que la grosura . . . de los carneros.

Try to say each phrase before you hear it on the tape.

. . . I Samuel 15:22b . . . Ciertamente el obedecer . . . es mejor que los sacrificios . . . y el prestar atención . . . que la grosura . . . de los carneros.

Say the entire verse with the reference before and after.

I Samuel 15:22b Ciertamente el obedecer es mejor que los sacrificios, y el prestar atención que la grosura de los carneros. I Samuel 15:22b

II. Diálogo

Follow along on page 152 of your textbook.

Paseo por el parque

Rosa y su primo Tomás se encuentran con Cristina en la calle.

Cristina: ¡Hola, Rosa! ¿Qué tal?

Rosa: ¡Bien, gracias! Te presento a mi primo Tomás. Es de Veracruz.

Cristina: Mucho gusto, Tomás. Cristina Silva.

Tomás: El gusto es mío.

Rosa: Tomás y yo vamos a dar un paseo por el parque. El no conoce la ciudad y sale el próximo lunes para Veracruz. ¿Quieres acompañarnos?

Cristina: Sí, gracias por la invitación. Tomás, me alegro que estés aquí. Los jóvenes de nuestra iglesia tienen varias actividades planeadas para el fin de semana.

Tomás: ¿Tú eres cristiana como Rosa? Yo también conozco a Cristo como mi Salvador. En Veracruz asisto a una iglesia cristiana. Hay muchos jóvenes en nuestra iglesia.

Rosa: Tomás es el presidente de la sociedad de jóvenes.

Cristina: ¿Verdad? ¿Qué clase de actividades tienen los jóvenes en tu iglesia?

Tomás: Bueno, a veces salimos en grupos pequeños y repartimos tratados. También tenemos programas especiales o salimos a pasear por el puerto. ¿Qué van a hacer los jóvenes de tu iglesia este fin de semana?

Cristina: Vamos a ir a Teotihuacán a subir las pirámides.

Rosa: Yo voy a estudiar todo el fin de semana. Tomás, ¿quieres ir con Cristina a visitar las pirámides?

Tomás: ¡Será un placer!

Cristina: Oigo a los niños. Estamos llegando al parque.

Tomás: Tienen un parque muy bonito. Me gustan los árboles y las fuentes. Y me encanta pasear aquí con dos muchachas lindas.

III. Vocabulario

Write the number of the statement you hear beside the appropriate illustration.

1. Margarita oye la música.
2. Paco trae su pelota al juego de béisbol.
3. Conduzco el carro de mis padres.
4. Anita obedece a su mamá.
5. La señorita entra en la oficina.
6. Mario pone sus libros en el pupitre.

IV. Los verbos *salir, poner*

A. ***Say the conjugation of* salir *after the speaker.***

yo salgo	nosotros salimos
tú sales	vosotros salís
Ud. sale	Uds. salen
él sale	ellos salen

B. ***Complete the sentences below with the correct form of* salir.**

Modelo: *You see:* El señor Martínez ________ para la oficina a las siete.
You say: El señor Martínez ___*sale*___ para la oficina a las siete.
You hear the confirmation: El señor Martínez sale para la oficina a las siete.

1. Paco y Anita salen para la escuela a las ocho.
2. Rosa sale para el trabajo a las ocho y cuarto.
3. Yo salgo para la universidad a las siete y media.
4. Paco y yo salimos a las cuatro de la tarde para jugar al tenis.
5. Nuestra familia sale para la iglesia los domingos a las nueve y media de la mañana.

C. ***When members of the Robles family come into the house, they put their things in many unusual places. The speaker will tell you where they put their articles. Use the information provided to make a complete statement.***

Modelo: *You see:* Juan / libros
You hear: debajo de la cama
You say: Juan pone sus libros debajo de la cama.
You hear the confirmation: Juan pone sus libros debajo de la cama.

1. encima de la mesa
   Ana María pone sus zapatos encima de la mesa.
2. debajo del sofá
   Los niños ponen sus cuadernos debajo del sofá.
3. en el baño
   Yo, el señor Robles, pongo mi portafolio en el baño.
4. detrás de la puerta
   La señora Robles y yo ponemos nuestros suéteres detrás de la puerta.

5. en la cocina
   Juan y Ana María ponen sus raquetas de tenis en la cocina.

V. Los verbos *traer, oír*

A. *Say the conjugation of* traer *after the speaker.*

yo traigo	nosotros traemos
tú traes	vosotros traéis
Ud. trae	Uds. traen
él trae	ellos traen

B. *Replace the words in italics with the noun or pronoun you hear. Make any other necessary changes in the sentences.*

Modelo: *You see:* El pastor trae su himnario a la iglesia.
You hear: yo
You say: Yo traigo mi himnario a la iglesia.
You hear the confirmation: Yo traigo mi himnario a la iglesia.

1. los estudiantes
   Los estudiantes traen sus lápices, cuadernos y libros de español a la clase.
2. yo
   Yo traigo a mi amiga de Colombia a la clase.
3. yo
   Yo oigo a la profesora.
4. nosotros
   Nosotros oímos el programa en español.
5. Pepe y César
   Pepe y César traen el dinero en sus carteras.
6. ustedes
   En la iglesia ustedes oyen himnos bonitos.

C. *Answer the following questions about yourself.*

1. ¿Pones tus cosas en su lugar?
2. ¿Oyes música clásica de vez en cuando?
3. ¿Qué libros traes a la clase o al laboratorio de español?
4. ¿Pones atención en la escuela?

VI. Los verbos *conocer, obedecer*

A. *Repeat the conjugation of the verb* conocer *after you hear it on the tape.*

yo conozco	nosotros conocemos
tú conoces	vosotros conocéis
Ud. conoce	Uds. conocen
él conoce	ellos conocen

B. *Our speaker thinks he knows a lot about you! Listen to each of his statements and then confirm or deny each one using the direct object pronoun.*

Modelo: *You hear:* Conoces bien a tu pastor.
You say: Sí, lo conozco bien. *or* No, no lo conozco bien.

1. Siempre obedeces a tus padres.
2. Conduces el carro de tu papá.
3. No conoces México.
4. Traduces las cartas de un amigo hispano.
5. No conduces un Mercedes Benz.

VII. Pronunciación

Follow along on page 158 of your textbook.

El sonido de las consonantes *h* y *j*

In Spanish, the letter *h* (*hache*) is silent.

Practique las palabras: hace . . . hablar . . . hay . . . hola

Practique las frases: ¡Hola, Héctor! ¿Hablas holandés?

The sound of the Spanish *j (jota),* however, is similar to the English *h.*

Practique las palabras: Jamás . . . tejer . . . ají . . . ajo . . . jugo

Practique las frases: Juan toma jugo de naranja y toronja.

Jimena juega ajedrez los jueves.

VIII. Dictado

Escuche y escriba.

1. Mi familia conoce a unos misioneros en Colombia.
2. Es una familia que obedece al Señor.
3. En Colombia, su hijo conduce un autobús.
4. Yo les traduzco las cartas al inglés.
5. A veces yo salgo con ellos para repartir tratados.

Lección 20

I. Versículo

I Juan 5:14 Si pedimos alguna cosa conforme a su voluntad, él nos oye.

Repeat each phrase in the pauses provided.

I Juan . . . 5:14 . . . I Juan 5:14 . . . Si pedimos alguna cosa . . . conforme a su voluntad . . . él nos oye.

Try to say each phrase before you hear it on the tape.

. . . I Juan 5:14 . . . Si pedimos alguna cosa . . . conforme a su voluntad . . . él nos oye.

Say the entire verse with the reference before and after.

I Juan 5:14 Si pedimos alguna cosa conforme a su voluntad, él nos oye. I Juan 5:14

II. Diálogo

Follow along on pages 159-60 of your textbook.

De compras

Rosa, su hermana Mirna y su mamá van de compras. Están en la tienda de ropa.

Mamá: Rosa, mira esta blusa azul. ¿Te gusta?

Rosa: Bueno, mamá. Me gusta y no me gusta. Pienso que esa blanca es más bonita.

Mamá: Es bonita, pero mira el precio. ¡Es cara! No puedo pagarla.

Rosa: Vamos a mirar las blusas donde dice "Venta especial."

Mamá: Está bien. ¡Pero a veces las ventas especiales no son muy especiales!

Rosa: Vamos a ver. La blusa roja es bonita, pero no es de mi talla. Esta verde es elegante, pero es cara también. ¿Qué voy a hacer?

Mirna: Oh, mamá. Este vestido me queda perfectamente.

Mamá: ¿Te queda perfectamente? Pienso que es muy grande.

Mirna: Así me gusta—ancho y largo.

Mamá: ¿Te gusta el color?

Mirna: Sí, mamá. Todas las chicas tienen vestidos de este color.

Rosa: Todavía no encuentro nada.

Mirna: Aquí hay unas faldas a la última moda.

Rosa: No me gusta esa moda. Quiero una falda roja y una blusa blanca.

Mamá: Te ves bien en rojo y blanco. Vamos a buscar más. (Una dependiente se acerca.)

Dependiente: ¿Las puedo ayudar?

Rosa: Busco una falda roja y una blusa blanca, señorita.

Dependiente: Hoy mismo llegaron unas faldas nuevas. ¿Cuál es su número de talla?

Rosa: Talla ocho.

Dependiente: ¿Le gusta esta falda?

Rosa: ¿Cuánto cuesta, señorita?

Dependiente: 45,000 pesos.

Rosa: Me llevo la falda. ¿Está bien, mamá?

Mamá: Sí, mi hija, si te gusta la falda.

Dependiente: Tengo unas blusas blancas aquí.

Rosa: La de manga corta es exactamente lo que quiero. ¡Y es de mi talla!

Mamá: Es de buen precio también.

Rosa: Gracias, mami, por comprarme ropa nueva.

Mirna: Gracias, mami, por el vestido nuevo. Y ahora, vamos a buscar un vestido para ti.

III. Vocabulario

Rosita and her brother have just come home from a shopping spree. They took off all the price tags, but now their father wants to know how much they paid for each article. As Rosita gives the prices, fill in the blank price tags.

Modelo: *You hear:* el suéter, veinte dólares
You mark the picture as shown.

1. la falda, quince dólares
2. la blusa, ocho dólares
3. las medias, dos dólares
4. el vestido, cuarenta dólares
5. los zapatos, treinta dólares
6. los pantalones, catorce dólares
7. la corbata, cinco dólares
8. la camisa, trece dólares

IV. Repaso de verbos irregulares en la primera persona

Sometimes the speaker doesn't know all the details. Listen to his questions and then tell him that it is not you, but the person named in each case who does what he says.

Modelo: *You hear:* ¿Tú haces el pastel para el cumpleaños de Pedro?
You see: María
You say: No, yo no lo hago. María lo hace.
You hear the confirmation: No, yo no lo hago. María lo hace.

1. ¿Tú pones la mesa?
   No, yo no la pongo. Ramón la pone.
2. ¿Tú traes los refrescos para la fiesta?
   No, yo no los traigo. Alberto los trae.
3. ¿Tú ves al doctor Santos?
   No, yo no lo veo. Mi hermano lo ve.
4. ¿Tú das las instrucciones hoy?
   No, yo no las doy. Felipe las da.
5. ¿Tú conduces el autobús?
   No, yo no lo conduzco. Sara lo conduce.
6. ¿Tú haces los planes para las vacaciones?
   No, yo no los hago. Mis padres los hacen.
7. ¿Tú conoces al presidente de los Estados Unidos?
   No, yo no lo conozco. Mis abuelos lo conocen.

V. Verbos con cambios *e→ie*

A. ***Say the conjugation of* pensar *after the speaker.***

yo pienso	nosotros pensamos
tú piensas	vosotros pensáis
Ud. piensa	Uds. piensan
él piensa	ellos piensan

B. ***Replace the words in italics with the pronoun you hear after the sentence is read.***

Modelo: *You see and hear: Marcos* piensa que el español es fácil. (yo)
You say: Yo pienso que el español es fácil.
You hear the confirmation: Yo pienso que el español es fácil.

1. *El presidente* siente lástima por los pobres. (yo)
Yo siento lástima por los pobres.
2. *Entiendo* todo el vocabulario nuevo. (nosotros)
Entendemos todo el vocabulario nuevo.
3. *Rafael* quiere zapatos negros. (Uds.)
Ustedes quieren zapatos negros.
4. *El señor* pierde tiempo cuando empieza tarde. (nosotros)
Nosotros perdemos tiempo cuando empezamos tarde.
5. *Ella* prefiere faldas azules. (ellas)
Ellas prefieren faldas azules.

VI. Verbos con cambios *o→ue*

A. ***Say the conjugation of* poder *after the speaker.***

yo puedo	nosotros podemos
tú puedes	vosotros podéis
Ud. puede	Uds. pueden
él puede	ellos pueden

B. ***The verb* poder *often combines with an infinitive to ask for permission. Ask the speaker for permission to do the following things. Follow the model.***

Modelo: *You see:* mamá / usar el paraguas
You say: ¿Puede mamá usar el paraguas?
You hear the confirmation: Sí, puede.

1. . . . Sí, pueden.
2. . . . Sí, puedes.
3. . . . Sí, pueden.
4. . . . Sí, puede.
5. . . . ¡No, no puedes!

C. ***The following people tell us where or when they sleep. Use the cues provided to form complete sentences.***

Modelo: *You see:* yo / en el autobús
You say: Yo duermo en el autobús.
You hear the confirmation: Yo duermo en el autobús.

1. Papá duerme delante del televisor.
2. Tú duermes durante los partidos de baloncesto.
3. Yo duermo depués de comer mucho.
4. Uds. duermen en el trabajo.
5. Nosotros dormimos en el colegio.

D. ***The following tourists are having trouble finding things. Use the correct form of* encontrar *and the subject you hear to form a question.***

Modelo: *You see:* un diccionario inglés-español
You hear: ella
You say: ¿Dónde encuentra ella un diccionario inglés-español?
You hear the confirmation: ¿Dónde encuentra ella un diccionario inglés-español?

1. Ud.
¿Dónde encuentra Ud. un motel?
2. yo
¿Dónde encuentro yo un teléfono público?

3. tú
   ¿Dónde encuentras tú los buenos restaurantes?
4. nosotros
   ¿Dónde encontramos nosotros el estadio de fútbol?
5. Uds.
   ¿Dónde encuentran Uds. información turística?

E. ***The present participle form of the verb is used with the conjugated verb estar to express that an action is in progress right now. In this exercise the speaker will make a statement in the present tense. Change the statement to indicate that the action is in progress right now.***

Modelo: *You hear:* El juego de béisbol empieza ahora.
You say: El juego de béisbol está empezando ahora.
You hear the confirmation: El juego de béisbol está empezando ahora.

1. Yo vuelvo a mi clase de español.
   Estoy volviendo a mi clase de español.
2. Los estudiantes salen de la cafetería.
   Los estudiantes están saliendo de la cafetería.
3. Juan duerme en el sofá.
   Juan está durmiendo en el sofá.
4. El equipo pierde el juego de baloncesto.
   El equipo está perdiendo el juego de baloncesto.
5. El Sr. Ramos conduce un Mercedes.
   El Sr. Ramos está conduciendo un Mercedes.
6. El profesor traduce las cartas para el doctor.
   El profesor está traduciendo las cartas para el doctor.
7. Tomás ofrece un tratado a la señora.
   Tomás está ofreciendo un tratado a la señora.
8. Mario trae a sus amigos a la iglesia.
   Mario está trayendo a sus amigos a la iglesia.

VII. Pronunciación

Follow along on page 169 of your textbook.

El sonido de la consonante *b*

At the beginning of a word, after a pause, or after the consonants *n* or *m,* the letter *b (be)* is pronounced similarly to the *b* in "box."

Practique las palabras: boda . . . beso . . . barco . . . umbral

Practique la frase: A Bárbara se le ve bonita la blusa blanca.

Between two vowels, the sound of the *b* is softer. The sound is produced by attempting to pronounce the *b* without putting the lips together.

Practique las palabras: abuela . . . beber . . . trabajar

Practique las frases: Mi abuelo no bebe café.

Roberto besa a Isabel en la boda.

VIII. Dictado

Escuche y escriba.

1. Manuel piensa que va a encontrar a su amiga en el parque.
2. Rosalina prefiere volver a Ecuador en marzo.
3. ¿Cuánto cuestan las guitarras españolas?
4. No recuerdo qué himno quieres cantar.
5. Mañana podemos dormir hasta las diez de la mañana.

Lección 21

I. Versículo

Colosenses 4:5 Andad sabiamente para con los de afuera, redimiendo el tiempo.

Repeat each phrase in the pauses provided.

Colosenses . . . 4:5 . . . Colosenses 4:5 . . . Andad sabiamente . . . para con los de afuera . . . redimiendo el tiempo.

Try to say each phrase before you hear it on the tape.

. . . Colosenses 4:5 . . . Andad sabiamente . . . para con los de afuera . . . redimiendo el tiempo.

Say the entire verse with the reference before and after.

Colosenses 4:5 Andad sabiamente para con los de afuera, redimiendo el tiempo. Colosenses 4:5

II. Diálogo

Follow along on page 170 of your textbook.

En el restaurante

Pepe: ¡Por fin llegas! Ya son las siete y media.

Cristina: ¿Y vienes sola? ¿Dónde está Tomás?

Rosa: Ya viene. Está estacionando el carro. Miren. Ahí está.

Tomás: ¿Qué tal, muchachos? ¿Listos para comer?

Mesero: Buenas noches, jóvenes. ¿Una mesa para cuatro?

Pepe: Sí, señor, como no. En la sección de no fumar, por favor.

Mesero: Síganme, Uds.

(En la mesa)

Mesero: Aquí tienen el menú. ¿Qué desean pedir? ¿Señorita?

Cristina: Bueno, no tengo mucha hambre. Solamente quiero una ensalada.

Mesero: ¿Y Ud., señorita? ¿Qué le sirvo?

Rosa: Me trae pollo frito y puré de papas.

Pepe: Yo quiero algo bien mexicano—con chile.

Mesero: Pues, le recomiendo las enchiladas. Están sabrosas, y son la especialidad del cocinero.

Pepe: Enchiladas. Bien, y con frijoles y arroz.

Tomás: Para mí también las enchiladas.

Mesero: ¿Y qué piden de tomar?

Pepe: Para todos Coca-cola.

Mesero: A sus órdenes.

(Una hora después.)

Tomás: ¡Qué comida tan sabrosa! Estoy lleno.

Rosa y Cristina: Nosotras también. Pero, ¿qué hay de postre?

Pepe: ¿Postre? Francamente, ya no tengo lugar para el postre.

Tomás: Sinceramente, yo tampoco.

Cristina: Bueno, como Uds. quieran.

Tomás: Mesero, la cuenta, por favor.

Mesero: Aquí la tiene Ud.

Tomás: Yo pago por Rosa y por mí.

Pepe: Y yo pago por Cristina. Y te ayudo con la propina.

Answer the following questions about the dialogue. You will hear the confirmation. Your answers, however, may vary from the ones you hear.

1. ¿Quiénes llegan tarde?
   Rosa y Tomás llegan tarde.
2. ¿En qué sección del restaurante comen?
   Comen en la sección de no fumar.
3. ¿Qué pide Cristina?
   Pide una ensalada.
4. ¿Qué le trae el mesero a Rosa?
   El mesero le trae pollo frito y puré de papas.
5. ¿Por qué recomienda el mesero las enchiladas?
   Son la especialidad del cocinero.
6. ¿Por qué no piden postre?
   Están llenos.

III. Vocabulario

You are visiting the restaurant* El buen comer. *A waitress will ask you what you wish to order. Refer to the menu items pictured to make your choice.

Modelo: *You hear:* ¿Qué fruta desea pedir?
You choose from the menu and say: Deseo peras, por favor.

1. ¿Qué carne desea pedir?
2. ¿Qué vegetal desea pedir?
3. ¿Qué desea tomar?
4. ¿Qué postre le sirvo?

IV. Verbos con cambios *e→i*

A. *Say the conjugation of* pedir *after the speaker.*

yo pido	nosotros pedimos
tú pides	vosotros pedís
Ud. pide	Uds. piden
él pide	ellos piden

B. *The Rodríguez family has invited you to eat with them at a restaurant. You are to report what each person is ordering. Refer to the picture cues.*

Modelo: *You hear:* Rosita
You say: Rosita pide un bistec.
You hear the confirmation: Rosita pide un bistec.

1. Marisol
   Marisol pide una chuleta de puerco.
2. El señor Rodríguez y su esposa
   El señor Rodríguez y su esposa piden filetes de pescado.
3. Marcos y yo
   Marcos y yo pedimos torta de chocolate.
4. yo
   Yo pido una limonada.
5. Marisol y Marcos
   Marisol y Marcos piden helado.

C. *Complete each sentence with the correct form of the verb you hear.*

Modelo: *You see:* Ella le _______ la taza de café a su papá.
You hear: servir
You write and say: Ella le <u>*sirve*</u> la taza de café a su papá.
You hear the confirmation: Ella le sirve la taza de café a su papá.

1. repetir
   Ud. siempre repite lo que oye.
2. repetir
   Nosotros repetimos las palabras en español.
3. pedir
   Yo siempre pido pizza.
4. servir
   A las cinco y media, ellos sirven la comida.
5. pedir
   Tú les pides permiso a tus padres antes de salir.
6. servir
   Después de la cena, el mesero sirve el café.
7. saber
   No hay problema, porque ellas saben conducir.
8. conocer
   Nosotros conocemos a todos los jóvenes en la iglesia.

V. Adverbios que terminan en *-mente*

You are given an adjective. Change it to an adverb and use it with the sentence you hear. Follow the model.

Modelo: *You see:* lento
You hear: La señorita habla.
You say: La señorita habla lentamente.
You hear the confirmation: La señorita habla lentamente.

1. Mi hermano hace las tareas.
   Mi hermano hace las tareas rápidamente.
2. La profesora de música canta.
   La profesora de música canta alegremente.
3. Paco ama a María.
   Paco ama a María locamente.
4. Alfredo aprende las matemáticas.
   Alfredo aprende las matemáticas fácilmente.
5. Los estudiantes de la Srta. García escriben.
   Los estudiantes de la Srta. García escriben claramente.
6. Es importante saber conducir.
   Es importante saber conducir cuidadosamente.
7. Nicaragua no está bien.
   Nicaragua no está bien económicamente.
8. Pablo me habla.
   Pablo me habla sinceramente.

VI. Pronunciación

El sonido de la consonante *v*

At the beginning of a word, after a pause, or after the consonants *n* or *l,* the letter *v* is pronounced like the *b* in "box."

In all other positions, the letter *v* is softer. It is pronounced without putting the lips together and without allowing the lower lip to touch the upper front teeth.

Practique las palabras: verbo . . . ventana . . . verde . . . selva . . . enviar . . . viaje . . . lavar . . . nave . . . llueve . . . diversión

Practique las frases: Me divierto cuando voy de viaje.

Víctor se levanta varias veces a las nueve.

¡Viviana va volando al volante!

Vamos a visitar a Vicente en el invierno.

VII. Dictado

Escuche y escriba.

1. Vamos a pagar la cuenta y la propina.
2. Ellos piden una mesa para cuatro.
3. En mi casa, mamá me sirve naranjas en el desayuno.
4. Pido leche para el almuerzo.
5. Si repetimos las palabras, las aprendemos fácilmente.

Capítulo Nueve

Lección 22

I. Versículo

Salmo 119:103 ¡Cuán dulces son a mi paladar tus palabras! Más que la miel a mi boca.

Repeat each phrase in the pauses provided.

Salmo . . . 119:103 . . . Salmo 119:103 . . . ¡Cuán dulces son . . . a mi paladar . . . tus palabras . . . Más que la miel . . . a mi boca.

Try to say each phrase before you hear it on the tape.

. . . Salmo 119:103 . . . ¡Cuán dulces son . . . a mi paladar . . . tus palabras . . . Más que la miel . . . a mi boca.

Say the entire verse with the reference before and after.

Salmo 119:103 ¡Cuán dulces son a mi paladar tus palabras! Más que la miel a mi boca. Salmo 119:103

II. Diálogo

Follow along on page 180 of your textbook.

El libro perdido

Durante la hora del almuerzo están hablando Alberto, Jorge, Ana, Paola (hermana de Alberto) y Carlos.

Alberto: ¡Oigan! ¿Ustedes conocen a Ernesto Velázquez?

Jorge: ¿Es alto, delgado y tiene pelo negro?

Ana: ¿Tiene ojos verdes y es guapo?

Alberto: No sé si es guapo, pero tiene mi libro de biología, y lo necesito para la hora que viene.

Paola: ¿Por qué tiene tu libro?

Alberto: Es que . . . yo le presto mi libro de biología y él me presta su libro de historia, pero ahora no lo puedo encontrar.

Paola: Tú sabes que no debes prestar tus libros a nadie. A papá no le gusta.

Alberto: Yo sé. Y ahora lo siento mucho. Pero, ¿dónde está Ernesto?

Paola: Yo lo conozco. Es guapo y fuerte.

Ana: ¿Es gordo?

Paola: No, no es gordo; es fuerte, digo.

Ana: Bueno, es más gordo que Alberto, ¿verdad?

Carlos: Todo el mundo es más gordo que Alberto. Además, Ernesto es buen atleta.

Paola: Sí, es buen atleta, pero Alberto es mejor, ¿verdad?

Carlos: En baloncesto, sí, pero en fútbol . . .

Alberto: ¡Por favor, ayúdenme! ¿Dónde lo voy a encontrar?

Ana: Tiene las orejas muy grandes, ¿verdad?

Carlos: Ése no es Ernesto Velázquez; es Ernesto Sánchez.

Paola: Y su hermana es Elisabet.

Ana: ¿La rubia de ojos azules?

Paola: Sí, es ella.

Alberto: ¿Qué voy a hacer? No puedo ir a clase sin mi libro. El maestro me va a matar.

Paola: Pero el señor Castañeda es un profesor simpático.

Alberto: Sí, lo es, pero aún los maestros más simpáticos tienen limite a su paciencia. ¿Nadie sabe dónde está Ernesto Velázquez?

Jorge: Yo sí sé.

Alberto: ¿Dónde?

Jorge: Ernesto está enfermo. Está en su casa.

III. Vocabulario

As you hear each statement, write its number beside the picture it describes.

Modelo: *You hear:* Tiene los ojos grandes.
You mark the picture as shown.

1. Tiene el pelo rizado.
2. Es alto y gordo.
3. Tiene el pelo largo y liso.
4. Es baja y delgada.
5. Tiene los ojos negros.

IV. Repaso de los adjetivos

In Spanish, adjectives must agree in number and gender with the nouns they describe. Make complete sentences using the cues provided. Pattern your sentences after the model.

Modelo: *You see:* bajo y rubio
You hear: mis hermanas
You say: Mis hermanas son bajas y rubias.
You hear the confirmation: Mis hermanas son bajas y rubias.

1. la lección . . . La lección es corta y fácil.
2. mis amigos . . . Mis amigos son intelectuales.
3. nuestras clases . . . Nuestras clases son interesantes y prácticas.
4. mi motocicleta . . . Mi motocicleta es pequeña y económica.
5. el pelo de Antonio . . . El pelo de Antonio es castaño y rizado.
6. los ojos de Paulina . . . Los ojos de Paulina son grandes y negros.
7. la bandera de los Estados Unidos . . . La bandera de los Estados Unidos es roja, blanca y azul.
8. mi papá . . . Mi papá es guapo y fuerte.

V. La forma comparativa (I)

Make comparisons according to the cues provided.

Modelo: *You see:* la química / difícil / historia
You hear: más que

You say: La química es más difícil que la historia.
You hear the confirmation: La química es más difícil que la historia.

1. más que . . . El diccionario es más caro que la calculadora.
2. menos que . . . Maritza es menos bonita que Rebeca.
3. más que . . . Simón es más flaco que Rubén.
4. tan como . . . El pelo de Susana es tan largo como el pelo de Ana.
5. más que . . . Santiago es más simpático que Bruno.
6. menos que . . . Los ojos de Pedro son menos azules que los ojos de Roberto.
7. menos que . . . Lidia es menos alta que Alberto.
8. tan como . . . Los gatos son tan inteligentes como los perros.

VI. La forma comparativa (II)

A. *Use the information given by the speaker plus the elements below to complete the comparison of quality. Use the correct form of* mejor que/mejores que *or* peor que/peores que.

Modelo: *You hear:* Roberta es mala en ciencia, pero Susana es muy mala en ciencia.
You write and say: Susana es ___*peor que*___ Roberta en ciencia.
You hear the confirmation: Susana es peor que Roberta en ciencia.

1. Tomás es bueno en los deportes, pero su hermano no es muy bueno . . .
   Tomás es mejor que su hermano en los deportes.
2. Gloria y Melinda son muy malas en inglés, pero Delia es buena . . .
   Gloria y Melinda son peores que Delia en inglés.
3. Papá es bueno en Piccionario, pero mamá es muy buena . . .
   Mamá es mejor que papá en Piccionario.
4. Manolito es muy malo en voleibol, pero Robertín y Gilberto son buenos . . .
   Robertín y Gilberto son mejores que Manolito en voleibol.
5. Mi nota en biología es una *B-,* pero mi nota en álgebra es una *C* . . .
   Mi nota en álgebra es peor que mi nota en biología.

B. *Listen as the speaker begins to make a comparison. Complete the comparison with the most logical phrase or word.*

Modelo: *You hear:* Serafín es bueno en geometría, pero Gabriel es . . .
You see: a. menor. b. mejor. c. mayor.
You choose b *and say:* mejor
You hear the confirmation: b. mejor

1. Gregorio es bueno en fútbol, pero su tío es . . . c. mejor.
2. Papá tiene poco pelo, pero abuelo tiene . . . a. menos.
3. El señor Iacocca tiene mucho dinero, pero el señor Trump tiene . . . c. más.
4. California es grande, pero Texas es . . . b. más grande.
5. Connecticut es pequeño, pero Rhode Island es . . . c. más pequeño.
6. Samuel tiene 15 años; Clara tiene 14 años. Samuel es . . . b. mayor.

VII. La forma superlativa

A. *Combine the elements provided in each exercise into superlative statements.*

Modelo: *You see:* Rosa / chica / inteligente
You say: Rosa es la chica más inteligente.
You hear the confirmation: Rosa es la chica más inteligente.

1. La historia y la química son las clases más difíciles.
2. Juan es el jóven más guapo.
3. Alaska y Texas son los estados más grandes.
4. El español es la clase más interesante.

B. *Make superlative statements based on the elements provided. Use the correct forms of* mayor *and* menor.

Modelo: *You see:* Juan tiene 16 años, Sara tiene 15 y Pablo tiene 14 años.
You hear: Juan
You say: Juan es el mayor.
You hear the confirmation: Juan es el mayor.

1. Débora . . . Débora es la mayor.
2. mi mamá . . . Mi mamá es la menor.
3. Rosa y Ana . . . Rosa y Ana son las menores.
4. mis abuelos . . . Mis abuelos son los mayores.

C. *Change the comparative adjective in each statement to its superlative form. Follow the model.*

Modelo: *You hear:* Roberto, Eduardo, y Daniel son buenos en álgebra.
You see: Javier
You say: Pero Javier es el mejor en álgebra.

1. Alberto, Miguel y Enrique son buenos en tenis . . . Pero Mateo es el mejor en tenis.
2. Miranda y sus amigos son buenos en arte . . . Pero tus hermanos son los mejores en arte.
3. María, Tomás y Diego son buenos en química . . . Pero Carola es la mejor en química.
4. Raul, Natán y Violeta son malos en matemáticas . . . Pero Estebán es el peor en matemáticas.
5. Fiona, Matilde y Héctor son malos en gramática . . . Pero Mercedes es la peor en gramática.
6. Tus hermanas y mis hermanas son malas en béisbol . . . Pero tus primas son las peores en béisbol.
7. Alfonso y Jaime son malos en los deportes . . . Pero Luis y Marcos son los peores en los deportes.

VIII. Pronunciación

Follow along on page 186 of your textbook.

El sonido de la consonate *l*

The sound of the Spanish *l (ele)* resembles that of the *l* in "leap." The Spanish *l* is pronounced with only the tip of the tongue touching the upper gum ridge and not the roof of the mouth as in English.

Practique las palabras: luna . . . hola . . . luz . . . liga . . . lago . . . lindo . . . pastel . . . solo . . . árbol . . . lima

Practique las frases: Los lindos jóvenes ven los árboles.

Lupe y Lalo van al lago con la liga.

IX. Dictado

Escuche y escriba.

1. A Pedro le gusta el pelo largo y rizado.
2. El capitán del equipo es un joven alto, guapo y fuerte.
3. La profesora de historia es baja, delgada y muy bonita.
4. Mi amiga tienc los ojos azulcs, cl pelo rubio y la boca grande.
5. Alberto tiene el pelo liso y castaño.

I. Versículo

Mateo 5:3 Bienaventurados los pobres en espíritu, porque de ellos es el reino de los cielos.

Repeat each phrase in the pauses provided.

Mateo . . . 5:3 . . . Mateo 5:3 . . . Bienaventurados . . . los pobres en espíritu . . . porque de ellos es . . . el reino de los cielos.

Try to say each phrase before you hear it on the tape.

. . . Mateo 5:3 . . . Bienaventurados . . . los pobres en espíritu . . . porque de ellos es . . . el reino de los cielos.

Say the entire verse with the reference before and after.

Mateo 5:3 Bienaventurados los pobres en espíritu, porque de ellos es el reino de los cielos. Mateo 5:3

II. Lectura

Follow along on page 188 of your textbook.

Una mañana en la casa de los López

Las mañanas en la casa de la familia López son muy típicas. La Sra. López se despierta temprano, se levanta, se lava la cara y prepara el café. Mientras tanto, el Sr. López se baña, se afeita y se viste. Después, él despierta a su hijo Roberto. Roberto es perezoso y nunca quiere levantarse.

La Sra. López despierta a Ana. Ella es tan perezosa como su hermano, pero sí se levanta para llegar a la escuela justo a tiempo. Se baña, se cepilla los dientes, se peina y desayuna a prisa.

Por fin, Roberto se levanta. Tiene que prepararse rápidamente porque ya es tarde. Se mira en el espejo. ¡Qué feo! Se baña. ¡Qué pena! No hay más agua caliente.

Repeat each phrase in the pause provided.

Una mañana en la casa de los López

Las mañanas en la casa de la familia López . . . son muy típicas. . . . La Sra. López se despierta temprano, . . . se levanta, . . . se lava la cara y prepara el café. . . . Mientras tanto, el Sr. López se baña, . . . se afeita . . . y se viste. . . . Después, él despierta a su hijo Roberto. . . . Roberto es perezoso y nunca quiere levantarse. . . .

La Sra. López despierta a Ana. . . . Ella es tan perezosa como su hermano, . . . pero sí se levanta . . . para llegar a la escuela . . . justo a tiempo. . . . Se baña, . . . se cepilla los dientes, . . . se peina y desayuna a prisa. . . .

Por fin, Roberto se levanta. . . . Tiene que prepararse rápidamente . . . porque ya es tarde. . . . Se mira en el espejo. ¡Qué feo! . . . Se baña. . . . ¡Qué pena! No hay más agua caliente.

III. Vocabulario

As you hear each statement, write its number beside the picture it describes.

Modelo: *You hear:* Antes de ir a la escuela, Rafael se peina.
You mark the picture as shown.

1. A Roberto no le gusta levantarse.
2. Después de comer, Rafael se cepilla los dientes.
3. Roberto se baña rápidamente.
4. ¿A qué hora te despiertas?
5. Papá se afeita temprano.

IV. Los verbos reflexivos

A. *Say the conjugation of* lavarse *after the speaker.*

yo me lavo
tú te lavas
Ud. se lava
él se lava

nosotros nos lavamos
vosotros os laváis
Uds. se lavan
ellos se lavan

B. *For each of the incomplete sentences you see, you will be given a subject. Complete the sentences using the correct reflexive pronouns.*

Modelo: *You see:* (mirarse) en el espejo
You hear: yo
You say: Yo me miro en el espejo.
You hear the confirmation: Yo me miro en el espejo.

1. tú . . . Tú te cepillas los dientes tres veces al día.
2. Ramona . . . Ramona se baña por la mañana.
3. nosotros . . . Nosotros nos despertamos a las siete.
4. ustedes . . . Ustedes se peinan antes de salir.
5. yo . . . Yo me lavo el pelo todos los días.
6. él . . . Él se pone los zapatos nuevos para ir a la iglesia.
7. Pedro . . . Pedro se afeita con Gillette.

C. *Listen for the verb you should use to complete the following sentences. Be sure to use the reflexive form when necessary.*

Modelo: *You see:* La señora Márquez va a ____________ por la mañana.
You hear: bañar
You write and say: La señora Márquez va a ___*bañarse*___ por la mañana.
You hear the confirmation: La señora Márquez va a bañarse por la mañana.

1. poner
María va a poner las revistas en la mesa.
2. peinar
Ella quiere peinarse antes de salir.
3. lavar
Pedro tiene que lavar el carro el sábado.
4. cepillar
El dentista dice que es bueno cepillarse los dientes dos veces al día.
5. despertar
Mi hermano me va a despertar temprano mañana.

V. Adjetivos demostrativos

A. *The demonstrative adjectives* este, esta, estos, *and* estas *are used to modify nouns that are very near to or in the possession of the speaker. In the following exercise, fill in each blank with the noun you hear and the correct form of the demonstrative adjective.*

Modelo: *You see:* ____________ está encima de mi libro.
You hear: lápiz
You write and say: ___*Este lápiz*___ está encima de mi libro.
You hear the confirmation: Este lápiz está encima de mi libro.

1. plumas
Estas plumas están en mi escritorio.
2. chicos
Estos chicos están conmigo.
3. cartera
Esta cartera que tengo es nueva.
4. papel
Este papel es para el examen.

B. ***The demonstrative adjectives* ese, esa, esos, *and* esas *are used to modify nouns that are somewhat distant from the speaker, possibly near or in the possession of the person being spoken to. Fill in each blank with the noun you hear and the correct form of the demonstrative adjective. Continue on as before.***

1. chica
   Esa chica en la foto es mi prima.
2. carro
   Ese carro en la calle es de Juan.
3. guantes
   Esos guantes son de los chicos.
4. corbatas
   Esas corbatas que tienes son feas.

C. ***The demonstrative adjectives* aquel, aquella, aquellos, *and* aquellas *are used to modify nouns that are a great distance from the speaker. Fill in each blank with the noun you hear and the correct form of the demonstrative adjective. Continue on as before.***

1. tiendas
   Aquellas tiendas en Santa Fe son excelentes.
2. señor
   Aquel señor de Ecuador es mi tío.
3. muchacha
   Aquella muchacha al lado de mi tío es su hija.
4. museos
   Aquellos museos franceses son famosos.

VI. Pronunciación

Follow along on page 197 of your textbook.

El sonido de la consonante *p*

Hold your hand in front of your mouth and pronounce the English words "pool" and "spool." Did you feel the puff of air when you pronounced "pool"? After *s,* the *p* loses the puff of air that normally is heard in words like *pool, pan,* and *peak.*

The Spanish sound of the *p* is similar to the English sound of the *p* in words like *spool, spa,* and *speak.* In Spanish, the *p* (*pe*) is pronounced *without* a puff of air.

Practique las palabras: Pancho . . . playa . . . soplar . . . pena

Practique las frases: Pobre Paco no pudo ir a la playa. ¡Qué pena!

Le pido un peso a papá.

Pablo tiene pocos panes.

VII. Dictado

Escuche y escriba.

1. Mi papá se afeita dos veces al día.
2. Después de bañarse, los jugadores se ponen los uniformes.
3. Me gusta despertarme temprano y prepararme para el día.
4. Voy a peinarme y ponerme el sombrero.
5. ¡Te vistes muy elegante esta noche!

Lección 24

I. Versículo

Mateo 16:24 Si alguno quiere venir en pos de mí, niéguese a sí mismo, y tome su cruz, y sígame.

Repeat each phrase in the pauses provided.

Mateo . . . 16:24 . . . Mateo 16:24 . . . Si alguno quiere venir . . . en pos de mí . . . niéguese a sí mismo . . . y tome su cruz . . . y sígame.

Try to say each phrase before you hear it on the tape.

. . . Mateo 16:24 . . . Si alguno quiere venir . . . en pos de mí . . . niéguese a sí mismo . . . y tome su cruz . . . y sígame.

Say the entire verse with the reference before and after.

Mateo 16:24 Si alguno quiere venir en pos de mí, niéguese a sí mismo, y tome su cruz, y sígame. Mateo 16:24

II. Lectura

Follow along on page 198 of your textbook.

La salud

Alberto quiere mantenerse en buena salud. Él sabe que una buena dieta y el ejercicio son importantes. Todos los días se despierta temprano. Se levanta, se baña, se viste, y antes de salir para la escuela, desayuna bien. Alberto cree que el desayuno es la comida más importante del día.

Para mantenerse en buena forma, Alberto nada tres veces a la semana. Después de media hora de natación, Alberto se siente preparado para estudiar, trabajar o jugar con sus amigos. Él recomienda la natación como buen ejercicio. La natación beneficia muchas partes del cuerpo, especialmente los brazos y las piernas.

III. Vocabulario

The speaker will name certain parts of the body. Write the numbers in the appropriate spaces.

Modelo: *You hear:* la mano
You label the part of the body as shown.

1. la nariz
2. el pie
3. el brazo
4. la pierna
5. el hombro
6. los dedos
7. el cuello

IV. Otros usos de los verbos reflexivos

A. *Listen to each question and then choose the statement that would be the most logical answer.*

Modelo: *You hear:* ¿A qué hora te levantas?
You see: a. Tienes que levantarte temprano.
b. Me levanto a las siete.
c. Mi hermano se levanta a las seis.
You choose b *and say:* Me levanto a las siete.

1. ¿Te duermes en la clase de español?
c. No, no me duermo en la clase de español.
2. ¿A qué hora se va Ana para la escuela?
a. Se va a las ocho y media.

3. ¿A quién llama Margarita?
   b. Llama a Rafael.
4. ¿Qué vas a poner en la mesa?
   b. Voy a poner flores en la mesa.
5. ¿Cómo te sientes hoy?
   a. Me siento feliz.

B. *As you listen to each sentence, write its corresponding number below the picture it describes.*

1. Los sábados me levanto tarde.
2. Pablo está cansado. Va a sentarse.
3. Ya es muy tarde. Me acuesto.
4. Son las tres de la tarde. El estudiante se va para su casa.
5. Los niños se divierten mucho en la fiesta.
6. ¿Te despiertas temprano los domingos?
7. ¿Se duermen los estudiantes en la clase de español?

V. Pronunciación

El sonido de la consonante *d*

When the letter *d (de)* begins a sentence or a phrase or follows *n* or *l,* it is pronounced like the *d* in "dough." When it follows any consonant except *n* or *l* or comes between vowels, either within a word or a phrase, it is pronounced like the *th* in "though."

Practique las palabras: domingo . . . deportes . . . aldea . . . conducta . . . lavado . . . traducir . . . dedo . . . poder

Practique las frases: Adela no puede reducir las dos deudas.

¿De dónde en el mundo es el doctor débil?

VI. Dictado

Escuche y escriba.

1. Rafael se acuesta a las doce de la noche.
2. Su hermano se despierta temprano y después tiene que despertar a Rafael.
3. Rafael no quiere levantarse; prefiere quedarse en cama.
4. Alberto dice que la natación es buena para los brazos y las piernas.
5. Pedro y Roberto se levantan temprano y se van al parque.

Capítulo Diez

Lección 25

I. Versículo

Apocalipsis 1:5,6 Al que nos amó, y nos lavó de nuestros pecados con su sangre, a él sea gloria por los siglos de los siglos. Amén.

Repeat each phrase in the pauses provided.

Apocalipsis . . . 1:5,6 . . . Apocalipsis 1:5,6 . . . Al que nos amó . . . y nos lavó de nuestros pecados . . . con su sangre . . . a él sea gloria . . . por los siglos de los siglos. Amén.

Try to say each phrase before you hear it on the tape.

. . . Apocalipsis 1:5,6 . . . Al que nos amó . . . y nos lavó de nuestros pecados . . . con su sangre . . . a él sea gloria . . . por los siglos de los siglos. Amén.

Say the entire verse with the reference before and after.

Apocalipsis 1:5,6 Al que nos amó, y nos lavó de nuestros pecados con su sangre, a él sea gloria por los siglos de los siglos. Amén. Apocalipsis 1:5,6

II. Diálogo

Follow along on pages 206-07 of your textbook.

Un día ocupado

Los señores Lossing son misioneros en Ecuador. Tienen dos hijos, Sarita y Jonatán, quienes estudian en casa. Su mamá es la maestra. La señora Lossing se levanta temprano todas las mañanas, prepara el desayuno para toda la familia, lava los platos, limpia la casa, y luego se prepara para enseñar un estudio bíblico a las damas de la iglesia.

A los niños les gusta recibir cartas. Ya son las diez de la mañana y el cartero acaba de llegar con la correspondencia.

Sarita: Mamá, llegó el cartero. Voy a buscar las cartas.

Sra. Lossing: ¡Cuidado al cruzar la calle!

Jonatán: ¿Hay algo para mí?

Sarita: No sé. Vamos a ver.

Sra. Lossing: La misión mandó una carta para tu papá. Yo tengo una de la sociedad de damas de una iglesia. Jonatán, esta carta es para ti.

Jonatán: Déjame ver. ¡Es de mi tío William!

Sra. Lossing: Y este paquete es para tu papá. Por fin llegó su libro. Voy a llamarlo por teléfono.

Ella marca el número de la iglesia donde está su esposo. La línea suena ocupada. Ella cuelga y lee su carta. Al rato, marca el número otra vez.

Secretaria: ¡Aló!

Sra. Lossing: Buenas, ¿puedo hablar con el hermano Lossing, por favor?

Secretaria: ¿De parte de quién?

Sra. Lossing: De su esposa.

Secretaria: Sí, un momento, por favor.

Sr. Losing: ¡Aló!

Sra. Lossing: Te llamo para decirte que tu libro acaba de llegar por correo.

Sr. Lossing: ¡Qué bueno! Gracias por llamar. A propósito, invité a la familia Ramírez a cenar con nosotros hoy. ¿Está bien?

Sra. Lossing: Sí, perfecto. Los espero a las siete. ¡Adiós! (A Sarita y Jonatán) Hijos, su papá invitó a los Ramírez a cenar con nosotros hoy. Voy a preparar algo y luego voy a ayudarles con sus clases. Sarita, ¿empezaste la tarea de historia?

Sarita: Sí, mamá.

Sra. Lossing: Bueno, Jona, ¿terminaste los problemas de matemáticas?

Jonatán: No, mamá.

Sra. Lossing: Entonces, termínalos ahora.

La Sra. Lossing va a la cocina y los niños siguen con sus clases. Es difícil para una madre ser misionera y maestra a la misma vez. Si conoce a una familia misionera, debe orar por ellos todos los días.

III. Acabar de + infinitivo

Listen as the speaker presents a situation. Using the cues provided, explain the cause of the situation.

Modelo: *You hear:* Manuel no entiende inglés.
You see: llegar de Colombia
You say: Él acaba de llegar de Colombia.
You hear the confirmation: Él acaba de llegar de Colombia.

1. La señora Díaz no tiene dinero . . . Ella acaba de gastarlo en el supermercado.
2. Rafael y Manolo están cansados . . . Ellos acaban de correr cinco millas.
3. Nosotros no tenemos hambre . . . Nosotros acabamos de comer en el Restaurante García.
4. Ud. está muy contento . . . Ud. acaba de recibir una carta de su novia.
5. Carmen está cantando felizmente . . . Ella acaba de recibir una *A* en su clase de español.

IV. El pretérito: los verbos regulares *-ar*

A. ***Repeat the conjugation of the verb* caminar *after the speaker.***

yo caminé
tú caminaste
Ud. caminó
él caminó

nosotros caminamos
vosotros caminasteis
Uds. caminaron
ellos caminaron

B. ***Give the correct form of the verb* caminar *according to the subject provided. You will hear the confirmation.***

1. Ud.
   Ud. caminó.
2. yo
   Yo caminé.
3. Tomás y Daniel
   Tomás y Daniel caminaron.
4. tú
   Tú caminaste.
5. nosotros
   Nosotros caminamos.
6. el señor Moreno
   El señor Moreno caminó.
7. Aarón y Sara
   Aarón y Sara caminaron.

C. *Susana has made a list of the things she recently did. Repeat each sentence supplying the correct form of the verb Susana used as she told what she did.*

Modelo: *You see:* Yo ________ en el coro el domingo.
You hear: cantar
You say: Yo __*canté*__ en el coro el domingo.
You hear the confirmation: Yo canté en el coro el domingo.

1. caminar . . . Yo caminé a la biblioteca ayer.
2. hablar . . . Yo hablé con papá por teléfono.
3. lavar . . . Yo le lavé los platos a mamá.
4. bañar . . . Yo bañé el perro.
5. estudiar . . . Yo estudié la lección de español.

D. *Jonatán wants to sound as diligent as his older sister. He claims he has done several things he really has not done. Correct him by using the appropriate form of the verb you hear in each sentence.*

Modelo: *You hear:* Yo llamé a papá por teléfono.
You say: No, tú no llamaste a papá por teléfono.
You hear the confirmation: No, tú no llamaste a papá por teléfono.

1. Yo caminé al parque esta mañana . . . No, tú no caminaste al parque esta mañana.
2. Yo gané al Monopolio ayer . . . No, tú no ganaste al Monopolio ayer.
3. Yo canté un solo en la iglesia el domingo . . . No, tú no cantaste un solo en la iglesia el domingo.
4. Yo lavé el carro de papá el sábado . . . No, tú no lavaste el carro de papá el sábado.
5. Yo le enseñé la lección de español a Susana . . . No, tú no le enseñaste la lección de español a Susana.

V. El pretérito: verbos que terminan en *-car, -gar, -zar*

A. *Using the cues provided, tell when the following people arrived or when the activities began.*

Modelo: *You see:* llegar (5:00)
You hear: Marcos y Tomás
You say: Marcos y Tomás llegaron a las cinco.
You hear the confirmation: Marcos y Tomás llegaron a las cinco.

1. Rosa . . . Rosa llegó a las seis.
2. yo . . . Yo llegué a las siete.
3. el concierto . . . El concierto empezó a las ocho.
4. los pianistas . . . Los pianistas empezaron a las ocho y media.
5. Margarita . . . Margarita tocó la trompeta a las nueve.

B. *Answer each question affirmatively by writing the correct form of the verb in the space provided.*

Modelo: *You hear:* ¿Tocaste el piano por una hora?
You write toqué *and say:* Sí, __*toqué*__ el piano por una hora.
You hear the confirmation: Sí, toqué el piano por una hora.

1. ¿Llegaste a casa a las cuatro de la tarde?
   Sí, llegué a casa a las cuatro de la tarde.
2. ¿Empezaste las tareas a las cinco?
   Sí, empecé las tareas a las cinco.
3. ¿Jugaste con tu hermano menor después de la cena?
   Sí, jugué con mi hermano menor después de la cena.
4. ¿Sacaste unas fotos con tu cámara nueva?
   Sí, saqué unas fotos con mi cámara nueva.
5. ¿Tocaste la guitarra antes de acostarte?
   Sí, toqué la guitarra antes de acostarme.

C. *The statements you will hear are in the present tense. Repeat each statement you hear by writing the correct preterite form of the verb in the space provided.*

Modelo: *You hear:* Pago la cuenta.
You write and say: ___*Pagué*___ la cuenta.
You hear the confirmation: Pagué la cuenta.

1. Dejo una propina para el camarero . . . Dejé una propina para el camarero.
2. Toco la guitarra para la sociedad de jóvenes . . . Toqué la guitarra para la sociedad de jóvenes.
3. Juego al Monopolio con Enrique . . . Jugué al Monopolio con Enrique.
4. Maribel y Rosita sacan una *B* en el examen . . . Maribel y Rosita sacaron una *B* en el examen.
5. Yo saco una *A* en la clase de inglés . . . Yo saqué una *A* en la clase de inglés.
6. El Sr. Mendoza nos enseña a hablar español . . . El Sr. Mendoza nos enseñó a hablar español.
7. Practicas mucho el versículo . . . Practicaste mucho el versículo.

VI. Pronunciación

Follow along on page 214 of your textbook.

El sonido de la *z*

Latin Americans pronounce the letter *z* (*zeta*) like the *s* in "yes."

Practique las palabras: Zócalo . . . maíz . . . feliz . . . diez . . . zona . . . zapato

Practique las frases: En la zona diez no se usan zapatos.

Por diez días sembré maíz.

En marzo el señor López visitó el Zócalo.

VII. Dictado

Escuche y escriba.

1. Acabamos de estudiar la geografía de Ecuador.
2. Tengo que escribir la dirección en el sobre.
3. Cuando mamá entró en la casa, mi hermano colgó el teléfono.
4. Me levanté temprano, pero me acosté tarde.
5. ¿Enviaste la carta a los misioneros?

Lección 26

I. Versículo

Juan 20:21 Entonces Jesús les dijo otra vez: Paz a vosotros. Como me envió el Padre, así también yo os envío.

Repeat each phrase in the pauses provided.

Juan . . . 20:21 . . . Juan 20:21 . . . Entonces Jesús les dijo otra vez . . . Paz a vosotros . . . Como me envió el Padre . . . así también . . . yo os envío.

Try to say each phrase before you hear it on the tape.

. . . Juan 20:21 . . . Entonces Jesús les dijo otra vez . . . Paz a vosotros . . . Como me envió el Padre . . . así también . . . yo os envío.

Say the entire verse with the reference before and after.

Juan 20:21 Entonces Jesús les dijo otra vez: Paz a vosotros. Como me envió el Padre, así también yo os envío. Juan 20:21

II. Lectura

Follow along on page 216 of your textbook.

Una carta de Los Ángeles

Silvia acaba de regresar a vivir en Ecuador. Su amiga Maritza le escribe una carta.

Los Ángeles, California
12 de mayo de 1992

Querida Silvia:

¡Hola! ¿Qué tal es la vida en Ecuador? ¿Te gusta? Mis abuelos nacieron en Ecuador y algún día quiero ir para ver dónde ellos vivieron durante su juventud.

Decidí escribirte hoy porque ayer recibí tu tarjeta postal con tu nueva dirección. Tengo muchas noticias para ti. Pablo y Marcos recibieron el premio por tener las notas más altas de la escuela. ¡Te imaginas!

El equipo de fútbol perdió el campeonato la semana pasada. Llegaron hasta los finales. Jugaron cuatro partidos en el campeonato, pero en el último juego perdieron. ¡Qué pena!

Rafael trabaja en un hospital ahora. ¿Recuerdas que él quiere ser doctor? Cuando se rompió la pierna hace cuatro años, él decidió estudiar medicina.

Todas las muchachas te envían recuerdos. Te echamos de menos. Saludos a tus padres y hermanos.

Tu amiga,
Maritza

III. Vocabulario

You will hear the speaker give a description. Circle* a, b, *or* c, *before the word that represents what he describes.

Modelo: *You hear:* Es un edificio donde llegan muchas cartas.
You see: a. el buzón
b. el paquete
c. el correo
You circle c *and say:* el correo

1. Es la persona que trae las cartas a la casa.
   a. el cartero

2. Es donde pongo la carta cuando acabo de escribirla.
   b. en el sobre

3. Es lo que escribo en el sobre que dice adónde va la carta.
   c. la dirección
4. Es lo que pongo en el sobre para pagar por enviar la carta.
   c. la estampilla
5. Es lo que uso cuando hablo con mi abuela que vive en otra ciudad.
   a. el teléfono
6. Es lo que hago cuando termino de hablar con mi abuela.
   b. colgar

IV. El pretérito: los verbos regulares *-er, -ir*

A. *Say the conjugation of the verb* correr *after the speaker.*

yo corrí
tú corriste
Ud. corrió
él corrió
nosotros corrimos
vosotros corristeis
Uds. corrieron
ellos corrieron

B. *Give the correct preterite form of the verb* correr.

1. tú
   Tú corriste.
2. Miguel
   Miguel corrió.
3. yo
   Yo corrí.
4. Elena y Josefa
   Elena y Josefa corrieron.
5. Héctor y yo
   Héctor y yo corrimos.
6. Ud.
   Ud. corrió.
7. Uds.
   Uds. corrieron.

C. *Your little sister has some confessions to make about things she has done. Repeat each sentence supplying the form of the verb your sister would use in her confessions. Listen to the model.*

Modelo: *You see:* Yo _________ las llaves del carro.
You hear: perder
You write and say: Yo ___*perdí*___ las llaves del carro.
You hear the confirmation: Yo perdí las llaves del carro.

1. ver . . . Yo vi tu diario personal.
2. comer . . . Yo comí tu torta de chocolate.
3. romper . . . Yo rompí tu cámara nueva.
4. vender . . . Yo vendí tu radio.
5. abrir . . . Yo abrí la carta de tu novia.
6. beber . . . Yo bebí tu último refresco.

D. *You will hear the same confessions once more. This time, express shock and disbelief over your sister's confessions. Follow the model.*

Modelo: *You hear:* Yo perdí las llaves del carro.
You say: ¡Ay, no! ¡No perdiste las llaves del carro!
You hear the confirmation: ¡Ay, no! ¡No perdiste las llaves del carro!
You write the verb in the space provided.

1. Yo vi tú diario personal . . . ¡Ay, no! ¡No viste mi diario personal!
2. Yo comí tu torta de chocolate . . . ¡Ay, no! ¡No comiste mi torta de chocolate!
3. Yo rompí tu cámara nueva . . . ¡Ay, no! ¡No rompiste mi cámara nueva!
4. Yo vendí tu radio . . . ¡Ay, no! ¡No vendiste mi radio!
5. Yo abrí la carta de tu novia . . . ¡Ay, no! ¡No abriste la carta de mi novia!
6. Yo bebí tu último refresco . . . ¡Ay, no! ¡No bebiste mi último refresco!

E. *Change the statement you hear to the preterite tense.*

Modelo: *You hear:* Rafael vive en Venezuela.
You say: Rafael vivió en Venezuela.
You hear the confirmation: Rafael vivió en Venezuela.

1. Maritza recibe una carta de su amiga . . . Maritza recibió una carta de su amiga.
2. Tú comes mucha fruta . . . Tú comiste mucha fruta.
3. Yo pierdo mis libros en la escuela . . . Yo perdí mis libros en la escuela.
4. Ellos abren las puertas de la casa . . . Ellos abrieron las puertas de la casa.
5. Mi abuela rompe su plato favorito . . . Mi abuela rompió su plato favorito.

F. *Answer each question according to the cues provided. Replace any direct object nouns with the corresponding direct object pronouns.*

Modelo: *You hear:* ¿Quién perdió mi reloj?
You see: Manolito (perder)
You answer: Manolito lo perdió.
You hear the confirmation: Manolito lo perdió.

1. ¿Quiénes asisticron a la rcunión? . . . Nosotros asistimos a la reunión.
2. ¿Quién comió el pastel? . . . Yo lo comí.
3. ¿Quién rompió mi teléfono? . . . Tú lo rompiste.
4. ¿Quién abrió mi carta? . . . Nadie la abrió.
5. ¿Quiénes nacieron en Ecuador? . . . Uds. nacieron en Ecuador.
6. ¿Quiénes vivieron en Brasil? . . . Nuestros abuelos vivieron en Brasil.

V. Pronombres demostrativos

A. *Answer each question according to the model.*

Modelo: *You hear:* ¿Buscas estos papeles?
You answer: No, no busco éstos, busco ésos.
You hear the confirmation: No, no busco éstos, busco ésos.

1. ¿Quieres estas revistas? . . . No, no quiero éstas, quiero ésas.
2. ¿Prefieres estos zapatos? . . . No, no prefiero éstos, prefiero ésos.
3. ¿Te gusta este lápiz? . . . No, no me gusta éste, me gusta ése.
4. ¿Compras esta guitarra? . . . No, no compro ésta, compro ésa.

B. *Answer each question according to the model.*

Modelo: *You hear:* ¿Usas esos zapatos?
You say: No, no uso ésos, uso aquéllos.
You hear the confirmation: No, no uso ésos, uso aquéllos.

1. ¿Vive Carlos en esa casa? . . . No, no vive en ésa, vive en aquélla.
2. ¿Te gustan esos equipos? . . . No, no me gustan ésos, me gustan aquéllos.
3. ¿Funcionan bien esas bicicletas? . . . No, no funcionan bien ésas, funcionan bien aquéllas.
4. ¿Prefieren Uds. ese reloj? . . . No, no preferimos ése, preferimos aquél.

VI. Pronunciación

Follow along on page 222 of your textbook.

Los diptongos *ie, ue*

Remember: Diphthongs are pronounced as one syllable.

Practique las palabras: siesta . . . tienda . . . pieza . . . cielo . . . fiel . . . cuero . . . juego . . . juez . . . fuente . . . Manuel

Practique las oraciones: Puedo jugar mejor cuando no pierdo el juego.

Manuel cuenta que no puede pensar si no duerme bien la siesta.

El suéter no cuesta mucho en la tienda ecuatoriana.

VII. Dictado

Escuche y escriba.

1. Miguel le abrió la puerta del carro a la señorita.
2. ¿En qué mes naciste tú?
3. Los misioneros recibieron un paquete en el correo.
4. Ellos no perdieron tiempo en abrirlo.
5. En ese paquete encontraron algo para toda la familia.

Lección 27

I. Versículo

Romanos 4:3 Creyó Abraham a Dios, y le fue contado por justicia.

Repeat each phrase in the pauses provided.

Romanos . . . 4:3 . . . Romanos 4:3 . . . Creyó Abraham a Dios . . . y le fue contado . . . por justicia.

Try to say each phrase before you hear it on the tape.

. . . Romanos 4:3 . . . Creyó Abraham a Dios . . . y le fue contado . . . por justicia.

Say the entire verse with the reference before and after.

Romanos 4:3 Creyó Abraham a Dios, y le fue contado por justicia. Romanos 4:3

II. Lectura

Follow along on page 224 of your textbook.

Una carta de Quito

Quito, Ecuador
30 de mayo de 1992

Mi querida Maritza:

Recibí tu carta del 12 de este mes y la leí con mucho interés. Echo de menos a todos mis compañeros del colegio Luz de Vida. Aquí en Ecuador mi familia está bien, pero siempre pensamos en nuestras amistades de allá.

Mis hermanos creyeron que el equipo de fútbol del colegio iba a ganar el campeonato otra vez. Fue una lástima que perdió. Nosotros fuimos al estadio el sábado pasado para ver un partido de fútbol. Vimos al mejor equipo de Brasil ganarle al equipo de Perú. Fue un partido emocionante.

Nuestros vecinos, la familia Otero, son nuestros mejores amigos en Ecuador. Fueron muy amables con nosotros cuando llegamos a Quito. Muchas veces nos ayudaron. El señor Otero le dio a papá un mapa de la ciudad y le enseñó las tiendas, los bancos, la oficina de correo y otros sitios más. Pepe, Marisela y Luis nos presentaron a sus amigos. De vez en cuando mis hermanos y yo salimos con ellos. Ayer papá los invitó a nuestra casa para cenar. Queremos ganarlos para Cristo.

Recuerdos a todos los compañeros del colegio.

Con mucho cariño,
Silvia

III. El pretérito de *ir* y *ser*

A. ***Repeat the forms of the verbs* ser *and* ir *in the preterite.***

yo fui	nosotros fuimos
tú fuiste	vosotros fuisteis
Ud. fue	Uds. fueron
él fue	ellos fueron

B. ***Give the correct preterite form of the verbs* ser *and* ir *according to the subject you hear.***

1. Gregorio
   Gregorio fue.
2. Diana y Susana
   Diana y Susana fueron.
3. yo
   Yo fui.
4. nosotros
   Nosotros fuimos.
5. tú
   Tú fuiste.
6. Uds.
   Uds. fueron.

7. Natán y yo
   Natán y yo fuimos.
8. Ud.
   Ud. fue.

C. *Listen to the sentences and decide whether the verb used is a form of* ser *or* ir *in the preterite. Follow the model.*

Modelo: *You hear:* José fue a Ecuador.
You say: ir
You hear the confirmation: ir

1. Abraham Lincoln fue un presidente famoso . . . ser
2. ¿Quién fue la persona que usó mi suéter? . . . ser
3. Berta y yo fuimos a un restaurante anoche . . . ir
4. Las cartas fueron enviadas ayer . . . ser
5. Yo fui a la escuela ayer a las siete de la mañana . . . ir

D. *Answer the following questions using the elements provided.*

Modelo: *You hear:* ¿Cuándo fuiste al banco?
You see: el lunes
You answer: Fui el lunes.
You hear the confirmation: Fui el lunes.

1. ¿Cuándo fuiste a las montañas?
   Fui el verano pasado.
2. ¿Cuándo fuiste a Chile?
   Fui en abril.
3. ¿Cuándo fuiste a la iglesia?
   Fui el domingo.
4. ¿Cuándo fuiste a la clase de inglés?
   Fui a las nueve.

E. *Last year the students of la Sra. Pascual's class went to many parts of Latin America. You have listed for you the places they went. La Sra. Pascual will tell you who traveled. Make a statement that tells who traveled where.*

Modelo: *You hear:* Marcos
You see: Bogotá, Colombia
You say: Marcos fue a Bogotá, Colombia.
You hear the confirmation: Marcos fue a Bogotá, Colombia.

1. Carolina y María . . . Carolina y María fueron a Lima, Perú.
2. Usted . . . Usted fue a Santiago, Chile.
3. Yo . . . Yo fui a La Paz, Bolivia.
4. Tú . . . Tú fuiste a Caracas, Venezuela.
5. Nosotros . . . Nosotros fuimos a Santo Domingo, República Dominicana.

IV. El pretérito de *dar* y *ver*

A. *Repeat the preterite forms of the verb* dar.

yo di	nosotros dimos
tú diste	vosotros disteis
Ud. dio	Uds. dieron
él dio	ellos dieron

B. *Give the correct preterite form of the verb* dar *according to the subjects you hear.*

1. Raquel
   Raquel dio.
2. yo
   Yo di.

3. Tina y yo
   Tina y yo dimos.
4. Ud.
   Ud. dio.
5. Paola y Raúl
   Paola y Raúl dieron.
6. tú
   Tú diste.

C. *Irene has arrived late at Beto's birthday party. Since all of the gifts are now unwrapped, she cannot tell who gave which gifts. Answer her questions using the correct form of* dar *and the cues provided.*

Modelo: *You hear:* ¿Qué le dio María?
You see: la cartera
You say: María le dio la cartera.
You hear the confirmation: María le dio la cartera.

1. ¿Qué le diste tú? . . . Yo le di el disco compacto.
2. ¿Qué le dieron Uds.? . . . Nosotros le dimos la Biblia.
3. ¿Qué le dieron los hermanos Ruiz? . . . Los hermanos Ruiz le dieron el guante de béisbol.
4. ¿Qué le dio su abuelo? . . . Su abuelo le dio la guitarra.
5. ¿Qué le di yo? . . . ¡Tú le diste la novela de misterio!

D. *Jaime and Daniel took the children in their Bible club to the zoo. Paquito, one of the little boys, is reporting who in the group saw which animals. Using the correct form of* ver *and the elements provided, tell what Paquito said.*

Modelo: *You see and hear:* yo / el elefante
You say: Yo vi el elefante.
You hear the confirmation: Yo vi el elefante.

1. tú / los tigres . . . Tú viste los tigres.
2. Juanito y yo / los leones . . . Juanito y yo vimos los leones.
3. Ud. / las jirafas . . . Ud. vio las jirafas.
4. Héctor / las zebras . . . Héctor vio las zebras.
5. Gloria y Teresa / el chimpancé . . . Gloria y Teresa vieron el chimpancé.
6. Yo / los camellos . . . Yo vi los camellos.

E. *Supply the correct preterite form of the verb you hear; then read the sentence aloud.*

Modelo: *You see:* Los estudiantes ________ la frase muchas veces.
You hear: leer
You write and say: Los estudiantes __*leyeron*__ la frase muchas veces.
You hear the confirmation: Los estudiantes leyeron la frase muchas veces.

1. oír . . . La niña corrió cuando oyó el camión.
2. caerse . . . Mi amiga se cayó de la bicicleta en el accidente.
3. oír . . . ¿Oíste tú el programa de radio?
4. oír . . . Jonatán y Luis oyeron de Cristo en el club bíblico.
5. creer . . . ¿No creyeron Uds. mi excusa?
6. leer . . . El año pasado yo leí todo el Nuevo Testamento.
7. leer . . . Nosotros leímos la noticia ayer.
8. creer . . . Yo no creí tu versión de la historia.

V. Pronunciación

Follow along on page 230 of your textbook.

El sonido de la consonante *ch*

In Spanish, the *ch* (che) is pronounced like the *ch* in "church."

Modelo: mucho

Practique las palabras: Pancho . . . leche . . . noche . . . ocho . . . derecha . . . chévere

Practique las frases: El Chavo del Ocho es un chico chévere.

El muchacho de Chile come churrasco.

VI. Diálogo especial

Follow along on page 229 of your textbook

Maritza testifica

Todos los sábados, el grupo juvenil está a cargo de un club bíblico para niños. Hoy Maritza relató la historia de Nicodemo (Juan 3). Durante el recreo, Luis, uno de los niños Otero, se acerca a Maritza con una pregunta.

Luis: Maritza, ¿crees tú que yo voy a ir al cielo cuando muera?

Maritza: No, Luis, si no eres salvo no vas a ir al cielo.

Luis: Pues yo quiero ir al cielo.

Maritza: Bueno, vamos a hablar. Luis, la Biblia dice que en el cielo no hay pecado. Sin embargo, en Romanos 3:23 Dios dice que todos somos pecadores. Léelo, Luis.

Luis: "Por cuanto todos pecaron, y están destituidos de la gloria de Dios".

Maritza: Luis, ¿eres tú pecador?

Luis: Sí, hago muchas cosas malas. Entonces, ¿eso quiero decir que no puedo ir al cielo?

Maritza: Vamos a ver. Mira lo que Dios dice en Romanos 6:23.

Luis: "La paga del pecado es muerte, mas la dádiva de Dios es vida eterna en Cristo Jesús Señor nuestro."

Maritza: Aunque eres pecador, Dios te ama. Dios te ama tanto que envió a su hijo Jesucristo al mundo. En la cruz Jesús murió en tu lugar para pagar el precio de tus pecados.

Luis: ¿Él murió por mí?

Maritza: Sí, Luis. Murió por ti y por mí y por todo el mundo. Él quiere perdonar tus pecados y darte vida eterna. Juan 3:16 dice, "Porque de tal manera amó Dios al mundo, que ha dado a su Hijo unigénito, para que todo aquel que en él cree, no se pierda, mas tenga vida eterna".

Luis: ¿Qué tengo que hacer?

Maritza: Sólo tienes que confesar tus pecados y pedirle perdón a Dios. ¿Crees que Jesús murió por ti?

Luis: Sí, lo creo con todo el corazón. Ahora mismo voy a pedirle perdón a Cristo.

Capítulo Once

Lección 28

I. Versículo

I Corintios 15:3b Cristo murió por nuestros pecados, conforme a las Escrituras.

Repeat each phrase in the pauses provided.

I Corintios . . . 15:3b . . . I Corintios 15:3b . . . Cristo murió por nuestros pecados . . . conforme a las Escrituras.

Try to say each phrase before you hear it on the tape.

. . . I Corintios 15:3b . . . Cristo murió por nuestros pecados . . . conforme a las Escrituras.

Say the entire verse with the reference before and after.

I Corintios 15:3b Cristo murió por nuestros pecados, conforme a las Escrituras. I Corintios 15:3b

II. Diálogo

Follow along on page 232 of your textbook.

¡El comilón!

Juan: Pepe, quiero contarte lo que pasó anoche.

Pepe: ¿Qué pasó?

Juan: Invité a Paco al restaurante nuevo en la Calle Central, y no puedes imaginarte cuánto él comió.

Pepe: Pero, ¡cuéntame!

Juan: Llegamos a las siete. Cuando entramos Paco dijo que no tenía mucha hambre.

Pepe: Paco siempre dice así.

Juan: Yo pedí arroz con pollo y una ensalada de lechuga y tomate. Pero Paco pidió una comida grande de bistec, arroz y frijoles, ensalada, papas fritas y postre de frutas.

Pepe: ¿Paco pidió toda esa comida y no tenía hambre?

Juan: Sí, precisamente, y cuando le sirvieron la comida, él decidió pedir otro plato de chuletas de cerdo.

Pepe: ¿Le trajeron un plato de chuletas de cerdo también?

Juan: Sí.

Pepe: ¿Se lo comió todo?

Juan: No sólo se comió toda la comida, pero se repitió el postre. No salimos hasta las nueve y media.

Pepe: ¡Qué Paco! Me imagino que no durmió bien anoche después de comer tanto.

Juan: Lo vi esta mañana y me dijo que durmió bien. Esta mañana se desayunó con nada más que una banana.

Pepe: Paco es un comilón.

Juan: Es que Paco es grande y tiene que comer mucho. Pero te advierto: ¡No le invites a un restaurante a comer a menos que lleves mucho dinero! Me costó mucho anoche.

Read Pepe's lines in the pauses provided.

Juan: Pepe, quiero contarte lo que pasó anoche.

Pepe:

Juan: Invité a Paco al restaurante nuevo en la Calle Central, y no puedes imaginarte cuánto él comió.

Pepe:

Juan: Llegamos a las siete. Cuando entramos Paco dijo que no tenía mucha hambre.

Pepe:

Juan: Yo pedí arroz con pollo y una ensalada de lechuga y tomate. Pero Paco pidió una comida grande de bistec, arroz y frijoles, ensalada, papas fritas y postre de frutas.

Pepe:

Juan: Sí, precisamente, y cuando le sirvieron la comida, él decidió pedir otro plato de chuletas de cerdo.

Pepe:

Juan: Sí.

Pepe:

Juan: No sólo se comió toda la comida, pero se repitió el postre. No salimos hasta las nueve y media.

Pepe:

Juan: Lo vi esta mañana y me dijo que durmió bien. Esta mañana se desayunó con nada más que una banana.

Pepe:

Juan: Es que Paco es grande y tiene que comer mucho. Pero te advierto: ¡No le invites a un restaurante a comer a menos que lleves mucho dinero! Me costó mucho anoche.

III. Repaso: las formas regulares del pretérito

A. *Answer each question using the correct form of the preterite and the elements provided.*

Modelo: *You hear:* ¿A qué hora volvió Ud. a casa?
You see: a las ocho
You say: Yo volví a las ocho.
You hear the confirmation: Yo volví a las ocho.

1. ¿Dónde nació Jesús? . . . Jesús nació en Belén.
2. ¿Qué encontraste en el portafolio? . . . Encontré libros y papel.
3. ¿En qué restaurante comieron Uds. anoche? . . . Comimos en el Grillo Bizco.
4. ¿Quién te llamó por teléfono? . . . Samuel me llamó por teléfono.

5. ¿Qué nota sacaste en biología? . . .
   Saqué una *B* en biología.

B. ***Repeat each sentence you hear, changing the verb to the preterite. Write the correct form of the preterite in the space provided.***

Modelo: *You see:* No _________ la corbata azul.
You hear: No encuentro la corbata azul.
You write encontré *and say:* No ___*encontré*___ la corbata azul.
You hear the confirmation: No encontré la corbata azul.

1. ¿Qué piensas de mi camisa nueva? . . . ¿Qué pensaste de mi camisa nueva?
2. No pierdo nada . . . No perdí nada.
3. Uds. cantan muy bien esa canción . . . Uds. cantaron muy bien esa canción.
4. No vemos el partido de baloncesto . . . No vimos el partido de baloncesto.
5. Salgo a las dos de la tarde . . . Salí a las dos de la tarde.
6. Mi maestra me enseña un versículo . . . Mi maestra me enseñó un versículo.
7. Te ayudo con la tarea a las cinco . . . Te ayudé con la tarea a las cinco.
8. Los Otero escuchan el sermón con interés . . . Los Otero escucharon el sermón con interés.
9. Mi equipo de béisbol juega bien esta mañana . . . Mi equipo de béisbol jugó bien esta mañana.
10. No reconozco a tu papá . . . No reconocí a tu papá.

IV. El pretérito de los verbos *-ir* con cambios de raíz

A. ***Say the conjugation of the verb*** **pedir** ***after the speaker.***

yo pedí	nosotros pedimos
tú pediste	vosotros pedisteis
Ud. pidió	Uds. pidieron
él pidió	ellos pidieron

B. ***Give the correct preterite form of the verb*** **pedir** ***according to each subject you hear.***

1. Ud.
   Ud. pidió.
2. tú
   Tú pediste.
3. Elena y Samuel
   Elena y Samuel pidieron.
4. yo
   Yo pedí.
5. Uds.
   Uds. pidieron.
6. mi hermana y yo
   Mi hermana y yo pedimos.

C. ***Say the conjugation of the verb*** **preferir** ***after the speaker.***

yo preferí	nosotros preferimos
tú preferiste	vosotros preferisteis
Ud. prefirió	Uds. prefirieron
él prefirió	ellos prefirieron

D. ***Give the correct preterite form of the verb*** **preferir** ***according to each subject you hear.***

1. yo
   Yo preferí.
2. nosotros
   Nosotros preferimos.
3. Ud. y Nicolás
   Ud. y Nicolás prefirieron.
4. Pepito
   Pepito prefirió.

5. tú
Tú preferiste.

6. Ud.
Ud. prefirió.

E. *Ramón needs help to complete his sentences. He doesn't know how to put his verbs in the preterite form. His teacher will give you the infinitive form. You read him the complete sentence.*

Modelo: *You see:* Santos le __________ permiso al profesor para salir temprano.
You hear: pedir
You say: Santos le ___*pidió*___ permiso al profesor para salir temprano.
You hear the confirmation: Santos le pidió permiso al profesor para salir temprano.

1. pedir . . . Marta y Rosita pidieron ensalada y pollo frito.
2. dormir . . . El sábado yo dormí hasta las nueve de la mañana.
3. dormir . . . Miguel y Andrés durmieron hasta las diez.
4. repetir . . . El año pasado Juan repitió la clase de francés.
5. sentirse . . . Antes del examen los estudiantes se sintieron nerviosos.
6. sentirse . . . ¿Te sentiste cansado después del partido de baloncesto?
7. preferir . . . Marcos prefirió ir a México en abril.
8. pedir . . . Marcos le pidió diez dólares a su papá.
9. morir . . . Dos personas murieron en un accidente anoche.
10. repetir . . . Los estudiantes repitieron la frase después de escucharla.

F. *You will hear a sentence in the present tense. Change the verb to the past tense and repeat the whole sentence.*

Modelo: *You hear:* Yo no repito tu secreto.
You see: repetir
You say: Yo no repetí tu secreto.
You hear the confirmation: Yo no repetí tu secreto.

1. Tú pides una hamburguesa con papitas . . . Tú pediste una hamburguesa con papitas.
2. Te sirven la hamburguesa con ensalada . . . Te sirvieron la hamburguesa con ensalada.
3. Yo prefiero comer una banana . . . Yo preferí comer una banana.
4. Rafael no duerme bien . . . Rafael no durmió bien.
5. ¿Se duermen Paco y Tito en la clase? . . . ¿Se durmieron Paco y Tito en la clase?
6. Después de oír ese himno, me siento triste . . . Después de oír ese himno, me sentí triste.
7. La profesora repite la pregunta . . . La profesora repitió la pregunta.

V. Pronunciación

Follow along on page 236 of your textbook.

Las vocales

In Spanish all vowels are pronounced with a true vowel sound. Be careful to avoid the *schwa* sound so often given to unstressed vowels in English, such as in *accommodate* and *aristocrat.*

Practique las palabras: diccionario . . . escritorio . . . juveniles

Practique las frases: Busca el versículo seis del capítulo ocho de Romanos.

El diccionario está encima del escritorio.

El pastor predicó del Nuevo Testamento.

VI. Dictado

Escuche y escriba.

1. Un grupo de jóvenes fue al restaurante a comer.
2. Miguel pidió chuletas.
3. Rosa y Marisol pidieron arroz con pollo.
4. Tomás prefirió comer fruta.
5. Cuando terminaron de comer, se sintieron satisfechos.

Lección 29

I. Versículo

Mateo 4:19 Y les dijo: Venid en pos de mí, y os haré pescadores de hombres.

Repeat each phrase in the pauses provided.

Mateo . . . 4:19 . . . Mateo 4:19 . . . Y les dijo: . . . Venid en pos de mí . . . y os haré pescadores de hombres.

Try to say each phrase before you hear it on the tape.

. . . Mateo 4:19 . . . Y les dijo . . . Venid en pos de mí . . . y os haré pescadores de hombres.

Say the entire verse with the reference before and after.

Mateo 4:19 Y les dijo: Venid en pos de mí, y os haré pescadores de hombres. Mateo 4:19

II. Lectura

Follow along on page 238 of your textbook.

¿Cuáles son tus planes para el futuro?

¿Quieres ser mecánico, médico o pastor? ¿abogada, profesora o secretaria? Cinco jóvenes peruanos hablan de sus planes para el futuro.

Mario Báez

Quiero ser mecánico. Me gusta conducir carros y me gusta trabajar con motores. No todo el mundo puede ser mecánico. Pero todo el mundo quiere encontrar un buen mecánico para reparar el motor de su carro. Mi papá es un buen mecánico. La semana pasada le trajeron un autobús para arreglarlo. Él les dijo que quiere tenerlo listo para el próximo sábado. Algún día me van a traer los vehículos a mí para arreglarlos.

Ramona Payano

Quiero ser secretaria. Sé escribir a máquina, y pienso estudiar computación en una escuela técnica. Para ser una buena secretaria hoy día, es importante saber usar computadoras. Las empresas internacionales utilizan la tecnología moderna en sus oficinas en todas partes del mundo. Quiero trabajar en una empresa española que tiene oficinas aquí en Lima.

Pablo Trinidad

Tengo mucho interés en los asuntos legales. Pienso estudiar leyes. Las iglesias, los pastores y los misioneros necesitan un abogado cristiano en quien puedan confiar. No sé todavía a qué universidad asistir.

Carmen Rosario

Quiero ser economista. Me gustan las matemáticas y las finanzas. La economía mundial está muy inestable. Sé que no puedo resolver los problemas del mundo, pero quiero prepararme para ayudar a mi país. Espero estudiar en la Universidad de San Marcos.

Rubén Torres

Quiero ser misionero. Quiero ir a diferentes partes de mi país para proclamar el evangelio a las personas que no conocen a Dios. Jesús dijo: "Id por todo el mundo y predicad el evangelio a toda criatura" (Marcos 16:15). Pienso estudiar en un seminario bíblico en Trujillo.

III. Vocabulario

After listening to each job description, circle the letter of the person best qualified to do this work.

Modelo: *You hear:* Ella escribe cartas a máquina. Contesta el teléfono.
You see: a. aeromozo(a) b. secretario(a) c. enfermero(a)
You circle b *and say the noun in the correct form:* una secretaria
You hear the confirmation: b. una secretaria

1. Él trabaja en el hospital. Ayuda al doctor . . . c. un enfermero
2. Ella viaja por avión. Prepara y sirve comida. Ayuda a los niños . . . a. una aeromoza
3. Él trabaja con motores de automóviles . . . b. un mecánico
4. Ella ayuda a personas con sus asuntos legales . . . c. una abogada
5. Él ve a las personas enfermas. Escucha sus problemas. Les da medicina . . . c. un médico

IV. Verbo + infinitivo

The Santanas do not hear very well. When la señora Santana tells her husband something, he always asks her if it is true. She speaks in the present tense, and he puts it in the past tense. You will hear la señora Santana speak; play the part of el señor Santana.

Modelo: *You hear*: Roberto dice que va a ser piloto.
You say: ¿Roberto dijo que va a ser piloto?
You hear the confirmation: ¿Roberto dijo que va a ser piloto?

1. Los Martínez dicen que van a viajar a Colombia . . . ¿Los Martínez dijeron que van a viajar a Colombia?
2. Roberto dice que quiere ir con ellos . . . ¿Roberto dijo que quiere ir con ellos?
3. Nosotros decimos que él puede ir . . . ¿Nosotros dijimos que él puede ir?
4. Tú dices que no vas a ir con él . . . ¿Yo dije que no voy a ir con él?
5. Yo digo que Roberto es un buen muchacho . . . ¿Tú dijiste que Roberto es un buen muchacho?

V. ¿Cuál, cuáles o qué?

Cuál *and* cuáles *are used in questions asking for a choice between two or more items in a group if the question word precedes a form of the verb* ser. Qué *is used if a noun follows or if a definition is requested. The sentences you will hear on the tape are answers. Supply an appropriate question for each answer using* cuál, cuáles, *or* qué. *Listen to the model.*

Modelo: *You hear:* Quiero comprar la camisa azul.
You say: ¿Qué camisa quieres comprar?
You hear the confirmation: ¿Qué camisa quieres comprar? *or*
You hear: Mi libro favorito es *Don Segundo Sombra.*
You say: ¿Cuál es tu libro favorito?
You hear the confirmation: ¿Cuál es tu libro favorito?

1. Quiero comprar unos zapatos negros . . . ¿Qué zapatos quieres comprar?
2. Mi número de teléfono es 334-5423 . . . ¿Cuál es tu número de teléfono?
3. Mi deporte favorito es el fútbol . . . ¿Cuál es tu deporte favorito?
4. El mango es una fruta tropical . . . ¿Qué es el mango?
5. Hoy es el diez de abril . . . ¿Cuál es la fecha de hoy?
6. Hace muy buen tiempo hoy . . . ¿Qué tiempo hace hoy?

VI. Pronunciación

Follow along on page 245 of your textbook.

Las consonantes *c, g*

When the consonants *c* and *g* come before *a, o,* and *u,* they have the hard sound as in "cat" and "goat" (*casa, gota*). To keep this hard sound before the vowel letters *e* and *i,* however, the *c* is changed to *qu* and the *g* is changed to *gu.*

Practique las sílabas: ca . . . que . . . qui . . . co . . . cu

ga . . . gue . . . gui . . . go . . . gu

Practique las palabras: barco . . . caminar . . . cuna . . . queso . . . aquella . . . regar . . . lago . . . pregunta . . . mango . . . guitarra

Practique las frases: Ricardo toca aquella guitarra.

¿Quiere comer carne guisada?

El barco se queda en el lago.

VII. Dictado

Escuche y escriba.

1. A veces Roberto se olvida de estudiar, pero nunca se olvida de comer.
2. Me dice Roberto que dejó de comer mucho.
3. Me dice también que empezó a hacer ejercicio todos los días.
4. Ramona quiere ser secretaria y trabajar con una empresa internacional.
5. A Pablo le interesan los asuntos legales y desea ser abogado.

Lección 30

I. Versículo

Romanos 5:8 Mas Dios muestra su amor para con nosotros, en que siendo aún pecadores, Cristo murió por nosotros.

Repeat each phrase in the pauses provided.

Romanos . . . 5:8 . . . Romanos 5:8 . . . Mas Dios muestra su amor . . . para con nosotros . . . en que siendo aún pecadores . . . Cristo murió por nosotros.

Try to say each phrase before you hear it on the tape.

. . . Romanos 5:8 . . . Mas Dios muestra su amor . . . para con nosotros . . . en que siendo aún pecadores . . . Cristo murió por nosotros.

Say the entire verse with the reference before and after.

Romanos 5:8 Mas Dios muestra su amor para con nosotros, en que siendo aún pecadores, Cristo murió por nosotros. Romanos 5:8

II. Diálogo

Follow along on pages 247-48 of your textbook.

Las vacaciones

Ana: ¿Qué vas a hacer durante las vacaciones, Mario?

Mario: Todavía no sé.

Ana: ¿Qué hiciste el verano pasado?

Mario: Mi familia hizo un viaje a Perú. Mi papá tuvo que asistir a un congreso en Lima para representar a su compañía. Fuimos por la línea aérea Avianca.

Ana: ¿Estuvieron en Perú por muchos días?

Mario: Estuvimos allí por sólo diez días. Pero vimos muchas cosas interesantes.

Ana: Dime, ¿qué cosas vieron?

Mario: Mi mamá y yo anduvimos por la Plaza de San Martín un día cuando mi papá estuvo en el congreso. Es una plaza grande y bella. Entramos en algunos de los edificios. Visitamos el Museo de Arte Colonial y el de Historia. Otro día fuimos a la Universidad de San Marcos.

Ana: ¿Es una universidad antigua?

Mario: Sí, es la universidad más antigua de las Américas. Supe que se fundó en 1551.

Ana: ¿Pudieron viajar a Cuzco?

Mario: No, no pudimos. Quisimos ir el segundo día que estuvimos en Perú, pero no pudimos ir. Lo sentí mucho porque hay ruinas del Imperio Inca en Machu Picchu cerca de Cuzco. Me dijeron que es un sitio interesante, pero el viaje hasta Machu Picchu es peligroso. Está en las montañas.

Ana: ¿Viste llamas en Perú? Tú sabes cómo me gustan los animales.

Mario: Un día vimos algunas en el Parque de Leyendas. La llama es muy común en Perú. Me compré un suéter de lana de llama por sólo diez dólares. Lo usé el invierno pasado.

Ana: ¿Fueron a una iglesia el domingo?

Mario: Sí, fuimos a la iglesia Bautista de San Carlos. Después del culto, el pastor nos invitó a su casa para almorzar con su familia. Pasamos un buen rato con ellos.

Ana: Perú es un país muy interesante, ¿verdad?

Mario: Sí, me divertí mucho durante las vacaciones. Mi papá quiere visitar otro país de Sudamérica este año.

Ana: ¡Qué dichoso eres, Mario!

Mario: Gracias, Ana. Dios es bueno para conmigo.

III. La preposición *para*

The preposition* para *may express an objective or a destination. This objective or destination may be any of the following:

a. a person

b. an action

c. a place

d. a point in time

As you listen to each sentence, determine which of the above applies. Write the appropriate letter in the space provided. Follow the model.

Modelo: *You hear:* El martes salgo para Miami.
You write c *in the space provided.*
You hear the confirmation: c. a place

1. La enfermera tiene medicina para el enfermo . . . a
2. Me trajeron un libro para leer . . . b
3. El pastel es para el domingo . . . d
4. El misionero compró libros para darlos a los nuevos cristianos . . . b
5. El avión de los misioneros sale para la ciudad cada martes . . . c

IV. Otros verbos irregulares

You will hear what one person did yesterday, then you will be asked what someone else did. Use the cues given to answer. Be sure to use the correct verb form.

Modelo: *You hear:* Pedro puso sus libros en la mesa. ¿Y ellos?
You see: en la cama
You say: Ellos pusieron sus libros en la cama.
You hear the confirmation: Ellos pusieron sus libros en la cama.

1. Yo anduve en el parque. ¿Y Andrés? . . . Andrés anduvo en las montañas.
2. Rafael no pudo hacer la tarea. ¿Y ustedes? . . . Nosotros no pudimos hacer la tarea tampoco.
3. Yo estuve en la clase de matemáticas a las doce ¿Y Pedro? . . . Pedro estuvo en la cafetería a las doce.
4. Nosotros vinimos al colegio en autobús ayer. ¿Y tú? . . . Yo vine al colegio en el carro de mi papá.
5. Los maestros no quisieron tener una excursión al campo. ¿Y el director? . . . El director no quiso tampoco.
6. Pablo no pudo contestar la pregunta. ¿Y tú? . . . Yo no pude contestarla tampoco.
7. Yo me puse el abrigo antes de salir. ¿Y ellos? . . . Ellos no se pusieron el abrigo antes de salir.
8. Marta vino después de la clase. ¿Y tú? . . . Yo vine después del almuerzo.

V. La preposición *por*

The preposition* por *can be used to express the following ideas:

a. duration

b. in exchange for

c. in place of

d. manner or means

e. movement through or along

f. among

A. ***Identify the usage of the preposition* por *in the following sentences. Write the category of usage in the space provided based on the list above.***

1. Fuimos por la ciudad buscando a mi perro perdido . . . e
2. Te doy cinco pesos por tu reloj . . . b
3. Cristo murió por nosotros . . . c
4. Hablamos por teléfono por dos horas . . . d, a

B. ***Form sentences with the words provided and the proper choice of* por *or* para. *Follow the model.***

Modelo: *You see:* Te doy mi manzana _____ tu pera.
You write por *in the blank and say:* Te doy mi manzana por tu pera.
You hear the confirmation: Te doy mi manzana por tu pera.

1. Te doy un regalo para tu cumpleaños.
2. Mamá entra en la casa por la puerta de la cocina.
3. Nicolás va a la biblioteca para estudiar.
4. Vivimos en Argentina por seis años.
5. Mandaste los paquetes por camión ayer.
6. Los pioneros viajaron por los desiertos para llegar a su destinación.

VI. Pronunciación

Follow along on page 254 of your textbook.

Los sonidos de las sílabas *ge, gi* y la consonante *j*

The sound of the *j* (*jota*) is represented by the letter *g* before *e* and *i* and by the letter *j* in all positions. It is pronounced like the English *h* in "house" but with slightly more friction.

Practique las palabras: gente . . . giro . . . jugo . . . paja

Practique las frases: Jaime Jirón juega el primer jueves de junio en Jalisco.

Jacinto está en el gimnasio con los jóvenes.

VII. Dictado

Escuche y escriba.

1. Quiero pasar las vacaciones en el mar.
2. Los señores Gómez hicieron un viaje al océano.
3. La semana pasada estuvimos en el desierto donde hizo frío de noche.
4. Cuando estuvimos en las montañas, miramos las estrellas y la luna por la noche.
5. El año pasado, mi papá no tuvo vacaciones.

Capítulo Doce

Lección 31

I. Versículo

I Tesalonicenses 5:24 Fiel es el que os llama, el cual también lo hará.

Repeat each phrase in the pauses provided.

I Tesalonicenses . . . 5:24 . . . I Tesalonicenses 5:24 . . . Fiel es el que os llama . . . el cual también lo hará.

Try to say each phrase before you hear it on the tape.

. . . I Tesalonicenses 5:24 . . . Fiel es el que os llama . . . el cual también lo hará.

Say the entire verse with the reference before and after.

I Tesalonicenses 5:24 Fiel es el que os llama, el cual también lo hará. I Tesalonicenses 5:24

II. Diálogo

Follow along on pages 257-58 of your textbook.

Excursión al campo

Los jóvenes de la Iglesia de El Buen Pastor en Caracas, Venezuela, están planeando para una excursión al campo. Van a invitar a algunos amigos que no asisten a la iglesia para hablarles acerca de Cristo. Están planeando el menú.

Juan: Me gusta la idea de ir al campo el sábado.

Srta. Méndez: Pedro nos dio la idea.

Pedro: La comida siempre sabe mejor al aire libre.

Ana: Quiere decir que debemos llevar mucha comida.

Juan: A propósito, ¿qué vamos a comer?

Ana: Marta y yo queremos comer hamburguesas a la barbacoa, papitas y refrescos. ¿Está bien?

Pedro: Está bien, pero tenemos invitados. Hay que preparar para ellos también.

Srta. Méndez: Es cierto. Vamos a ver. Voy a hacer la lista. Carne molida, tres kilos . . .

Juan: ¿Nada más que tres kilos ?

Srta. Méndez: Es suficiente para 20 hamburguesas.

Juan: Compre un kilo más.

Srta. Méndez: Está bien. Cuatro kilos de carne molida. Tres docenas de pan para hamburguesa. ¿Está bien, Juan?

Juan: Bien.

Srta. Méndez: Dos docenas de platos y vasos de plástico. Cuchillos, tenedores y cucharitas también. Y un paquete de servilletas. ¿Alguién tiene un mantel?

Ana: Yo tengo uno. Puedo traérselo mañana.

Srta. Mendez: Además, necesitamos condimentos—sal y pimienta, mostaza y salsa de tomate. ¿Quién va a comprárnoslos?

Ana: Yo los compro.

Srta. Méndez: Juan, ¿tú puedes traernos las papitas? Vamos a necesitar dos bolsas grandes.

Juan: Les traigo tres bolsas. Quiero tener suficiente.

Srta. Méndez: Creo que eso es todo.

Ana: ¿Y los refrescos?

Srta. Méndez: Se me olvidaron. ¿Cuántas botellas necesitamos?

Juan: Por lo menos tres docenas.

Srta. Méndez: ¿Tantas?

Juan: ¡Quiero tener suficiente!

Srta. Méndez: Está bien. ¡Mejor que sobre a que falte! ¿Algo más?

Ana: Sólo que haga sol el sábado.

III. Vocabulario

Circle the letter of the item that best matches the description you hear.

Modelo: *You hear:* Pongo la carne encima de esto.
You see: a. la mostaza b. el pan c. la sal
You mark b *and say:* el pan.
You hear the confirmation: b. el pan

1. Pongo la comida encima de esto.
   c. el plato
2. Uso esto para limpiar la boca.
   a. la servilleta
3. Es amarillo y lo pongo en la hamburguesa.
   b. la mostaza
4. Sirvo el refresco en esto.
   a. el vaso
5. Encuentro esto en las mesas de restaurantes.
   b. la sal y la pimienta

IV. Repaso: pronombres de objetos directos e indirectos

A. *Restate the statement you hear by replacing the direct objects with the appropriate object pronouns.*

Modelo: *You hear:* La señora puso el mantel sobre la mesa.
You say: La señora ___*lo*___ puso sobre la mesa.
You hear the confirmation: La señora lo puso sobre la mesa.

1. Rafael trajo las hamburguesas . . .
   Rafael las trajo.
2. Maritza tiene los tenedores . . .
   Maritza los tiene.
3. Roberto trajo el refresco . . .
   Roberto lo trajo.
4. El señor Ruiz está usando la sal . . .
   El señor Ruiz la está usando.

B. *The sentences you see below are incomplete without the indirect object pronouns. Add the appropriate indirect object pronoun as you say each sentence aloud.*

Modelo: *You see:* Yo _______ presto el libro a Rafael.
You say: Yo ___*le*___ presto el libro a Rafael.
You hear the confirmation: Yo le presto el libro a Rafael.

1. . . . Les enviamos la carta a ustedes.
2. . . . Esteban y Timoteo nos venden sus guantes de béisbol a nosotros.
3. . . . Tú les pasas los platos a los hermanos Ruiz.
4. . . . Papá va a prestarle el carro al Sr. Rivas.
5. . . . Uds. pueden explicarnos la gramática a nosotros, ¿verdad?
6. . . . Voy a preguntarles a los estudiantes si tienen hambre.

V. La posición de dos complementos

A. *Replace the direct object noun in italics with its corresponding pronoun; then say the sentence aloud.*

Modelo: *You see:* Ricardo me da *la sal.*
You say: Ricardo me la da.
You hear the confirmation: Ricardo me la da.

1. Carlota me lo explica.
2. Julián y Adela me las preparan.
3. Yo te los presto.
4. Nosotros te las damos.
5. Gloria me lo da.

B. *Replace the direct object noun with its corresponding pronoun as you say the sentence aloud. Place the object pronoun at the end of the infinitive.*

Modelo: *You hear:* Cristóbal va a mandarte la carta.
You say: Cristóbal va a mandártela.
You hear the confirmation: Cristóbal va a mandártela.

1. Angélica tiene que pedirme la información.
   Angélica tiene que pedírmela.
2. Yo deseo explicarte los problemas.
   Yo deseo explicártelos.
3. Preferimos no contestarte las preguntas.
   Preferimos no contestártelas.
4. Uds. necesitan traerme las servilletas.
   Uds. necesitan traérmelas.
5. Yo debo mandarte el aviso.
   Yo debo mandártelo.

C. *Martín is very anxious to please Cristina and is always willing to do whatever she asks. Benjamín, on the other hand, is not. Listen to Cristina's requests and give an affirmative response for Martín and a negative response for Benjamín. Use both object pronouns in your responses.*

Modelo: *You hear:* ¿Me prestas tu libro, Martín? (sí)
You see: sí
You say: Sí, te lo presto.
You hear the confirmation: Sí, te lo presto.

1. ¿Me preparas una hamburguesa, Martín?
   Sí, te la preparo.
2. ¿Me prestas tu abrigo, Benjamín?
   No, no te lo presto.

3. ¿Me traes unos platos de papel, Benjamín?
   No, no te los traigo.
4. ¿Me das unas servilletas, Martín?
   Sí, te las doy.
5. ¿Me das otro refresco, Martín?
   Sí, te lo doy.

VI. Mandatos afirmativos: forma *Ud.*

Make formal commands using the elements provided.

Modelo: *You see:* Juan / abrir su libro
You say: Juan, abra su libro.
You hear the confirmation: Juan, abra su libro.

1. . . . Marta, escriba la frase.
2. . . . Ramón, cierre la puerta.
3. . . . Pedro, hable más fuerte.
4. . . . María Dolores, conteste la pregunta.
5. . . . Carolina, venga a mi oficina.
6. . . . Eliseo, diga la verdad.
7. . . . Felipe, vuelva a las tres.
8. . . . Patricia, repita el versículo.

VII. La posición de los pronombres con los mandatos afirmativos

El Sr. Vásquez sometimes lacks motivation to do what he ought to do. El Sr. González always provides the extra encouragement he needs. Play the role of el Sr. González. Remember to include the necessary object pronouns in your answers.

Modelo: *You hear:* Quiero enseñar la clase bíblica.
You say: Pues, enséñela.
You hear the confirmation: Pues, enséñela.

1. Quiero invitar a Marta al concierto.
   Pues, invítela.
2. Voy a escribirle a Ud. una carta.
   Pues, escríbamela.
3. Voy a prestarle a Ud. mi corbata.
   Pues, préstemela.
4. Debo buscar a Teresa ahora.
   Pues, búsquela.
5. Debo llevar a los chicos a un restaurante a comer.
   Pues, llévelos.

VIII. Mandatos irregulares forma *Ud.: dar, estar, ir, ser*

A. ***The command forms of a few verbs are not based on the* yo *form of the present tense. The* Ud. *command for the verb* dar *is* dé. *Answer the following questions with commands. Remember to include the direct object pronouns.***

Modelo: *You hear:* ¿Le doy el tenedor?
You say: Sí, démelo.
You hear the confirmation: Sí, démelo.

1. ¿Le doy los platos?
   Sí, démelos.
2. ¿Le doy la pimienta?
   Sí, démela.
3. ¿Le doy la salsa de tomate?
   Sí, démela.

B. *The* Ud. *command for the verb* estar *is* esté. *Listen as la Sra. Blanco's new housekeeper Lucinda is promising to fulfill specific responsibilities. Play the part of la Sra. Blanco as she reinforces each of Lucinda's statements with an appropriate command.*

Modelo: *You hear:* Voy a estar a tiempo.
You say: ¡Sí, esté a tiempo!
You hear the confirmation: ¡Sí, esté a tiempo!

1. Voy a estar aquí de lunes a sábado.
¡Sí, esté aquí de lunes a sábado!
2. Voy a estar preparada para trabajar.
¡Sí, esté preparada para trabajar!
3. Voy a estar aquí desde las siete hasta las cuatro.
¡Sí, esté aquí desde las siete hasta las cuatro!

C. *The* Ud. *command for the verb* ir *is* vaya. *Change the following statements to commands.*

Modelo: *You hear:* Ud. va a la pizarra.
You say: Vaya Ud. a la pizarra.
You hear the confirmation: Vaya Ud. a la pizarra.

1. Ud. va a la cafetería.
Vaya Ud. a la cafetería.
2. Ud. va a su clase.
Vaya Ud. a su clase.
3. Ud. va a la fiesta sin mí.
Vaya Ud. a la fiesta sin mí.

D. *The* Ud. *command for the verb* ser *is* sea. *Change the following statements to commands.*

Modelo: *You hear:* Ud. es bueno.
You say: Sea Ud. bueno.
You hear the confirmation: Sea Ud. bueno.

1. Ud. es el director.
Sea Ud. el director.
2. Ud. es mi amiga.
Sea Ud. mi amiga.
3. Ud. es el presidente del Club.
Sea Ud. el presidente del Club.

IX. Dictado

Escuche y escriba.

1. Ramona le pidió un refresco a la señora.
2. Mamá hizo un pastel y me lo dio para llevarlo al picnic.
3. No trajeron suficientes vasos y platos.
4. Siempre pongo mostaza y salsa de tomate en mi hamburguesa.
5. Me gusta cocinar y comer al aire libre.

Lección 32

I. Versículo

Proverbios 6:20 Guarda, hijo mío, el mandamiento de tu padre, y no dejes la enseñanza de tu madre.

Repeat each phrase in the pauses provided.

Proverbios . . . 6:20 . . . Proverbios 6:20 . . . Guarda, hijo mío . . . el mandamiento de tu padre . . . y no dejes . . . la enseñanza de tu madre.

Try to say each phrase before you hear it on the tape.

. . . Proverbios 6:20 . . . Guarda, hijo mío . . . el mandamiento de tu padre . . . y no dejes . . . la enseñanza de tu madre.

Say the entire verse with the reference before and after.

Proverbios 6:20 Guarda, hijo mío, el mandamiento de tu padre, y no dejes la enseñanza de tu madre. Proverbios 6:20

II. Diálogo

Follow along on page 265 of your textbook.

Problemas del turista

Los señores Roberto Benavides y Tito Duarte son turistas en la ciudad de Caracas, Venezuela.

Roberto: Tengo unas tarjetas postales que escribí a mis amigos en Nueva York. ¿Sabe dónde está el correo? Tengo que comprar estampillas.

Tito: Ayer no vi ningún correo.

Roberto: Y anduvimos mucho.

Tito: Yo también quiero comprar estampillas y mandar una carta. Le escribí a mi novia. Le conté lo que hicimos ayer.

Roberto: ¿Le contó de todas las chicas lindas que vimos?

Tito: ¡No, hombre! Pero sí le conté de las flores lindas que vimos.

Roberto: Ahí hay un policía. Pregúntele dónde está el correo.

Tito: Pregúntele Ud.

Roberto: Está bien. Con su permiso, señor, ¿me puede decir dónde está el correo?

Policía: Sí, como no. Está cerca. Siga derecho hasta la esquina. Doble a la izquierda. Camine dos cuadras y doble a la derecha. Mire a la izquierda y ahí está el correo frente a un colmado. No es difícil encontrarlo.

Roberto: Muchas gracias, señor.

Policía: A la orden.

Tito: ¿Ya sabe llegar?

Roberto: Creo que sí. A ver, dijo él, "Siga derecho hasta la esquina. Doble a la . . ." ¿derecha o izquierda?

Tito: Creo que dijo a la izquierda.

Roberto: Después, "camine dos cuadras y doble a la . . ." ¿derecha o izquierda?

Tito: "Derecha . . ."

Roberto: "Y ahí está el correo a la izquierda".

Tito: Bueno, ¡vámonos!

III. Mandatos: forma *nosotros*

Every Friday night the members of the López family take turns suggesting things they can do together. After each suggestion, join the family in saying, "Let's do it."

Modelo: *You hear:* Podemos hacer una pizza.
You say: Sí, hagámosla.
You hear the confirmation: Sí, hagámosla.

1. Esta noche podemos cantar.
   Sí, cantemos.
2. Me gusta jugar al "ping-pong".
   Sí, juguémoslo.
3. Podemos ir al parque.
   Sí, vámonos al parque.
4. ¿Tienen calor? Podemos comer helado.
   Sí, comámoslo.
5. Podemos caminar a la heladería.
   Sí, caminemos a la heladería.

IV. Mandatos negativos: forma *Ud.*

A. ***La Sra. Espín is not in the best of moods. Every time her friend la Sra. Pedregales tries to do something, la Sra. Espín tells her not to do it. Make la Sra. Espín's commands, using the elements provided.***

Modelo: *You hear:* Voy a cerrar la ventana.
You say: ¡No cierre la ventana!
You hear the confirmation: ¡No cierre la ventana!

1. Voy a llamar a Ignacio.
   ¡No llame a Ignacio!
2. Voy a comprar bananas en el colmado.
   ¡No compre bananas en el colmado!
3. Voy a poner la radio.
   ¡No ponga la radio!
4. Voy a llevar el carro a la gasolinera.
   ¡No lleve el carro a la gasolinera!
5. Voy a abrir la puerta.
   ¡No abra la puerta!

B. ***La Sra. Acevedo asks advice from her lawyer. Play the role of the lawyer and answer her according to the cues provided.***

Modelo: *You hear:* ¿Vendo mi carro?
You see: no
You say: No, no lo venda.
You hear the confirmation: No, no lo venda.

1. ¿Compro la casa nueva?
   No, no la compre.
2. ¿Le escribo al señor que me llamó?
   Sí, escríbale.
3. ¿Pongo todo mi dinero en el banco?
   No, no lo ponga todo en el banco.
4. ¿Llamo al presidente del banco?
   No, no lo llame.
5. ¿Me quedo en la casa?
   Sí, quédese en la casa.

V. El pronombre se

A. ***The indirect object pronouns* le *and* les *change to* se *when followed by another object pronoun that begins with* l (lo, la, los, las). *In the following exercise, replace each direct object noun in italics with its corresponding pronoun. Make the proper change in the indirect object pronoun.***

Modelo: *You see:* Yo le doy *el periódico* a Jaime.
You say: Yo se lo doy.
You hear the confirmation: Yo se lo doy.

1. Mis padres les envían *las direcciones* a Uds.
   Mis padres se las envían.
2. Yo quiero leerles *la Biblia* a los niños.
   Yo quiero leérsela.
3. César le trae *el refresco* a Noemí.
   César se lo trae.
4. Tú vas a darles *los regalos* a tus abuelos mañana.
   Tú vas a dárselos mañana.
5. Miguel y yo podemos explicarles *la lección* a Uds.
   Miguel y yo podemos explicársela.
6. Ud. le presta *el carro* a su hijo.
   Ud. se lo presta.

B. ***Answer the following questions using the elements provided. Remember to include both object pronouns in your answer.***

Modelo: *You hear:* ¿Quién le presta el dinero a Gilberto?
You see: Irene
You say: Irene se lo presta.
You hear the confirmation: Irene se lo presta.

1. ¿Quién le da los platos a Rita?
   Nancy se los da.
2. ¿Quién les entrega los papeles a Uds.?
   Alán nos los entrega.
3. ¿Quiénes les enseñan el versículo a los niños?
   Sus padres se lo enseñan.
4. ¿Quiénes quieren contarle la historia a Ud.?
   Los niños quieren contármela.
5. ¿Quién les vende la casa a Uds.?
   El Sr. Castillo nos la vende.
6. ¿Quiénes les traen el pan a Uds.?
   Los jóvenes nos lo traen.
7. ¿Quiénes les dicen la verdad a los alumnos?
   Nosotros se la decimos.
8. ¿Quién va a devolverle los libros a Ud.?
   Tú vas a devolvérmelos.
9. ¿Quién va a prestarle el carro a Ud.?
   Mi hermana va a prestármelo.

C. ***Answer the following questions with either an affirmative or a negative* Ud. *command according to the cue provided. Remember that object pronouns go before a negative command but are attached to the end of an affirmative command.***

Modelo: *You hear:* ¿Le vendo la radio a Ramón?
You see: no
You say: No, no se la venda.
You hear the confirmation: No, no se la venda.

1. ¿Le explico el versículo a Ud.?
   Sí, explíquemelo.
2. ¿Le doy la cámara a Constancia?
   No, no se la dé.
3. ¿Les digo la verdad a los señores Quevedo?
   Sí, dígasela.
4. ¿Le presto a Ud. las llaves de mi carro?
   No, no me las preste.

5. ¿Les doy a Uds. las cartas de los misioneros?
   Sí, dénoslas.
6. ¿Le entrego el dinero a Ud.?
   No, no me lo entregue.

VI. Dictado

Escuche y escriba.

1. Doble a la derecha y camine dos cuadras.
2. El colmado está en la esquina, al lado de la oficina del abogado.
3. Ponga la carta en el buzón frente al correo.
4. Tenemos que esperar si la luz del semáforo está en rojo.
5. La luz del semáforo está en verde. ¡Vámonos!

Lección 33

I. Versículo

Proverbios 3:7 No seas sabio en tu propia opinión; teme a Jehová, y apártate del mal.

Repeat each phrase in the pauses provided.

Proverbios . . . 3:7 . . . Proverbios 3:7 . . . No seas sabio en tu propia opinión . . . teme a Jehová . . . y apártate del mal.

Try to say each phrase before you hear it on the tape.

. . . Proverbios 3:7 . . . No seas sabio en tu propia opinión . . . teme a Jehová . . . y apártate del mal.

Say the entire verse with the reference before and after.

Proverbios 3:7 No seas sabio en tu propia opinión; teme a Jehová, y apártate del mal. Proverbios 3:7

II. Lectura

Follow along on page 273 of your textbook.

Un relato bíblico

En Juan 9 leemos la historia de un hombre ciego de nacimiento. Un día, los discípulos le preguntaron a Jesús, "¿quién pecó, éste o sus padres?"

Jesús les dijo, "No es que pecó éste, ni sus padres, sino para que las obras de Dios se manifiesten en él. . . . Entre tanto que estoy en el mundo, luz soy del mundo.

Entonces Jesús hizo lodo en la tierra, y untó el lodo en los ojos del hombre ciego. Jesús le dijo, "Vé a lavarte en el estanque de Siloé". El ciego fue, se lavó, y recibió la vista.

Cuando la gente le preguntó, "¿Cómo te fueron abiertos los ojos?", él les dijo, "Aquel hombre que se llama Jesús hizo lodo, me untó los ojos y me dijo: Vé al Siloé, y lávate; y fui, y me lavé, y recibí la vista".

III. Mandatos: forma *tú*

A. ***Poor Angustias has a number of problems. Many people are telling her what to do and what not to do. Complete their instructions using the elements provided.***

Modelo: *You hear:* Estoy muy cansada.
You see: descansar; no tomar aspirina
You say: Descansa; no tomes aspirina.
You hear the confirmation: Descansa; no tomes aspirina.

1. Estoy a dieta y tengo mucha hambre.
   Come más fruta; no comas los postres.
2. No sé qué escribir en este papel.
   Escribe tu nombre aquí; no escribas nada allí.
3. Acabo de tener un accidente de automóvil.
   No llores; llama a la polícia.
4. No puedo dormir bien.
   No tomes café después del mediodía.
5. Tengo una *D* en la clase de química.
   Estudia para el examen; no mires televisión.

B. ***Francisco is baby-sitting his little brother. It seems that he is giving orders all day long. What are some of the orders he gives? Use the familiar command form.***

Modelo: *You hear:* lavarse las manos
You say: Lávate las manos.
You hear the confirmation: Lávate las manos.

1. lavarse la cara
   Lávate la cara.
2. escucharme
   ¡Escúchame!
3. tomar la leche
   Toma la leche.
4. traerme los zapatos
   Tráeme los zapatos.
5. dormirse
   Duérmete.
6. no mirar la televisión
   No mires la televisión.
7. no escribir en la pared
   No escribas en la pared.
8. no hacer eso
   ¡No hagas eso!

IV. Mandatos irregulares

Complete the commands that Pablo's mother gave him. Use the cues provided and the verbs you hear.

Modelo: *You see:* donde fuiste
You hear: decirme
You say: Dime donde fuiste.

1. poner
   Pon las naranjas en la mesa.
2. no tener
   No tengas pena.
3. hacer
   Haz lo que te digo.
4. venir
   Ven a casa después del servicio.
5. no salir
   No salgas sin tu suéter.
6. no poner
   No pongas los pies en el sofá.
7. decirme
   Dime la verdad.
8. salir
   ¡Sal de una vez!
9. ir
   Ve al colmado a comprar pan.
10. no dar
    No le des tu comida al perro.
11. no ser
    No seas tan lento.
12. no ir
    No vayas al parque con esos muchachos.

V. Repaso del pronombre se

Maritza's mother is checking up on her to see if she has done all her work. Listen to her mother's questions, and then give Maritza's answers according to the cue provided.

Modelo: *You hear:* ¿Diste los libros al profesor?
You see: sí
You say: Sí, se los di.
You hear the confirmation: Sí, se los di.

1. ¿Le llevaste el pastel a la abuela?
   Sí, se lo llevé.
2. ¿Le prestaste tu vestido a Carmencita?
   No, no se lo presté.
3. ¿Le diste nuestro número de teléfono al pastor?
   Sí, se lo di.
4. ¿Le compraste la Biblia?
   Sí, se la compré.

5. ¿Vas a enviarle las fotos a tu hermana? — Sí, voy a enviárselas. *or* Sí, se las voy a enviar.

VI. Dictado

Escuche y escriba.

1. Jesús le dijo al demonio, "Cállate y sal de él".
2. Una cosa te falta: Anda, vende todo lo que tienes, y dalo a los pobres, y ven, sígueme.
3. Hazme oir gozo y alegría.
4. Estudia para el examen final.